KB195924

동서양 그림에서
사랑의 비밀을 읽다

동서양 그림에서
사랑의 비밀을 읽다

전남대학교박물관
문화전문도서02

이태호

손철주

박계리

고연희

강명관

우병희

최혜영

노성두

정금희

김홍섭

유경희

심미안

조선 후기 풍속화와 춘화

이태호

조선 후기 풍속화와 춘화

이태호

1. 시작하며 : 단원과 혜원을 계승한 우리 춘화의 매력

　단원(檀園) 김홍도(金弘道)와 혜원(蕙園) 신윤복(申潤福)의 화풍을 계승한 19세기 전반경의 《운우도첩(雲雨圖帖)》과 1844년경의 《건곤일회첩(乾坤一會帖)》은 조선 후기 춘화(春畵)의 대표작이다.[1] 두 화첩의 성희(性戲)그림은 조선 후기의 수준 높은 회화성을 보여주는, 한국 춘화의 백미로 손꼽을 만하다. 조선후기에 이들 춘화첩의 등장은 이웃나라 중국이나 일본에 비해 한두 세기 늦은 편이다. 또 중국의 명·청(明淸)시대나 일본의 에도(江戶)시대에 춘화가 크게 유행했던데 비해, 우리나라에서는 '유행'이라고 할 만큼 많이 그려지지 않았다. 그 이유는 명분과 체면을 중시한 유교이념이 사회적으로 뿌리 깊게 잡혀 있었고, 특히 상업의 발달이 더뎌 경제력이 당시 중국이나 일

---

1) 이 두 화첩은 2012년 1월 15일~2월 24일 갤러리현대·두가헌에서 대중에게 처음 공개 전시되었다. (『옛사람의 삶과 풍류 -조선시대 춘화-』,갤러리현대·두가헌, 2012.) 여기에 소개한 글은 그 전시 도록에 필자가 쓴 글을 보완한 것이다.

본보다 뒤떨어졌기 때문일게다.

　이런 정황에서 19세기나마 《운우도첩》과 《건곤일회첩》같은 춘화첩이 그려졌다는 사실만으로도 문화적 긍지를 갖게 한다. 두 춘화첩은 그동안 잡지나 책에 실려 왔기에 눈에 익지만 실물 전체가 전시공간에 펼쳐져 대중에게 공개된 적이 없었다. 드디어 우리나라 춘화의 대표작이 온전히 처녀성을 잃게 된 셈이다. 이번 갤러리 현대에서 선보이는 두 춘화첩은 풍속화전과 함께 꾸며진다. 그동안 춘화가 전시된 적은 몇 번 있었지만, 춘화 전람회와 동시에 전시작품을 도록으로 발간하는 일은 더욱 이번이 첫 번째가 아닐까 싶다. 개인화랑에서 마련한, 우리 춘화의 새 역사를 쓰는 획기적인 일이다.

　춘화는 인간의 성행위와 관련된 그림을 일컫는다. '춘화' 라는 명칭은 중국에서 시작하여 한국과 일본에서도 같은 의미로 쓰인다. 춘화는 '春華' 혹은 '春花', '春和' 라고도 하며, 섹슈얼리티와 관련된 이미지로는 춘심(春心), 춘의(春意), 춘정(春情), 춘흥(春興) 등이 있다. '춘(春)' 자의 사용은 봄이 가진 의미와 무관하지 않다. 겨울을 지나 만물이 소생하고, 온갖 꽃이 만발하며 생동하는 계절이기에 봄 '춘' 자가 붙여졌을 법하다. 기력이 왕성한 젊은 시절을 청춘(靑春)이라고 부르는 이유도 그 때문이다. 한어대사전(漢語大辭典)에서는 춘화의 '춘' 에 담긴 자의(字義)를 『시경(詩經)』 소남편(召南篇)에 '有女懷春 吉士誘之(정욕을 품은 여인이 있어 잘생긴 선비가 유혹하네)' 라는 구절에서 찾는다.

　동아시아에서는 인간을 잉대하는 생명의 원천이자 자연의 천리(天理)로서 남녀의 사랑을 봄에 빗댔다. 성행위의 왕성한 에너지 정교(情交)와 음양조화는 유교나 도교 사상에 뿌리를 둔다. 춘화첩의 별칭으로 비와 구름이라는 의미의 '운우(雲雨)', 또는 여자와 남자 음양(陰陽)이 만나는 '건곤일회' 라 부르는 점에도 그런 생각이 담겨 있다. 그래서 성교를 통해 신선의 경지에 오르고자 했던 도가(道家)의 방중술(房中術)은 다양한 체위를 표현하는 춘화도상의 밑거름이었다. 여기에 성행위를 엑스타시로 여긴 카마수투라를 비롯하여 힌두교나 서아시아 종교의 영향을 받기도 했다.

여러 가지 성교의 체위를 담은 화첩이나 애정소설의 삽화에 등장한, 동아시아 춘화의 용도는 다양했다. 더 나은 성희를 즐기기 위한 감상, 도가의 방중술이나 종교적 해탈, 신혼부부의 성교육 교과서, 다산(多産)의 기원, 노인을 위한 회춘(回春) 등으로 그려졌을 것이다. 그런데 춘화는 남녀의 정상적인 성행위만을 담은 것으로 그치지 않는다. 춘화첩은 음화(淫畫)라고 불리듯이 색정이 넘치고 최음적(催淫的)인 표현으로 인간의 쾌락적 욕망을 담는다. 이는 아이를 낳기 위해 누구나 다하는 짓이면서 황홀경을 즐기는, 성문화의 이중적 요소이기도 하다. 동시에 춘화는 인간이 살았던 시대의 매력 넘치는 문화 사료이자 회화작품으로 당당하게 꼽을 예술영역이다.

한국문화사에서 성(性) 표현은 삼천 년 전 청동기시대의 암각화나 청동기에 새겨진 성기 노출의 인간상이나 교미하는 동물표현부터 그 역사가 깊다. 그 이후 마을공동체의 민속놀이, 민담과 노동요, 질탕한 사랑의 시소설이나 연희(演戱), 춘화에 이르기까지 성애묘사는 은유보다 직설화법이 많다. 《운우도첩》이나 《건곤일회첩》 두 화첩에 그려진 춘화도 상당히 도색(桃色)적이다. 성희장면의 인체묘사나 자세는 대담하며 낭만이 흐르는 에로시티즘을 물씬 발산한다. 천연스레 솔직하여 인간의 원초성을 유감없이 감상할 수 있도록 해주는 것이 우리 춘화의 흥(興)이자 휴머니티이다. 또한 회화 기량이 뛰어난 화원 솜씨의 예술성을 보여주며, 춘화에 등장한 인물상들과 배경표현은 조선후기의 시대상을 읽게 해준다.

이 두 춘화첩에는 남녀노소(男女老少)와 신분고하(身分高下)의 다채로운 인물들이 등장한다. 남성은 점잖은 중년이나 노년의 양반사대부가 주인공이고, 여인들은 기녀뿐만 아니라 머리에 첩지를 장식하거나 삼회장저고리를 입은 양반가의 부인도 적지 않다. 남녀의 조합은 부부사이, 나이 지긋한 노

신윤복, 〈청금상련〉, 《혜원전신첩》, 종이에 수묵담채, 35.6×28.2cm, 간송미술관.

인과 젊은 여성, 중년 부인과 청년, 노인부부, 창가(娼家)의 직업여성, 젊은 여성들과 한 청년의 혼교, 성희를 훔쳐보는 소년이나 여인, 동성애 등이 그려진다. 이들 춘화에 등장한 인물들은 부적절한 관계가 많고, 대체로 계면쩍은 듯 무덤덤한 표정을 짓는다.

이처럼 다양한 성희의 춘화는 윤리관이 흐트러진, 유교의 도덕개념으로는 철저히 타락한 당대의 성문란을 보여준다. 사방관이나 탕건을 쓴 자림으로 성교하는 사대부 양반층에 대한 조롱이나 승려와 양반 부인의 설정도 사회상을 숨김없이 드러낸다. 이들은 특히 중세적 유교의 엄격주의를 깨는 일에, 춘화가 더없이 좋은 예술적 소재였음을 시사한다. 김홍도와 신윤복의 풍속화에 이어 등장한 19세기의 춘화에는 조선 몰락기 신분사회에 대한 풍자와 농담이 짙게 깔려 있다.

또한 우리 춘화에서 봄과 여름의 성행위 그림은 대낮 화사한 분홍빛의 진달래 밭이나 녹음 진 개울가, 연녹색 봄버들의 달밤 연못가 등 주로 야외 장면을 담았다. 열린 공간에서 온몸을 드러내고 자연과 교감을 이루는 성희그림은 우리 춘화만의 독특한 매력이다. 중국이나 일본의 춘화에도 야외장면이 있으나, 대체로 산들보다 꾸며진 정원이 그 배경이어서 우리와 다른 감성이다. 가을과 겨울, 초봄까지는 방안의 성행위가 그려져 한국의 기후적 특징을 적절히 반영한다. 국화나 홍매분재, 개나리 등을 통해 계절 감각을 나타내고, 창문이나 벽장, 요와 베개, 책장과 탁자, 화로, 요강 등 방안 꾸밈은 소박하고 단촐한 조선적 분위기를 자아낸다.

춘화의 생명력과 가치는 남녀 성행위의 과감하고 적나라한 묘사에 있다. 비록 현존하는 작품이 적지만, 《운우도첩》과 《건곤일회첩》의 노골적인 표현처럼 조선 후기 춘화의 체위는 현대의 포르노그래피 못지않다. 우리 선조들이 상상 이상으로 성에 대한 의식이나 시선이 개방적이었음을 살피게 해준다.

때론 해학적이면서 낭만이 흐르고, 때론 과장하지 않고 가식 없는 에로티시즘이 우리 춘화의 감칠맛이자 아름다움이다. 자연과 인간이 어울려 그 속에서 호흡하는 성표현은 생동감 넘치며, 안정된 회화적 조형미는 빼어나다. 한국 춘화의 이러한 격조는 우리보다 앞서 크게 발달한 중국과 일본의 그것과 어깨를 겨룰 만큼 사랑스럽고, 그들과 구별되는 한국적인 품위와 예술성을 뽐낸다.

2. 조선 후기 춘화의 등장배경, 풍속화 그 이후

한국미술사에서 춘화는 조선 후기 풍속화의 발달 이후에 등장했다. 따라서 춘화는 풍속화로서 문화사적 가치를 갖는다. 숙종·영조시절 공재(恭齋)

윤두서(尹斗緖, 1668~1715)나 관아재(觀我齋) 조영석(趙榮祏, 1686~1761) 등 문인화가에 의해 포착되기 시작한 서민생활상은 정조 순조시절 탁월한 묘사력의 화원 단원 김홍도나 혜원 신윤복에 이르러 풍속화로 완성되었다. 단원과 혜원은 삶의 일상은 물론 남녀의 애정사(愛情事)까지 소재를 확산시켰고, 해학적 풍자와 골계미로 시대감정을 실어냈다.

조선 후기 풍속화는 그 주요 대상으로, 여성을 부각시킨 점 또한 주목된다.[2] 딸이자 며느리이고 어머니이자 부인으로서 애달픈 인생부터 억압을 풀어내는 신명나는 삶까지, 여성이 남성보다 우리의 예술적 감성을 울려준다. 이러한 풍속화의 진면목은 영조·정조시절의 김홍도보다 순조시절의 신윤복에 의해 발현되었다. 특히 신윤복은 남녀의 만남과 노골적인 성적 이미지를 구사하여 당대 신분사회를 질타하거나 조롱하는 시각을 뚜렷이 하였다. 춘화에 나타난 유교적 엄격성이 무너지는 양태 역시 신윤복 풍속화를 승계한 그 다음의 사회상을 반영한 것이다.

생활그림에서 춘화로 이어진 풍속화의 발달은 17~18세기 경제력 성장과 맞물려 있다. 춘의를 담은 풍속화와 춘화는 조선후기 문화의 새로운 변화를 시사하며, 동아시아는 물론 종교적 외피의 서아시아, 근대사회를 이룬 유럽의 미술사에서도 비슷한 시기에 나타나는 유사 에로티시즘 미술이다. 현존하는 작품사례로 볼 때 우리의 춘화는 세도정치나 삼정의 문란, 그리고 민중봉기 등으로 이어지고 유교이념이 급격히 흔들리는 순조(재위 1800~1834) 시절 이후, 19세기에 주로 그려졌다.

춘화는 조선사회의 몰락기이자 문화적 쇠퇴기의 문예영역인 셈이다. 동시에 춘화의 경향성은 새로운 시대에 대한 열망을 드러낸다. 근대사회로 변동하는 시대상을 적절히 구실하는 증거로 내세울 만하다. 누구나 다 하고 언제

---

2) 이태호, 『풍속화』하나·둘, 대원사, 1995·1996. ; 「시대를 담은 여속도 : 조선후기를 빛낸 화가들의 사실정신」, 『화원-조선화원대전』, 삼성미술관 리움, 2011.

나 해오던 인간의 성행위가 예술적 소재로 혹은 회화의 대상으로 조선후기 시절에 선택되었다는 점에서, 춘화는 커다란 역사적 의미를 갖는다. 지금의 포르노 예술 역시 먼 훗날 우리시대의 사회상을 해석하는 근거일 터이다.

조선 후기에는 춘화가 등장할 조건이 충족되어 있었다. 경제력 성장과 함께 성리학 이념을 기반으로 삼던 예교(禮敎)와 풍속(風俗)이 흐트러져 있었고, 일본이나 중국 등 이웃나라에서 춘화가 대거 유행했던 점에서 그 시대적 여건을 찾을 수 있다. 18~19세기를 걸쳐 살았던 문무자(文無子) 이옥(李鈺, 1760~1812)의 남녀풍속에 관련한 글이 당대의 변화된 분위기를 잘 전해준다. 풍속화의 발달과 춘화의 등장, 그리고 그 이념적 배경이 고스란히 담겨 있는 이옥의 글을 소개한다.

대저 천지만물에 대한 관찰은 사람을 관찰하는 것보다 더 큰 것이 없고, 사람에 대한 관찰은 정(情)을 살펴보는 것보다 더 묘한 것이 없고, 정에 대한 관찰은 남녀의 정을 살펴보는 것보다 더 진실된 것이 없다… 남녀의 정에 있어서만은 곧 인생의 본연적인 일이고, 또한 천도의 자연적인 이치인 것이다.

그러므로 혼례를 올리고 화촉을 밝힘에 서로 문빙(問聘)하고 교배(交拜)하는 일두 진정(眞情)이며, 내실 경대 앞에서 사납게 다투고 성내어 꾸짖는 것도 진정이며, 주렴 아래나 난간에서 눈물로 기다리고 꿈속에서 그리워함도 진정이며, 청루(靑樓) 거리에서 황금과 주옥으로 웃음과 노래를 파는 것도 진정이며, 원앙침(鴛鴦枕) 비취금(翡翠衾), 홍안(紅顔) 취수(翠袖)를 가까이하는 것도 진정이며, 서리 내리는 밤의 다듬이질이나 비 오는 밤 등잔 아래에서 한탄을 되씹고 원망을 삭이는 것도 진정이며, 꽃 그늘 달빛 아래에서 옥패(玉佩)를 주고 투향(偸香, 남녀가 몰래 정을 통함)하는 것도 진정이다… 천지만물에 대한 관찰도 이 남녀의 정에서 살펴보는 것보다 더 진실된 것이 없다.[3]

보편의 윤리관을 완연히 벗어난 건 아니지만, 그 의식이 파격적이다. 당대의 문인 이옥이 여성의 애환이나 기쁨을 실감나게 설파한 생활상은 김홍도나 신윤복의 풍속도 화면을 연상시킬 정도이다. 불경스런 남녀의 은밀한 정교(情交)마저 구분 짓지 않고 인간의 진정성으로 춘화처럼 생각이 열려 있어 주목된다. 뿐만 아니라 조선 후기에는 애정소설이나 사설시조, 그리고 판소리 등 문예작품에도 남녀의 성희와 애정사가 풍부하게 묘사되었다. 이는 춘화가 발달할 수 있었던 직접적인 배경이기도 하다. 그 한 예로 영조시절 문인관료인 이정보(李鼎輔, 1693~1766)의 사설시조 한 수를 들어보자. 성행위를 노골적으로 묘사한 구절들이 질탕하다.

> 어젯밤 자고 간 그놈, 아마도 못 잊을 거야./기와장이 아들이었나 마치
> 진흙을 반죽하듯이, 뱃사공의 손재주였나 마치 노 젓듯 하듯이, 두더지의
> 아들이었나 마치 곳곳을 파헤치듯이, 평생에 처음이요 마음이 야릇해지더
> 라./그간 나도 겪을 만큼 겪었으나, 정말 맹세하건대 어젯밤 그 놈은 차마
> 못 잊을 거야.[4]

이외에도 남녀의 춘정을 읊은 노동요나 민요, 연희나 민속예술, 또 남근석이나 여근곡 같은 민간의 성 신앙적 조형물, 그리고 줄다리기나 풍어제 같은 공동체문화에 노골적인 성애표현이 두드러져 있다.[5] 조선 후기 애정소설이나 사설시조 못지않게 꼭두각시극이나 탈춤놀이 등의 연행(演行)들이 화끈하고 개방적인 성향을 띠었다. 한국춘화의 매력 가운데 홀딱 벗은 남녀의 성

3) 李鈺, 『俚諺』 中 '二難' ; 『역주 이옥전집』 2권, 실시학사 고전문학연구회 역주, 소명출판, 2001.
4) 朴乙洙 編著, 『韓國時調大辭典』, 亞細亞文化社, 1991.
5) 이태호, 「공동체놀이문화의 표출된 성의 형상화」, 『남도민속학의 진전』 동은지춘상박사정년 기념, 태학사, 1998. ; 『미술로 본 한국의 에로티시즘』, 여성신문사, 1998.

행위 장면이 많은 점은 이런 맥락과 같이 한다.

　조선시대 민간의 음담패설을 모은 『고금소총』에 조선 초기 선비화가 사숙재(私淑齋) 강희맹(姜希孟, 1424~1483)의 『촌담해이(村談解頤)』와 후기의 화원화가 옥산(玉山) 장한종(張漢宗, 1768~1815)의 『어수신화(禦睡新話)』가 수록되어 있어 흥미롭다.[6] 예나 지금이나 화가들 가운데는 입담이 좋고 애주호색(愛酒好色)을 즐기는 사람들이 많은 점에 비추어 그럴 만하다. 이로 미루어 보면 춘화가 폭넓게 확산되었을 법하다. 그런데 현존하는 춘화의 수량이 이웃나라 중국이나 일본보다 너무 적고, 한두 세기 늦게 출연했다.

　장한종이 수원(水原) 감목관(監牧官) 시절 열청재(閱淸齋)에서 지은 『어수신화』 혹은 『어수록(禦睡錄)』의 130꼭지는 『고금소총』에서 가장 많은 다작이며, 대표성을 가진다.[7] 절반 이상이 음담패설이다. 도화서에서 그림을 그리면서 주고받았을 그야말로 '잠을 쫓는 이야기(禦睡錄)'로, 마치 조선 후기 야한 풍속도나 음란한 춘화첩의 스토리텔링이 될 정도이다. 화가가 이런 수준의 소설을 썼는데 비해, 장한종의 춘화가 전해오지 않아서 아쉽다. 더욱이 장한종은 정조시절 〈화성능행도(華城陵行圖)〉(1795년) 제작에 참여했으며, 단원화풍의 계승자였다. 〈어해도(魚蟹圖)〉를 제일 잘 그려 유명한 화가였다. 그런 실력이면 《운우도첩》정도는 충분히 그려냈을 법하다.

3. 19세기 전반의 《운우도첩》

　조선 후기의 춘화 가운데 가장 회화성이 뛰어나고 단원과 혜원풍의 격조를 유지한 작품은 《운우도첩》이라 불려온 화첩이다. 구름과 비의 '운우'는

---

6) 『古今笑叢』, 민속자료간행회, 1958.
7) 閱淸齋, 『禦睡錄』, 正音社, 1947.

성희를 뜻하며 가장 즐겨 쓴 은유적 표현이다. '구름은 여성의 분비물을, 비는 남성의 정액을 상징한다'고도 한다. 개인소장으로 분첩되어 10여 점 가량이 공개된 적이 있고, 원래 40점으로 꾸며진 화첩이라 전해온다. 화첩에 그려진 전체 도상을 종합할 수는 없으나, 공개된 대부분의 춘화들은 가장 걸작에 속한다. 약간의 부푸러기나 이물질이 섞여 있으나 고운 조선종이에 그린 점에서도 품격이 느껴진다.

이 춘화첩에서 널리 알려진 10점의 야외 분위기나 실내 치장을 보면, 계절에 맞춘 남녀의 사랑법과 성교의 체위를 조합시켜 놓은 것이다. '사계춘화첩(四季春畵帖)'이라고 불러도 좋을 성싶다. 이 가운데 5점으로 꾸민 화첩 한 권의 표지에 '檀園先生眞品(단원선생진품) 雲甫拜觀(운보배관)'이 딸려 있다. 운보 김기창이 그림마다에 찍힌 음각의 '김홍도인(金弘道印)'과 양각의 '단원' 도장 때문에 김홍도의 그림으로 본 것이다. 워낙 배경이 단원의 산수화풍을 닮아 그렇게 단정했고, 세간에 단원 그림으로 알려져 있다.[8] 그런데 이 도장 두 방은 후낙관(後落款)이고, '단원'의 양각 도인(圖印)은 조금 생소한 편이다. 1남 2녀가 벌이는 성희장면에는 '단원'과 '김홍도인'이 겹쳐 찍혀 있기도 하다.

산 언덕과 나무 묘사법의 배경산수가 수준급인 데다가 단원화풍을 닮아 누군가 그렇게 김홍도의 도장을 찍은 모양이다. 실제 단원의 화법은 김득신·신윤복 이후 엄치욱·이명기·김양기·장한종·조정규·변지순·이재관·김하종·이한철·백은배·유숙·장승업·안중식 등에 이르기까지 19세기 내내 유행했다. 《운우도첩》의 춘화는 사선식 구노와 배경표현에 얼핏 김홍도의 50내 이후 산수화풍을 보여준다. 하지만 잔 붓질이 복잡하고 김홍도다운 까실한 골기가 적나. 수묵의 농담처리나 담묵과 담채에 물기가 많아서 김홍도 화풍보다 부드리

---

8) 『한국의 춘화』, 미술사랑, 2000.

우며, 붓끝의 탄력은 섬약한 편이다. 전체적으로 김홍도의 기량에는 조금 못 미친다. 하지만 《운우도첩》의 배경표현은 오히려 은근하고 신선감이 감돌아 남녀상열지사의 분위기를 살리는 데는 한층 효과적이다.

김홍도는 유곽풍정을 그렸던 것으로 전해오고[9] 목화밭이나 빨래터에서 일하는 여인들을 남정네가 훔쳐보거나, 우물가에서 벌이는 남녀의 수작 정도의 풍속도를 남겼다. 하지만 춘화첩에 등장한 인물묘법은 김홍도보다는 신윤복의 화풍에 가깝다. 약간 미세한 손 떨림의 옷 주름이나 인물 필선, 그리고 사람들의 무표정한 얼굴표현은 신윤복류의 스타일이다. 특히 여인들의 머리모양, 크고 풍성한 가체는 김홍도보다 신윤복 그림과 유사하다. 김홍도 풍속도에 보이는 여인의 머리 수식(首飾)은 가체가 그리 크지 않은 편이다.

1) 자연과 어울린 봄 여름의 야외 성희

1. 《운우도첩》에서 봄의 색정은 담홍색 진달래가 흐드러진 곳에 은밀한 남녀의 성희에서 피어오른다. 붉은 빛 진달래꽃들과 연푸른 바닥은 두 남녀의 성정을 돋우기 충분하게 봄내음이 화사하다. 먹색의 맑은 농담과 번짐, 짧은 붓질의 반복으로 묘사한 언덕과 진달래 나뭇가지의 표현은 전형적인 단원식 산수화풍이다. 이런 자연과 더불어 벌이는 야외의 성행위 장면포착은 우리 춘화가 지닌 매력이다. 엉덩이만 깐 채 맨바닥에 질펀하게 앉은 남자가 여인을 뒤에서 품에 안은 포즈이다. 근래 취화선이나 전통사극에서 흔히 패러디되는 도상이기도 하다. 신윤복의 〈연당야유(蓮塘野遊)〉 화면의 왼편에 사방관을 내려놓고 여인을 껴안은 양반과 유사한 자세이다.

자리도 깔지 않고 옷을 입은 채 진행되는 성행위로 보아 준비가 안 된 상

---

9) 徐有榘, 『林園十六誌』.

태에서 진행되는 일임을 알겠다. 젊은 양반 댁 자제들이 봄 풍류를 나섰다가 눈이 맞은 여인과 은밀한 곳을 찾아든 모양이다. 치마 안에 열두 겹을 입었다는데도 불구하고 이렇게 예정에 없이 성교가 가능하니 놀랍다. 한복의 기능성을 다시 생각게 한다. 망건을 쓰고 배자를 걸친 청년은 버거워 누나뻘 여인의 등판에 잔뜩 얼굴을 묻은 자세로 치마를 끌어안은 듯하다. 단속곳을 내리고 곰방대를 문 여인은 길게 즐기려 한 모양인데, 고개를 돌리며 불만족스럽단다. 풍성한 가체와 삼회장저고리에 쪽색 남치마를 받쳐 입은 사대부가의 여성 복장이다. 기생일지라도 상당히 지체 높은 양반의 애첩일 게다.

2. 봄의 황홀한 쾌락은 보름달 달빛 아래 연못가에서 펼쳐지기도 한다. 은밀한 곳이 아닌 버드나무가 자라는 훤히 열린 들, 새 잎에 봄물이 오른 늦은

작자미상, 《운우도첩》, 종이에 수묵담채, 28×38.5cm, 개인소장.

봄버들 너머로 돗자리를 깔고 발가벗은 전라(全裸)의 남녀가 성희를 즐긴다. 앞 그림의 준비 안 된 행위에 비해, 계획된 만남 같다. 남자는 위, 여자는 아래의 가장 보편적인 귀등식(龜騰式) 체위이다. 여인을 덮친 남자는 그야말로 거북이가 뛰어오를 듯하다. 묘사력이 상당했을 화가의 솜씨인즉, 분명 모델링을 하였을 법하다. 상체를 잔뜩 들어 올린 여인의 표정은 한창 오르가즘에 이른 것 같다. 남자의 허리를 휘어감은 양손과 양발이 생동감난다. 특히 등위에 V자를 이룬 양발의 발가락마저 고양된 춘흥에 잔뜩 긴장해 있다. 그만큼 남정네는 능숙한 기술을 지녔을 법한 듬직한 나이이다.

여인의 바짝 든 상체와 나란한 버드나무의 사선식 배치가 눈에 띤다. 화가의 빼어난 공간운영 감각을 보여준다. 자연과 인간이 하나 되게 어울려 놓은 화면구성이다. 이 화첩 가운데 배경산수의 회화성이 가장 돋보이는 그림이다. 또 비스듬히 기운 버드나무와 그 가지 사이에 뜬 보름달, 연녹색 언덕과 잡풀처리에는 휘영청 봄 달밤의 상쾌함이 일렁인다. 이들 배경의 필치는 그대로 단원화풍에 근사하다. 조선 후기 춘화 가운데 앞의 진달래 밭에서 벌어진 장면과 더불어 양대 명작으로 꼽을 만하다.

3. 한여름 남녀의 성정은 깊은 계곡 시원한 개울가에서 탁족(濯足)을 하다가도 일어난다. 본디 탁족은 한여름 피서 겸 명상으로 자연과 교감하는 양반 문인들의 문화이다. 탁족 현장에서 눈에 드는 여인이라도 만나게 되면 샛길로 빠지기 십상이다. 《운우도첩》에 살 붙이고 서로의 성기를 희롱하는 그림이 그 좋은 예이다. 이마에 망건 자욱이 선명한 중년의 남정네가 여인과 탁족을 즐기다 물가에 비스듬히 누워 있다. 여인의 손길 탓인지 남자의 전신에 전율이 흐른다. 발가벗은 남자의 옆에 바짝 붙어 쭈그려 앉은 여인은 가체머리에 연녹색 반회장저고리만 걸친 차림이다. 잔뜩 성이 나서 불끈한 양물을 유심히 바라보는 음습한 표정도 심각하다. 반허리를 세운 남자의 손은 동시에 여인의 음경을 자극하면서 그 성정을 돋운다. 진땀 흘리는 교접보다 여름

성희로는 제격 같다. 여인의 손밖으로 삐죽이 나온 귀두의 크기와 생김새를 보니, 장안의 여인들을 꽤나 울렸을 오입쟁이의 물건으로 내세울 만하겠다. 배경표현은 남녀의 희롱에 공감하도록 일체감을 이룬다. 언덕의 넓은 터치와 잔 붓질의 농담조화, 개울의 빠른 물결표현, 그리고 짙푸른 나무들의 녹음 등 배경을 단원풍으로 살려냈기에 가능했을 법하다.

4. 여름 성희도로는 은밀한 언덕에서 벌이는, 여성이 남성의 위에 걸터앉은 체위 또한 제격이다. 맨바닥에서 이루어지는 일이니, 여성을 배려한 체위이기도 하다. 여름 한낮 대범하기도 하다. 여성은 다 벗었고, 등이 베길까봐 남자는 저고리만 걸쳤다. 양다리를 꼬고 누워 상체를 일으킨 남정네의 표정이 여인의 적극적인 뒷모습에 비해 무덤덤하다. 우리 춘화에는 여성이 그처럼 무심한 표정을 짓는데 비하여, 남자가 그러하니 색다른 느낌을 준다. 그리고 쪽머리보다 큰 여인의 머리장식이 별나다. 가체가 아니라 양반가 부녀자의 큰 비녀를 꽂은 낭자머리이다. 조선후기 풍속화나 춘화에 보이는 대부분의 여성들은 가체를 올렸던 점에 비추어 볼 때, 흔치 않은 헤어스타일이다. 궁중풍습인 가체를 민간에서 하지 못하도록 하는 어명까지 있었는데도 불구하고 지켜지지 않았던 사회분위기와 다르다.[10] 풍속화나 춘화에 등장하는 여인 중 어쩌면 어명을 따른 유일한 예이다.

5. 화첩에는 언덕 너머 어린 사내와 젊은 여인의 호색행각이 포착되어 있다. 삼단의 축대 위에 돗자리를 깔고 벌이는 남녀의 행위가 생경하다. 축대와 배경산수도 저택의 후원인 듯, 그냥 예사로운 곳이 아니다. 망건까지 벗어버린 나신의 젊은 남자가 누나 격인 여인을 사타구니 사이에 누고 앉은 자

---

10) 이태호, 「조선후기 풍속화에 그려진 女俗과 여성의 미의식」, 『한국고전여성문학연구』 13, 한국고전여성문학연구회, 2006.

세이다. 왼쪽 무릎을 세운 여인의 왼손이 뒤로 남자의 그곳을 자극하는 듯, 사내는 두 발의 발가락에 잔뜩 힘을 준다. 여인의 음경 앞에는 작은 놋쇠요강이 놓여 있어, 중국의 방중술에 나오는 것처럼 음수(陰水)를 받으려는 것이 아닌가 싶다. 아래로 둥글게 부른 배가 임신한 여인으로 보이기도 한다. 두 인물을 정면으로 열어 놓았음에도 불구하고, 이들 성희를 가리려 앞 언덕에는 죽림과 단원풍의 늙은 잡목이 어우러져 있다.

이처럼 《운우도첩》에 보이는 산계곡과 들에서 벌이는 성희는 우리나라 춘화의 특징으로 꼽을 만하다. 이웃 중국이나 일본의 춘화에도 야외장면이 있으나 대체로 꾸며진 정원에서 이루어진 것이다. 땅기운을 흠씬 받으며 진행되는 성교이니, 그야말로 풍광과 인간이 하나 되는 최고의 자연치유법 힐링일 법하다. 이는 한국인의 성의식이자 자연관을 그대로 나타낸다.

6. 《운우도첩》에는 대청마루에서 진행되는 혼교(混交)도 포함되어 있다. 뜰의 괴석과 남방식물인 소철나무가 한여름을 가려준다. 집안의 대청에서 두 여인이 입을 맞추며 서로 애무하는 가운데, 사방관을 쓴 남성이 위쪽 여인과 뒤에서 하는 후위(後爲)의 성희를 즐기는 장면을 포착한 것이다. 사방관을 쓴 청년은 결혼한 지 얼마 안 되는 양반 댁 자제 같다. 사방관은 양반층의 권위인즉, 성희를 즐기면서 이를 벗지 않는 경우가 춘화에 적지 않다. 한편 신분을 뚜렷이 그려 넣은 화가의 의도는 그들에 대한 조롱쯤으로 보인다. 두 여인 중 아래쪽 발가벗은 여인은 가체를 푼 경험자이다. 위의 녹색 삼회장저고리를 입은 처녀는 댕기머리이다. 모두 양반가의 여인들로, 사족(士族)의 성문란상이 적나라하다.

이처럼 한 남자가 두 여인과 즐기는 체위는 중국 방중술에 의하면 성애의 쾌락을 극대화시키는 방법의 하나라고 한다. 세 인물을 가린 수묵산수의 가리개 장식이나 대청마루가 아닌 민 바닥, 그리고 지붕채양으로 그려놓은 넝쿨식물 표현은 중국 춘화에서 빌어온 도상이다. 세 남녀의 심중이 처마의 넝쿨처럼 엉켜 있지나 않을까 싶다.

2) 계절별로 다룬 다채로운 성희그림

우리나라의 기후조건 때문에 늦가을부터 초봄까지는 야외에서 벌이는 성희가 쉽지 않으니, 자연스레 그 배경이 실내로 옮겨진다. 그런데 방안에서 벌어진 성행위에도 계절의 맛을 살리기 위해 화분을 배치하기도 한다. 늦가을의 정취는 만발한 노란 국화분으로 살렸고, 초봄에는 매화분재를 등장시켰다. 실내 풍경임을 알려주는 문과 벽장, 서안, 책장, 탁자 같은 문방구류, 화로나 타구 등 소품의 배치는 계절감각은 물론 단촐하면서도 조선적인 멋스러움을 연출한다.

1. 《운우도첩》에는 승려와 양가집 여인, 노인 부부와 같은 색다른 계층의 성희를 포함하고 있어 주목된다. 노인 부부의 성희는 초가집 격자창의 대청마루에서 이루어진다. 맨몸의 할아버지가 늘어진 성기를 손에 쥐고 할머니에게 요구하자, 이에 응하는 할머니의 표정이 가상스럽다. 쭈그려 치마를 걸어 올리고, 단속곳마저 연 채 아랫도리만 겨우 드러내며 다가선다. '그래 되나 한 번 해보슈' 하는 할머니의 배려가 안쓰럽기만 하다. 노인의 성문제를 시사하는 것인즉, 그야말로 춘화가 아니라 추화(秋畵) 노는 동화(冬畵)라 이를 만하다. 이 소재는 우리 춘화의 인간주의적인 배려를 읽게 한다. 초가의 기둥 왼편에는 쇠창 달린 가래가 놓여 있고, 장독대는 죽림(竹林)에 둘러져 있다. 아직도 부엌일과 논일을 하는 노인 부부의 건강함이 읽혀진다.

2. 승려와 여인의 성교그림은 조선시대 여성들이 절에 다니며 문란해졌다

는 상사(上寺)의 성풍속도를 적절히 보여준다. 유교사회에서 승려에 대한 조롱일 수도 있겠다. 그림에 등장한 젊은 여인은 가체를 풀어 내린 채 나이든 승려의 허리를 양다리로 잔뜩 휘어감은 포즈이다. 살포시 눈감고 홍조 오른 표정은 도회남자들과의 관계에서 무심했던 여인들과 사뭇 다르다. 성심을 다하는 자세이다. 여인의 가르마 사이에 개구리형 누런 동색(銅色) 첩지가 치장되어 있다. 양반 댁 아녀자임에 틀림없다. 아이를 낳기 위해 백일기도하러 온 여인에게 아들을 점지시켜주는 장면이지 않을까. 어린 동자승은 창문의 가리개를 빠끔히 열고 방안 사태를 몰래 훔쳐본다. 우리 춘화만이 지닌 해학미이자 낭만성이다. 대발이 쳐진 방안은 텅 비어 있다. 흰 요와 큰 베개 외에는 승려의 물건뿐이다. 승려의 회색 도포와 지팡이, 패랭이형의 모자 승립(僧笠)이 덩그렁하다.

3. 창가(娼家)의 풍속도도 춘화첩에서 빠지지 않는다. 긴 겨울밤은 사각등을 놓아 분위기를 맞추었다. 발가벗은 남자가 큰 요에 덜렁 누운 여인을 향해 돌진한다. 양팔을 벌리고 레슬러가 공격하려는 포즈와 닮아 있다. 전혀 다듬어지지 않은 몸매의 남자 뒷모습에는 해학마저 짙게 흐른다. 방바닥에 내팽개치듯 갓과 도포를 훌훌 벗어 놓은 모습에 양반남정네의 조급한 심정이 잘 드러나 있다. 문도 닫지 않은 채이다. 남자의 이런 감정은 아랑곳하지 않고, 도리어 무관심하다는 여인의 표정이 대조를 이룬다. 속속곳만 겨우 입고 음문을 드러낸 채 곰방대를 물고 남자를 외면한 태도가 가관이다. 직업적인 여인일 터인네, 방안에는 놋쇠ㄴ듯과 성희를 위한 기본 노구만 있고 지상 거리가 없다. 그러면서도 방문에는 얼핏 김홍도일파의 상당한 수준급 화조 산수가 붙어 있다. 그림의 두 마리 새가 나란히 날며 사랑을 나누는 모습이 방의 쓰임새와도 잘 어울려 있다.[11]

4. 이른 봄의 춘정을 담은 그림이다. 그런 만큼 성행위 자세에 격정이 넘

친다. 아직은 추운 이른 봄임에도 두 남녀가 벌거벗은 것부터 적나라하다. 남녀의 체위가 거의 현대 포르노그래피 수준이다. 이를 훔쳐보며 사생하던 화가에게 그들의 출렁이는 리듬이 전달된 듯 자연스레 부감한 시선으로 사선구도에 성희장면을 담았다. 침실 밖에 고목의 홍매분재와 네모진 수선화 화분이 놓여 있다. 흰 수선화꽃이 피고 핑크빛 홍매 꽃망울들이 잔뜩 달려 있다. 홍매와 수선화는 모두 군자를 상징하는 꽃이다. 방안의 교자상 위에는 책과 벼루, 필통이 놓여 있어 선비의 공간임을 알겠다. 나이 지긋한 양반은 선비의 아취(雅趣)인 홍매나 수선화, 그리고 학문은 뒤로 한 채 흰 피부의 젊은 여인에게 흠씬 빠져 있다. 방안의 흰색 장막은 한옥문화에 어색한데, 체위도상과 더불어 중국 춘화에서 빌어온 인상이다.

사계절과 다채로운 인간상의 성희를 담은 《운우도첩》은 조선 후기 춘화 가운데 최고의 회화수준과 가장 모범적인 정형을 갖추고 있다. 이 화첩은 조선후기 춘화의 발생이 18세기였을 가능성도 없지 않았겠지만, 19세기 초반에 들어서서 본격화되었음을 알려준다. 앞서 언급했듯이 단원산수화풍의 배경과 혜원화풍의 인물인 점, 그리고 이 화첩 이후에 그려진 《건곤일회첩》이 1844년 작임을 감안할 때, 《운우도첩》은 1810~1830년대 순조시절에 그려졌을 것으로 추정해본다.

---

11) 이장의 춘화설명은 필자의 예전 글을 크게 수정 보완한 것이다. (이태호, 『풍속화』 하나·둘, 대원사, 1995·1996. ; 「조선후기 춘화의 발달과 퇴조」, 『전남사학』 제11집, 전남사학회, 1997. ; 『미술로 본 한국의 에로티시즘』, 여성신문사, 1998.) 특히 정밀한 복식고증을 위해 한국복식연구의 원로이신 고부자 선생님의 도움을 받았다.

4. 1844년경의《건곤일회첩》

《건곤일회첩》은 비교적 안정된 솜씨의 여인 풍속도가 2점 포함된 춘화첩이다. '건곤일회' 라는 화첩의 제목대로 '하늘과 땅, 즉 남녀가 만나는 일'이 담겨 있다. 현재 12점이 반씩 분첩된 상태이다. 화첩의 그림 종이는 누런 색 지질로 보아 얇은 중국제 죽지계열이다. 6점에는 '혜원' 이라 쓰고 양각도장 '시중(時中)' 과 음각도장 '혜원' 이 찍혀 있으며, 나머지 6점에는 음각도장 '혜원' 만 찍혀 있다. 이는 신윤복의 화풍과 근사한 점을 염두에 둔 후낙관이다. 특히 '혜원' 의 필체가 신윤복의 그것과 다른 편이다. 떨림이 있는 짙은 수묵선묘법과 가벼운 채색, 턱이 둥근 여인상의 표정 등이 혜원화풍과 차이난다. 화첩의 첫 장 중국제 금은박 장식의 고급종이에 이상적인 적은 발문(跋文)에서도 신윤복의 작품이 아닌 근거를 찾을 수 있다.

> 빼어난 여색은 좋은 반찬이라는 말은 천 년을 두고 내려오는 아름다운 이야기다. 그대의 책상 아래 이 화첩을 드리니, 날마다 부드럽고 따뜻한 고향에 들어가는 맛을 보리라. 어찌 원제(元帝)[12]의 풍정(風情)을 부러워하겠는가. 갑진년 봄 아침. (秀色可飱千載佳話 贈君几下 日入溫柔鄉 何羨元帝風情也. 甲辰春朝)[13]

역관 이상적(李尚迪, 1804~1865)이 1844년(갑진년) 봄 아침에 춘화첩을 누군가에서 선물하며 미끈한 행서체로 쓴 것이다. 이를 확인케 해주는 도장

---

12) 이 元帝를 원나라 황제로 착각했었다.(이태호, 『미술로 본 한국의 에로티시즘』, 여성신문사, 1998.) 다시 확인해보니 원제는 前漢 때 궁녀를 그림으로 그려오게 해서 낙점했다는 왕이다. 그때 가장 미인이었다는 王昭君을 미처 알아보지 못하고 흉노에게 보낸 고사를 남기기도 했다.
13) 『조선회화명품집』, 부산 진화랑, 1995.

두 방이 발문이 보인다. 글의 시작부분에 찍힌 양각의 둥근 도장은 '今人不見古時月 今月曾經照古人(지금 사람은 옛날의 달을 보지 못했고 지금 달은 일찍이 고인들을 비추었네)'라는 당나라 이태백(李太白)의 〈파주문월(把酒問月)〉이란 시 구절이다. 왼편 아래 찍힌 양각의 네모도장은 '同是天涯淪落人 相逢何必曾相識(똑같이 하늘 가에 영락한 사람이니 만남이란 어찌 반드시 아는 사람이어야 하리)'라는 당나라 백거이(白居易)의 〈비파인(琵琶引)〉이란 시 구절이다. 이상적의 도장은 화첩의 맨 뒤 빈 화면에도 두 방이 찍혀 있다. 양각의 둥근 도장은 '思君令人老(그대 향한 그리움이 사람을 늙게 하네)'라는 고악부(古樂府)의 한 구절이다. 음각의 네모도장은 '人影在地 仰見明月(사람 그림자가 땅에 있어서 밝은 달을 우러러보네)'라는 송나라 소동파(蘇東坡)의 〈후적벽부(後赤壁賦)〉 한 구절이다. 이 네 방은 오세창(吳世昌)이 모은 130개의 이상적 인장 속에서 확인된다.[14]

이상적은 중국을 열두 차례나 다녀온 역관으로 추사(秋史) 김정희(金正喜)의 제자이다. 이상적은 연경(燕京)의 소식을 추사에게 전하거나 금석문 자료와 신간 서적을 구해다 올렸고, 그 보답으로 추사는 제주유배시절 〈세한도(歲寒圖)〉(1844년)를 이상적에게 그려주었다.[15] 앞서 오세창은 이상적의 제자인 역관 오경석(吳慶錫)의 아들이었으니, 이상적의 많은 인장을 모두 모을 수 있었던 것 같다. 덕분에 《건곤일회첩》의 발문이 이상적이 썼음을 확인하게 되었다.

원래 나무판 표지에 꾸며진 화첩 첫 면의 이 글은 그림과 동시에 썼을 것이다. 글과 그림이 완성된 1844년 봄, 그때는 1805~1813년에 주로 활동했던 신윤복이 세상을 떠났으리라 추정된다. 이 화첩을 그린 화가로는 신윤복

---

14) 吳世昌, 『槿域印藪』, 국회도서관, 1968. ; 이상 네 방의 도인 찾기와 번역은 한문학자 김채식 선생의 도움을 받았다.
15) 유홍준, 『완당평전』 1, 학고재, 2002.

의 후배 화원인 시산(詩山) 유운홍(劉運弘, 1797~1859) 정도가 떠오른다. 실제 기둥이나 마루, 창문의 실내공간 작도법이나 인물묘사법이 국립중앙박물관 소장 유운홍의 〈기방도(妓房圖)〉와 가장 흡사하다.

《건곤일회첩》의 춘화에는 옷을 완전히 벗고 진행하는 정상적인 체위가 2점뿐이고, 나머지는 유혹, 성기애무, 아니면 옷을 입은 채 진행되는 전희 상황들을 포착한 것이 대부분이다. 또 이들 10점 모두 실내에서 이루어진 호색 행각이고, 노소의 양반층이 주종을 이룬다. 인물화법은 신윤복의 낙관을 사용할 만큼 혜원 풍속도와 근사하다. 19세기 춘화에 미친 그의 영향력을 실감케 하는 춘화첩이다.

1) 삼회장저고리 여인의 남성행각

1. 두 여인이 춘화를 감상하는 그림은 춘화첩의 용도를 알려준다. 그림 속의 펼쳐진 춘화첩에는 발가벗고 뒤엉킨 두 남녀가 선명하다. 잠옷인 속적삼에 흰 저고리를 입은 여인이 왼쪽 무릎을 세우고 앉아 춘화첩을 넘기고, 그 옆에 남치마에 흰 삼회장저고리를 입은 여인은 엎드려 춘화장면에 눈을 고정시킨 연출이다. 크고 무거운 가체를 볼 때, 상당히 지체 높은 양반가의 여인들 같다. 촛불 아래 춘화 삼매경에 빠진 여인들 뒤로, 서울 한밤중 정동와로와 밤참을 차린 원반이 놓여 있다. 이들의 구성은 사선의 벽면을 따라 배치되고 오른편 마루로 공간이 열려 있다. 춘화첩 앞의 예쁜 쇠촛대에 촛불이 마루 쪽으로 꾀여 있다. 촛불은 왼쪽 방문이 열리며 웬 사내라도 등장할 듯한 분위기를 암시한다.

2. 《건곤일회첩》의 4점 춘의도는 옷을 입은 채 벌어지는 남녀의 사랑이 담겨 있다. 인물들 중 남치마에 흰 삼회장저고리를 받쳐 입은 여인이 그림들의 주인공이다. 앞 그림에서 엎드려 춘화에 눈이 꽂힌 바로 그 여인이다. 오

작자미상, 《건곤일회첩》, 종이에 수묵담채, 23.3×27.5cm, 개인소장.

른 쪽 사선 벽면에 단원풍의 큰 수묵산수화가 걸려 있고, 왼편의 횃대에는
창옷으로 보이는 흰 도포에 남자의 은장도가 보이고, 노란색 반회장저고리
와 흰 치마가 걸려 있다. 남편의 사랑채에서 벌어진 부부사이의 일로 여겨진
다. 삼회장저고리의 여인은 긴 장죽의 곰방대를 물고 화로에서 불을 붙인다.
상투차림의 양반은 여자를 이끌며 드러누우려는 자세이다. 치마를 걷어내고
바짓가랑이를 드러내며 왼손으로 애무를 시도하나, 여자의 표정이 어간 냉
랭하다. 방안에는 쇠화로, 요강, 타구, 담배쌈지, 붉은 가죽으로 만든 베개
등이 배치되어 있다.

3. 방안에서 남자가 여인을 끌어안고 벌이는 성교장면은 앞 그림의 두 남
녀가 다른 공간으로 옮긴 것 같다. 회색 장방이 걷어 올려지고 상위의 유리

어항과 청동화로가 안방임을 시사한다. 남치마를 쓸어 올린 채 트임이 있는 바지 사이로 여인의 엉덩이가 드러나 있다. 남자는 상의를 입은 채 바지를 끌어내린 모습이다. 망건을 쓴 남자는 누비저고리와 배자 차림으로 여인의 등에 얼굴을 묻고 발을 뻗어 마지막 용을 쓰는 자세이다. 남자의 허벅지에 주저앉은 여인은 남자의 그 느낌이 전달된 모양이다. 무심한 듯하면서도 순간 어! 하며 입에서 곰방대를 뺀 표정이 그러하다. 이 도상은 《운우도첩》의 진달래가 핀 계곡에서 벌어진 장면을 빌어다 썼다. 젊은 남성에서 장년의 테크니션으로 바뀌었을 뿐이다.

4. 《건곤일회첩》에는 남치마에 삼회장저고리 차림의 여인이 앞의 세 그림과 달리 젊은 남성을 만나는 장면도 포함되어 있다. 가을정원에 노란색 국화 화분이 계절을 알려준다. 만발한 국화향기에 취한 여인이 새 젊음을 찾은 듯하다. 마루 딸린 사랑방에 용자형(用字形) 문이 열리고 문지방을 넘으며 걸터앉은 여인의 뒷모습이 그런 정황을 말해준다. 금색 풍잠이 달린 망건만 쓴 분홍색저고리의 미남은 여인의 왼손을 잡아당기며 얼굴에 홍조가 번진다. 여인은 청년의 손에 이끌려 그의 얼굴을 어루만지며 오른손으로 요염하게 가체를 푸는 게 상당히 급한 모양이다. 벌써 치마는 벌려 있고, 트인 단속곳은 곧 뒤가 열릴 것처럼 꿈틀댄다.

2) 실내 공간에서 벌어진 성희들

1. 《건곤일회첩》에는 앉아서 하는 남녀의 색다른 체위도 보인다. 방안에는 소철나무 화분과 술안주 소반이 놓여 있고, 아자창(亞字窓)의 미닫이문으로 보아 상당한 양반가의 풍경이다. 온몸에 홍조 띤 젊은 남자는 홀딱 벗고, 여인은 치마를 벗은 채 가랑이를 연 바지 차림이다. 오른쪽 발을 방에 대고 왼쪽 엉덩이를 든 채 남성을 받아드리는 자세가 희한하다. 삽입하기 직전 성기

쪽에 시선을 둔 젊은 남자나 여성의 표정은 서로 데데하다. 반회장저고리를 입은 여인의 가체는 반쯤 풀어진 상태이며, 가체를 묶은 갈색 끈이 눈에 띤다. 젊은 남정네와의 성희가 두통을 가져왔는지, 가체가 무거워서 띠를 둘렀는지 모르겠다.

2. 성희장면의 춘화는 누군가 훔쳐본다는 전재 아래 그려진다. 적어도 그림을 그리는 화가는 보게 되어 있다. 춘화에 등장하는 노골적인 훔쳐보기는 그 화가를 대신하는 인물로 곧잘 표현된다. 마루로 열린 방에서 남녀의 성희가 진행되고, 이를 구경하는 젊은 여인을 배치한 춘화가 그 사례이다. 용자형 여닫이창이 있는 빈방에서 남녀가 어정쩡하게 엉켜 있다. 창에 달린 작은 손잡이가 깔끔하고 예쁘다. 상의를 벗고 바지는 내린 채 앉은 남자가 여자를 끌어 앉으며 젖가슴과 음부를 자극한다. 여자를 만지며 남자가 더 달아올라 있다. 서로 맞댄 남녀의 얼굴색이 대조를 이룬다. 흰 피부의 여인은 노란 색 반회장저고리만 입고, 아래쪽을 모두 드러낸 상태이다. 홍조 띤 남자의 성기 희롱에 자극이 전해오는지, 남자의 어깨너머로 허리를 끌어안은 여인의 동작에 힘이 실려 있다. 보이지 않는 오른손은 뒤로 남자의 성기를 만지는 듯하다. 이를 마루에서 구경하는 젊은 여인은 방문기둥에 머리를 박고 훔쳐보기에 취한 자태이다. 가체를 끌어내려 뒤로하며 바지를 드러낸 상태로 보아 자위행위라도 하는 모양이다.

3. 춘화첩에는 다양한 체위 가운데 옆으로 누워서 이루어지는 성희장면도 빠지지 않는다. 왼쪽 대청으로 활짝 열린 방밖은 진달래가 핀 초봄의 정경이다. 벽장문에는 남종화풍의 수묵산수화가 붙어 있다. 여인은 풀어헤친 가체를 베개 삼고 분홍색 누비 반회장저고리만 걸쳤다. 으슬한 봄날이니 하체에 흰 누비치마를 덮고 버선을 신었다. 남자는 바지저고리를 입고 탕건도 벗지 않았다. 남녀의 얼굴이 비슷한 또래로 보인다. 여자를 뒤에서 반쯤 껴안고

손을 사타구니 안으로 밀어 넣은, 남자의 자세가 음흉하다. 유방이 부풀고 배가 불룩한 몸매로 보아, 여인은 임신 중으로 생각된다. 혹여 임신 중인 부인의 성감대를 자극하는 행위일수도 있겠다. 임산부의 건강이나 태교에 도움이 될까. 종아리의 행전마저 벗지 않은 남자는 먼 길에서 막 돌아온 듯하고, 얼굴이 잔뜩 붉어져 있다. 화로 옆에 놓인 술병과 안주로 볼 때, 부인이 준비한 술 한 잔을 먼저 걸친 듯하다.

4. 남녀의 성행위는 역시 남자는 위, 여자는 아래의 귀등 자세가 제일이다. 《운우도첩》의 달밤 연못가에서 벌어진 전라의 도상이 《건곤일회첩》에는 방안으로 옮겨져 있다. 나이든 노련한 남자는 덩치가 크다. 그 아래 가체를 풀어헤친 젊은 여인은 작은 체구이면서도 남자를 감당해내는 힘이 장사 같다. 한 손과 양 다리로 무거운 남자의 허리를 잔뜩 감아 안은 열정적 자세는 역시 남녀의 천연스런 조합을 잘 보여준다. 방안은 텅 비어 있고, 대청마루로 문이 개방된 상태이다. 이 역시 누가 훔쳐보든 무관하다는 의도이다. 장식 없는 얇은 흰 요 위에 붉은 색과 푸른 색 마구리 장식의 큰 베개만이 썰렁한 화면을 정겹게 한다.

5. 연로한 문인 사대부와 젊은 여성의 성희는 조선의 애정소설이나 춘화에 빠지지 않고 등장하는 단골 메뉴이니. 이는 노인의 회춘을 상징하는 소재이기도 하다. 용자형 창을 가진 방 안에 책과 장, 놋쇠요강과 타구, 쇠촛대 등 기물이 가득하다. 성행위가 쉽게 이루어지기 힘든 재움 공간이다. 오른 쪽에는 흰 종이를 바른 3층 책장이 놓이고, 그 옆 교자상에는 책들이 잔뜩 쌓여 있다. 그 아래에 읽던 책이 던져져 있다. 고위관료로 은퇴한 양반가의 서재이다. 사방관을 벗지 않은 노인네는 성희를 즐길 때도 자신의 신분적 권위를 잃지 않으려는 심사이다. 손에 든 작은 흰색 종지는 아마도 성희를 위한 도구나 자극제 약품 그릇으로 여겨진다. 분홍빛 반회장저고리 차림의 젊은 여인은

오른손으로 흰 종지를 가리키고, 왼손으로 입을 가리며 누워 있다. 성기는 서로 맞닿아 있으나, 노인의 그것이 삽입되지 않은 상황이다. 그래서 이 도구를 사용할 것인지에 대한 의견교환이라도 하는가 싶다. 힘이 빠진 노인의 이런 성 도구 사용은 흔히 중국이나 일본춘화에서 찾아볼 수 있다.

6. 《운우도첩》에도 등장한 것처럼, 승려와 양반 부인네와의 성희는 우리 춘화첩의 단골 소재이다. 양반 문인과 마찬가지로 승려에 대한 조롱이 담긴 도상일 법하다. 헌데 《건곤일회첩》의 승려와 여인 사이에는 아들을 점지시켜주기 위한 성행위가 이루어져 있지 않다. 여인의 가체를 내리니 가르마 사이에 첩지가 드러나 보인다. 젊은 양반가의 부인임을 알려준다. 대머리의 승려는 누워 있고, 여인은 승려 몸에 기대 앉아 성기를 희롱한다. 승려를 유혹하여 잔뜩 춘흥을 일게 하는 광경이다. 치마를 걷어 올려 드러난 단속곳은 누비이고, 승려는 저고리를 입고 바지만 어정쩡 내려 남근을 드러낸 채이다. 승려의 돼지코 얼굴에 비해 여인의 손에 잡힌 성기 모양은 크고 실하게 생겼다. 띠살창의 빈 방은 참선하는 선방(禪房)답다. 방바닥에는 승려의 모자와 등걸이 같은 회색 겉옷만이 놓여 있다. 모자는 탕건과 유사하면서도 형태감이 선명하지 않다.

《건곤일회첩》은 1844년 봄에 쓴 역관 이상적의 발문이 딸려 있어 그 가치가 더욱 크다. 이 발문을 쓴 연대는 춘화의 제작시기를 1844년경으로 추정케 한다. 이는 조선후기 춘화첩 가운데 연대가 밝혀진 유일한 예로 우리 춘화 편년 설정의 기준이 된다. 예컨대 앞서 살펴본 《운우도첩》을 《건곤일회첩》보다 앞선 시기로 비정할 수 있게 해준다. 《건곤일회첩》의 춘화에는 단원화풍이 거의 보이지 않고, 《운우도첩》에 비해 혜원화풍이면서 회화기량이 약간 떨어지는 편이라 그렇다. 전체적으로 《건곤일회첩》에 표현된 도상의 애매함도 그런 양상을 잘 보여준다. 인물상의 포즈나 자세의 소묘력, 그리고 복식이나 기물고증이 약간씩 부정확한 점도 눈에 띈다. 《건곤일회첩》은 그래도 회화적 품격을 잘 유지한 편이다. 1844년경에 그린 이 화첩을 기점으로, 이후 조선의 춘화는 급격하게 퇴락의 길을 걷는다. 일본과 중국 춘화의 유입에 경쟁력을 잃었던 것 같다.

5. 마치며 : 자연과 더불어 몸을 사랑한 그림

《운우도첩》과 《건곤일회첩》 이후 화격을 갖춘 화첩으로는 국립중앙박물관 소장의 19세기 말~20세기 초 《무산쾌우첩(巫山快遇帖)》과 정재(鼎齋) 최우석(崔禹錫, 1899~1964)이 1930년에 그린 개인소장의 《운우도첩》 등이 알려져 있다.[16]

네 건 외에 개인소장의 《춘첩(春帖)》이 근래 추가되어 춘화연구의 새장을 열게 해주었다. 《건곤일회첩》과 유사 화풍의 《춘첩》은 최근 삼성미술관 리움의 특별기획전 '조선시대화원대전'에 전시되어 관심을 끌었다.[17] 특히 12점으로 꾸며진 《춘첩》은 《건곤일회첩》과 유사한 화풍의 가품(佳品)으로, 화면구성이 단조롭고 정갈한 필묵의 그림들로 꾸며져 있다. 이들 다섯 건의 춘화집을 훑어보니 그새 1850년을 선후해서 두 유형으로 나뉜다. 《운우노첩》과 《건곤일회첩》, 그리고 《춘첩》은 김홍도와 신윤복 회풍의 여운이 강한 19세

16) 지금까지 이들의 도판이 잘 소개된 사례로는, 서정걸의 「조선시대 춘화의 전개와 특징」이 실린 『월간미술』 1994년 7월호와 홍선표의 「조선후기 성풍속도의 사회성과 예술성」이 실린 『월간미술』 1995년 8월호 ; *PEINTURES EROTIQUES DE COREE*, Edirions Philippe Pignier, 1995. ; 『조선시대 춘화』, 도화서, 1996 ; 「HIM」 1996년 3월호 ; 「SPARK」 1996년 3·4월호 ; 이태호, 「조선후기 춘화의 발달과 퇴조」, 『전남사학』 제11집, 전남사학회, 1997 ; 『미술로 본 한국의 에로티시즘』, 여성신문사, 1998. ; 『한국의 춘화』, 미술사랑, 2000. 등이 있다. 그리고 비매품으로 춘화집 『조선시대 춘화』, 도화서, 1996가 발행된 적이 있다.
17) 『화원-조선화원대전』, 삼성미술관 리움, 2011.

기 전반의 화원 작품들이다.

19세기 후반 이후, 10점의 《무산쾌우첩》은 '무산에서의 상쾌한 만남'이라는 제목처럼 중국의 명·청대 춘화화풍을 따른 것이다.[18] 그 영향은 다양한 성희도상이나 화려한 배경처리에 잘 드러난다. 이외에 민간화가의 솜씨로, 일본의 에도시대 춘화풍을 소화한 거친 화첩그림도 간간히 보인다. 근대적 춘화풍을 구축한 최우석의 1930년 작 《운우도첩》은 맑은 수채화풍이면서 19세기 후반의 전통을 잘 계승한 화첩이다.

이처럼 조선 후기의 춘화는 중국이나 일본보다 한두 세기 늦은 19세기 미술사에 포함되는 영역이다. 그리고 성희 도상들은 조선풍의 춘화형식이면서도, 방중술에 해당하는 일부 체위표현에서 중국이나 일본의 춘화와 관련이 없지 않다. 또 19세기에 뒤늦게 잠시 출현했다 크게 유행하지 못한 한국의 춘화는 동아시아 문화권에서 작품량이 절대적으로 빈곤하다.

궁정취향이 짙어 춘궁화(春宮畫)라는 별칭의 중국춘화는 명나라 후기 16세기 말, 17세기 초부터 등장했고, 소주·항주 같은 강남지역에서 애정소설과 함께 판화 춘화첩으로 발달했다.[19] 당시 조선 사회에도 소개된 명·청의 춘궁화는 혼교가 많고, 실내나 정원의 배경은 화사한 궁정취향을 짙게 풍긴다. 그런 탓에 성희의 자연스럽고 생생한 맛이 떨어질 때도 있다.

일본은 에도시대인 17세기 말부터 '세상을 떠도는 그림'이라는 우끼요에(浮世繪)의 한 영역으로 춘화가 널리 유행하였다.[20] 세 나라 중 일본에서 정

---

18) 초나라 懷王이 高唐에서 낮잠자다 꿈에 巫山 사는 神女의 유혹에 넘어갔다는 중국 설화가 전한다. 춘화를 뜻하는 雲雨는 그 神女의 이야기에서 유래한 말이다. 양자강 사천성에 무산과 신녀협의 지명이 남아 있다. : 宋玉, 「高唐賦」.
19) 劉達臨, 강영매 역, 『중국의 성문화』 상·하, 범우사, 2000. ; 劉達臨, 노승현 역, 『중국성문화사』 그림으로 읽는 5천년 성애의 세계, 심산, 2003. ; R.H.반 훌릭, 장원철 역, 『중국성풍속사』 선사시대에서 명나라까지, 까치, 1993. ; Ferdinand M.Bertholet, *Gardens of Pleasure, Eroticism and Art in China*, Prestel, 2003.

교한 표현의 그림과 판화로 제작된 춘화가 가장 폭넓게 대중화되었다. 에도의 우끼오에 춘화에는 성기와 안면 표정의 과장이 심해, 괴기스러운 장면을 어렵지 않게 만나게 된다. 쉬이 사람의 감정을 자극하는 장점이 있는 반면에, 중국의 춘궁화와 마찬가지로 자칫 사랑하는 일과 거리가 멀어 보이는 경우도 없지 않다.

우리나라에서 춘화의 유행이나 대중화가 낮았던 이유는 유교적 예교의 전통이 뿌리 깊었기 때문일 게다. 여기에 경제성장이 낮았던 만큼 중국이나 일본보다 춘화를 향수할 부유 계층이 크게 신장되지 못한 탓도 있을 것이다. 또 명·청이나 에도문화와 달리 조선후기에 다색판화가 크게 발달하지 않은 데도 그 원인이 있다. 이런 춘화의 소극적 양상은 조선이 일본의 식민지로 전락하고 마는 사회변화와 맞물린 일이기도 하다.

하지만 조선 후기에 예술성을 충분히 갖춘 《운우도첩》과 《건곤일회첩》 같은 춘화첩의 존재는 우리 문화의 귀물(貴物)이라 할 수 있겠다. 이웃 중국과 일본에서 발달한 춘화에 못지않은, 일당백이라 할 만하다. 또 중국이나 일본과 달리 조선후기 춘화첩에는 발가벗은 남녀의 성희와 야외의 성교가 유난히 눈길을 끈다. 자연과 더불어 몸을 사랑한 증거이다. 인간의 원초적 모습을 솔직하게 표출한 점은 자연과 더불어 살았던 휴머니티의 진정성이라 꼽고 싶다. 우리 춘화의 멋스런 품위이다.

조선 후기 춘화는 성희의 쾌락과 더불어 유교이념의 벽에 대응하려는 인간의 몸부림처럼 다가온다. 이는 시론에서 언급했듯이 근대를 앞둔 시절, 새로운 시대정신을 발현하려는 문화현상이기도 하다. 동시대에 이웃한 중국이나 일본, 그리고 멀리 유럽 사회에서도 에로티시즘 회화와 문예가 확산되었

---

20) 윤봉석, 『일본의 에로스 문화』, 우석, 2000. ; 이연식, 『유혹하는 그림 우키요에』, 아트북스, 2009.

던 점을 감안할 때, 19세기의 춘화는 시대성과 국제성을 동시에 지니는 예술
작품이자 살아 있는 역사 증거이다.[21] 현존하는 우리 춘화는 조선시대가 성
리학이 신봉된 유교사회였다는 통념을 벗고, 사람이 살았던 인간의 역사로
그 시대를 바라보게 한다. 여기에 소개한 두 화첩을 비롯해서 현존하는 걸작
춘화첩들은 어떤 그림 못지않게 국보급 문화유산이다.

---

21) Paul Frischauer, *Knaurs Sittengeschichte der Welt*(1968) : 파울 프리샤우어, 이윤기
역, 『세계성풍속사』 하, 까치, 1991.

이태호

학력
홍익대학교 회화과
홍익대학교 미술사학과 석사
명지대학교 미술사학과 교수

논문, 저서
『옛 화가들은 우리 얼굴을 어떻게 그렸나』
『조선 후기 회화의 사실정신』
「최근 발굴된 영조시절의 문신 구택규(具宅奎) 초상화 두 점 : 문인화가 윤위가 그린 흉상과 화원 장경주가 그린 반신상」, 『인문과학연구논총』 통권 제41호
「조선 후기 진경산수화 : 표현방식의 변화」, 『문화역사지리』 통권 제42호

관심분야
한국미술사, 고구려 고분벽화, 조선후기회화, 근현대회화

시가 된 그림, 그림이 된 시

손철주

시가 된 그림, 그림이 된 시

손철주

모더니즘 이후 현대미술의 문학성은 퇴보의 길로 접어든 것에 반해 우리의 전통미술은 강고한 문학성에 바탕을 둔 찬란한 문인정신으로 빛난다. 그림 속에 시가 있고, 시 속에 그림이 있는 시화동원(詩畵同源)의 세계가 그것이다. 시화동원의 취지와 문인적 표현 욕구는 서양에도 없지 않았다. 다빈치는 "그림은 말하지 않는 시요, 시는 말하는 그림이다."라고 했다. 그에 앞서 기원전 5세기 그리스의 서정시인인 시모니데스도 똑같은 말을 했다. 옛날로 거슬러 갈수록 시화동원의 뿌리가 깊게 드러나는 셈이다.

그러나 20세기에 늘면서 사성이 날라신다. 그린버그, 로센버그, 스타인버그 등을 위시한 현대의 모더니즘 이론가들이 형상이나 질감을 거부한 반문학적 순수 조형을 주장하면서 시화동원의 문인적 기질은 폄하되었다. 라파엘 전파 화가인 밀레이의 〈오필리어〉를 비롯한 문예적 소재의 그림들이 후대 평론가들의 질타를 받은 것이 그 예이기도 하다. 이른바 '감상주의'의 폐단을 우려한 까닭이다. 밀레의 〈삼종기도〉에 대해 리오넬로 벤투리라는 최초의 미술비평가가 내린 비판은 사뭇 전투적이기도 하다. 그는 말했다. "작품의 진정성은 작가의 도덕성이 아니라 회화의 자발성에서 살아난다." 그는 나무에 싹을 틔우듯 자연적인 조형성을 높이 쳤고, 밀레의 데생능력에 못 미치는 빈곤한 채색 능력을 질타했다. 이른바 회화에서 스토리텔링을 무시한 것이다. 동양은 시(詩), 서(書), 화(畵)에 두루 능통한 예술가를 '삼절(三絕)'이라 불렀다. 곧 시를 잘 짓고, 서예에 능숙하고, 그림을 잘 그려야 진정한 예술가의 면모를 지닌다는 것이다. 채색의 능력이나 기교 넘치는 조형성을 오히려 얕잡아 본 것이다.

우리 전통미술에서 문학은 미술의 조형성과 어떻게 어울렸고 미술은 문학을 어떻게 포용했는가. 옛 그림 속에 들어있는 글을 일컬어 '제발(題跋)'이라 한다. '제사(題辭)'와 '발문(跋文)'을 합쳐서 부르는 용어다. 제발에는 그림의 주제가 되는 산문 또는 시가 있고, 그림을 본 사람의 소감이 있으며, 작품을 수장한 사람의 소장 경위나 작품을 감정한 결과 등이 각기 따로 나오거나 뒤섞여 있기도 하다. 제발은 그 내용 자체로 그림의 문학성을 고취하는 역할을 한다. 하지만 제발없이 그림만으로 문학적 정취를 펼쳐내는 경우가 우리 전통미술에는 수두룩하다. 이것이 곧 '문학적 의취를 표현한 미술'이다. 옛사람은 왜 '간화(看畵)'가 아니라 '독화(讀畵)'라는 말을 주로 썼을까. 그림은 보는 것이 아니라 읽는 것이란 얘기다. 그림 속의 의미나 상징을 읽을 줄 알아야 했다. 갈대와 기러기가 등장하는 그림은 편안한 노후를 상징했고 괴석은 장수와 불변, 오리와 연꽃은 연과급제(連科及第)로 비유되는 게 우리 그림이다.

물론 서양화의 경우도 독화의 예가 있다. 이를테면 16세기 메디치가의 궁정화가인 아뇰로 브론치노의 〈비너스와 큐피드의 알레고리〉는 읽지 않으면 그림의 내용을 모른다. 상징과 암시로써 이야기를 입히는 방식은 서양의 르네상스 시기에 유행했다. 곧 알레고리와 스토리텔링의 탄생이다. 브론치노는 그림 속에 담긴 알레고리와 그것을 해독할 만한 지적 능력을 가진 것을 은근히 과시한다. 사랑의 대명사인 비너스와 큐피드, 두 인물을 통해 그림은 이야기를 전개한다. 장미꽃을 뿌리는 아이는 '쾌락', 벌집 든 여자는 '변덕', 바닥에 놓인 마스크는 '가식', 머리를 쥐어뜯는 노파는 '질투', 뒤통수 없는 여인은 '망각', 상황의 진실을 알리려는 노인은 '시간'의 상징물이다.

17세기 작자 미상의 〈가브리엘과 자매〉도 미스터리에 가까운 이야기를 만든 작품이다. 금발의 가브리엘은 프랑스 왕 앙리 4세의 정부다. 갈색 머리의 여인은 여동생이다. 가브리엘은 결혼을 목전에 두고 의문의 죽음을 당한다. 그림

아뇰로 브론치노, 〈비너스와 큐피드의 알레고리〉, 1540년대, 패널에 유화, 146.1×116.2cm, 런던 국립미술관.

속 손가락에 든 반지는 결혼을 의미한다. 여동생이 언니의 유두를 잡은 것은 임신을 뜻한다. 미스터리는 소설이나 작화에서 영원한 소재가 된다. 문학적 서술이 중요시되는 것이 당연했다.

그러나 동양은 '문자속'을 살피는 것이 더 중요했다. 즉 '시의(詩意)'를 찾는 것이 그림 속 문학의 탐구에 해당된다. 문자속의 첫 대목은 '문자향(文字香) 서권기(書卷氣)'이다. 추사 김정희는 "가슴 속에 문자향 서권기가 없고서야 그림이 손가락 끝에서 저절로 피어나겠는가."하고 물었다. 그림의 문학성은 시경(詩境)을 뜻하고, 문기는 곧 속기의 대척어라 하겠다. 예술적 안목이 높았던 송나라의 황제 휘종은 화원의 시험 문제를 대부분 시의에서 출제했다. 그 예로써 '천리 꽃밭을 달려온 말 그림' 같은 것이 있었다. 장원은 자욱한 먼지를 따라가는 나비들이 그려진 그림이었다. 꽃밭을 달려온 말은 말발굽에 향기가 묻어있다는, 참으로 시적 발상에 넘치는 그림이다. '嫩

綠枝頭紅一點 動人春色不須多(가녀린 푸른 가지 끝에 붉은 점 하나/사람 마음 움직이는 봄 빛깔은 많을 필요가 없지)' 라는 시도 문제로 나왔다. 화가들은 어떻게 그려야 했을까. '버드나무 아래 기댄 여인'을 그린 그림이 장원을 했다.

옛 그림에는 눈 내린 강가에서 홀로 낚시하는 '독조도(獨釣圖)'가 왜 그리 많은가. 당나라 시인 유종원(柳宗元)의 「강설(江雪)」이란 시에서 그림의 소재를 빌려왔기 때문이다. '千山鳥飛絕 萬徑人蹤滅 孤舟蓑笠翁 獨釣寒江雪(산이란 산에 새들 나는 게 그쳤고/길이란 길에 사람 자취마저 없는데/외로운 배 삿갓과 도롱이 쓴 늙은이/홀로 낚시질, 차가운 강에 눈만 내리고)'. 이처럼 시의 경지에서 따온 그림이 판을 쳤다. 시, 즉 문학은 그림의 필요충분조건이 되었고 그것이 문인화가 득세하는 이유가 됐다.

단순히 시적 소재만 취하는 것이 아니라 화면에서 문학성이 조형성과 용해된 예는 매우 많다. 유몽인(柳夢寅)의 『어우야담(於于野談)』에 보면 세종대왕 앞에서 중국 사신이 대나무 그림을 평가하는 장면이 나온다. 조선의 대나무 그림을 본 중국 사신이 화격이 떨어진다고 감평하자 세종은 화가에게 '잎사귀를 떨어내고 저녁나절 햇볕 아래 그리라'고 명한 뒤 다시 그 그림을 보여준다. 그랬더니 사신은 '이야말로 명화로다' 하면서 칭찬한다. 이것은 대나무의 맑은 생기보다 대나무가 가진 시적 정취를 높이 친 사례이다. 중국의 양주팔괴(揚州八怪) 중 한 사람인 이방응(李方膺)이 매화도에 제시를 넣기를 '觸目橫斜千萬朶 賞心只有兩三枝'라 했다. 풀이하면 '눈에 들기는 가로 세로 비낀 천 만 떨기/마음에 남기는 오로지 두 세 가지'이다. 생각해보라. 천 만 떨기의 매화보다 한 두 가지의 매화를 그리는 게 훨씬 시적인 생략에 가깝다.

문학의 격조와 아취를 표현한 그림들은 일일이 거론하기 어려울 정도로 많다. 시의를 드러낸 그림들을 좀 더 살펴보자. 호생관(毫生館) 최북(崔北)이 그린 〈공산무인도(空山無人圖)〉가 있다. 송나라 문인 소동파(蘇東坡)가 지은 '십팔대아라한송(十八大阿羅漢頌)' 중 제9존자를 읊는 대목에 '空山無人 水流花開'라는 시구가 나온다. 최북은 이 구절을 그림 속의 제시로 썼다. 단원(檀園) 김홍도(金弘道)의 그림과 명나라 심주(沈周)의 그림에도 이 시 '빈산에 사람 없어도/물 흐르고 꽃 피네(또는 꽃 지네)'라는 구절을 제목으로 사용했다. 이 그림에 담긴 문학성은 깊다. '공산무인 수류화개', 그것이 곧 자연의 본색이기 때문이다.

중국의 문인 왕국유(王國維)는 '一切景語皆情語也(풍경을 말하는 모든 언어는 다 자신의 정을 드러낸 언어이다.)'라고 한 적이 있다. 옛 시인은 풍경을 통해 제 자신의 속내를 토로하기 마련이다. 이를테면 이름 모를 선승이 읊은 선시에 '落花有意隨流水 流水無情送落花(떨어지는 꽃은 뜻이 있어 흐르는 물에 맡기건만/흐르는 물은 무정타, 그 꽃잎 흘려보내네)'라는 구절이 나오는데, 이는 곧 낙화와 유수의 자연현상을 시인의 감상에 빗대 노래한 시이다. 또 '一片花飛減却春 風飄萬點正愁人 且看欲盡花俓眼 莫厭傷多酒入脣(한 점 꽃잎이 날려도 봄은 깎이는데/바람에 만 조각 흩어지니 이내 마음 시름겹구나/또한 눈앞에서 모든 꽃 스러져가니/한산 술이 해롭다한들 어이 마다 하리오)'라는 시를 지은 두보(杜甫)나, '日暮嘉陵江水東 梨花萬片逐東風 江花何處最腸斷 半落江水半在空(해지는 가릉 땅 강물의 동쪽/배꽃 만 조각 동풍에 쫓기우네/강가의 꽃은 어느 때 가장 가슴을 에이는가/반은 강물에

최북, 〈공산무인도〉, 18세기, 종이에 담채, 31×36cm, 삼성미술관 리움.

좌 최북, 〈풍설야귀인〉, 18세기, 종이에 담채, 66.3×42.9cm, 삼성미술관 리움.
우 전(傳) 이산해, 〈한국도〉, 16세기, 종이에 수묵담채, 25.2×15.9cm, 개인소장.

떨어지고 반은 허공에 흩날릴 때'라는 시를 지은 원진(元稹)은 모두 다 봄
날의 바람에 날리는 꽃잎을 빌어 자신의 심회를 털어놓은 셈이다.

　결국 자연의 풍경을 옮기는 화가의 마음은 풍경에 제 마음의 기울기를 싣
는다. 그러나 최북의 '공산무인 수류화개'는 어떤가. 자연은 날리는 꽃잎이
나 흐르는 물에 개입하지 않는다. 자연은 스스로 그러하다는 것이다. 스스로
그러한 자연의 섭리에 대한 깊은 성찰을 남고 있는 것이 바로 최북의 〈공산
무인도〉라 하겠다. 최북의 그림 하나가 더 있다. 그가 그린 〈풍설야귀인(風
雪夜歸人)〉은 시 한편을 고스란히 그림 속에 녹인다. 이 그림은 당나라 유장
경(劉長卿)의 시를 본뜬다. '日暮蒼山遠 天寒白屋貧 柴門聞犬吠 風雪夜歸人

(해 지니 푸른 산은 먼데/차가운 하늘 초가집이 쓸쓸하구나/사립문 밖 개 짖는 소리 들리는데/눈보라 치는 밤에 돌아온 나그네)'. 시의 내용을 그대로 그림으로 옮긴 〈풍설야귀인〉은 눈 내린 먼 산, 나무 뒤에 숨은 초가집, 사립문에서 짖어대는 검둥개, 마을로 들어서는 노인 등이 시의 순서대로 그려져 있다.

그런가 하면 하찮은 풀벌레 그림에도 시적 정취는 녹아든다. 아계(鵝溪) 이산해(李山海)가 그린 것으로 전해지는 〈한국도(寒菊圖)〉는 차가운 날의 국화 그림이다. 숙살하는 가을 기운이 꽃보다 잎에 잘 묘사돼 있다. 고요히 말려 죽이는 가을의 찬 기운은 인생의 후반을 돌이켜보게 하는 힘을 지녔다. 당나라의 문인 설직(薛稷)은 이렇게 읊었다. '客心驚落木 夜座聽秋風 朝日看容鬢 生涯在鏡中(나그네 마음은 떨어지는 잎에도 놀라는데/밤새 앉아 가을 바람 소리를 들었네/아침 나절 얼굴의 귀밑털을 보니/한 생애가 거울 속에 있구나)'. 고요히 피부를 파고드는 가을 기운의 한랭한 이미지가 무릇 이 시와 같다. 이산해는 제발에 이렇게 썼다. '有有三徑寒菊花(세 번 째 갈래길에 차가운 국화 피어있네)'. 이 구절은 한나라 문인 장후(蔣詡)의 고사에서 빌려온 것이다. 장후는 속세를 떠나 은거하면서 집 앞에 세 길을 냈다. '삼경(三徑)'은 국화를 심은 길을 말한다. '일경'은 소나무 길, '이경'은 대나무 길이다. 이산해의 국화 그림은 복어알 같은 벼슬자리에서 뛰쳐나와 은거하고픈 선비의 희원이 담겨있다.

같은 소재인 국화를 그려도 문인화가 이인상(李麟祥)의 〈병국도(病菊圖)〉는 또 다른 느낌을 안긴다. 병든 국화, 곧 말라비틀어진 모습의 국화를 그렸다. 전통회화에서 국화는 계절의 마지막에 피고 끝까지 꽃잎을 떨어뜨리지 않는 기상을 자랑하는 오상고절의 상징이다. 〈병국도〉는 발랄하고 청신한 국화와 거리가 멀다. 남들이 흔히 그리는 뻔한 국화 대신 이인상은 자신의 불우한 처지를 시든 국화로 표현했다. 틀에 박힌 문인화의 소재도 화가가 달리 보면 전혀 다른 표현이 가능하다. 창의는 묘사와 표현의 유별남으로 발현된다. 이인상의 불우한 생애가 병든 국화에 겹쳐지는데, 그의 묘법은 비극적 문학성을 드러내기 위한 적절한 수단이다.

이인상의 다른 작품을 보자. 그의 작품 〈와운(渦雲)〉은 소용돌이치는 구름을 그린 것이다. 우리 옛 그림에 이처럼 들끓는 구름 하나만으로 화면을 다 채운 작례는 찾기 어렵다. 거의 추상화에 가깝다 해도 지나친 말은 아니다. 이인상은 가사 없이 멜로디와 리듬만으로도 그림이 된다는 것을 보여준다. 그림 속에 제발이 있다. '비 오는 산중에 지필묵을 들고 친구를 찾아가, 시 하나를 지으려 했는데, 취한 뒤에 그리니 이런 뭉치 구름이 되어버렸다. 보고나서 한번 웃어 달라.' 시 대신 구름을 그렸다는 고백이다. '와운'이란 제목을 알고 봐서 구름이지 그냥 보면 물결 같기도 하고 마음에 일어나는 분노 같기도 하다. 그러니 이것은 가장 원시적 형태의 추상화라 불러도 좋다. 이런 제발 없이 그림만 있어 제목을 '분노'라고 한다면 과연 과장일까.

이인상은 훌륭한 가문 출신이지만 서출이라 벼슬이 현감에 그쳤다. 아무

이인상, 〈와운〉, 18세기, 종이에 수묵, 26×50cm, 개인소장.

리 배운 게 많고 고매한 인품과 이상을 품어도 신분사회의 족쇄에서 헤어나지 못했다. 그에게는 울분이 있었을 것이다. 그의 구름은 울분의 추상일지도 모른다. '산수화는 겸재 정선, 풍속화는 단원 김홍도, 문인화는 능호관 이인상'이란 말이 있을 정도로 이인상은 문인화가의 전형이었다. 세련된 솜씨, 능란한 기교, 자잘한 묘사 등을 배척하고 근골기운(筋骨氣韻)을 드러내되 성색취미(聲色臭味)를 멀리했다. 그의 수척하기 짝이 없는 문학성은 대표작에 해당되는 〈장백산도(長白山圖)〉에도 여실하게 나타나 있

심사정, 〈봉접귀비〉, 18세기, 종이에 채색, 28.7×18.3cm, 간송미술관.

다. 〈장백산도〉는 마르고 싱겁고 차갑고 여윈 선비의 내면을 문학적 의취로 표현한 산수화이다. 고담과 적멸에 대한 문학적 심회가 잘 표출된 명작이다.

다시 풀벌레 그림으로로 돌아온다. 현재(玄齋) 심사정(沈師正)이 그린 〈봉접귀비(蜂蝶貴妃)〉는 어떤가. 이것은 양귀비 꽃에 날아드는 벌 나비를 그린 초충도이다. 양귀비꽃은 옛 그리스어로 'Opium'이다. 이것의 음을 따와 중국에서 '아편'이 됐다. 양귀비의 꽃말은 여러 가지다. 그 중에 위로, 허영, 덧없는 사랑도 있다. 세종대 한림 학사를 지낸 격재(格齋) 손조서(孫肇瑞)의 시와 이 그림은 딱 어울린다. '素艶雖甚愛 那知紅色深 滿枝蜂蝶亂 未識合花心(바탕이 어여쁘니 비록 사랑할 만하지만/붉은 색의 깊이를 어찌 알겠느냐/가지 가득 벌 나비 날아들지만/꽃의 마음 얻었는지 알 수 없어라)'. 꽃과 나비는 문학에서 가장 흔한 비유, 즉 '사랑의 인력(引力)'으로 동원되는 소

재다. 남녀의 사랑이 꽃을 향하여 날아드는 나비처럼 형상화된 그림이나 시나 시조는 넘치고 넘친다. 김삿갓이 일찍이 읊어댔듯이 청산을 넘는 나비는 꽃을 피하기 어렵다(蝶過靑山難避花). 청춘의 사랑은, 꽃이 싫다면 나비가 선선히 떠나듯이, 이른바 '쿨' 하다. 하지만 황혼에 찾아오는 사랑은 어떤가. 과연 그 꽃의 반응이 청춘을 대하듯이 할 것인가. 심사정의 이 그림은 젊은 여인의 환심을 사고자 하는 시인의 안타까운 마음을 엿볼 수 있는 시마저 떠올리게 한다. 당나라 유우석의 시가 이렇다. '今日花前飮 甘心醉數杯 但愁花有語 不爲老人開(오늘 꽃을 앞에 두고 마셨네/마음이 달콤해 취토록 잔 기울였지/다만 안타까운 건 꽃이 말을 할까봐/늙은 그대 위해 핀 게 아니랍니다)'.

옛 그림이라 해서 까다로운 암호로 가득 찬 상징화가 득세한 것은 아니다. 있는 그대로, 또 곧이곧대로 그린 실경화와 풍속화가 수두룩하다. 매우 코믹한 그림 하나를 감상해보자. 나무 둥치에 엉덩이를 걸치고 앉은 저 노인이 누군가. 그는 머리를 짧게 자르고 수염이 덥수룩하다. 입성이나 행태로 봐 스님이 틀림없다. 이 스님, 하는 짓이 의아하다. 왼손으로 장삼의 윗도리를 잡아 맨살을 드러내고 오른손으로 옷 안쪽에 붙은 뭔가를 잡으려는 시늉이다. 스님은 검지와 중지를 나란히 뻗었다. 그는 이를 잡고 있다. 정확히 말하면, 잡는 게 아니라 털어내는 중이다. 엄지와 검지로 쥐면 힘에 눌려 이가 죽을 수 있다. 이 스님은 죽이지 않고 살살 털어낼 요량이다. 생긴 모습은 우락부락해도 부처님 말씀 따라 미물에게도 자비를 베푸는 온화한 스님이다.

이 우스꽝스럽고도 절묘한 장면을 포착해낸 화가는 관아재(觀我齋) 조영석(趙榮祏)이다. 제목이 〈이 잡는 노승〉이다. 관아재는 시시콜콜한 세속의 풍정을 그리는 데 뛰어난 재주를 보였다. 안타깝게도 그림 속의 스님에 관한 기록은 없다. 다행히 이 그림 옆에 관아재가 따로 써서 붙인 글이 남아있다. 그는 이렇게 적었다. "승복을 풀어헤치고 이를 골라내는 것은 선(禪)의 삼매에 들어가 염주를 굴리는 일과 같다." 화가는 이를 살리는 것과 염불하는 것을 동일하게 보았다. 살아있는 것을 어여삐 여기지 않고서 어찌 부처의 길을 걷는다 하겠는가.

일본의 저명한 선사 다이구료칸(大愚良寬)이 살아있는 이를 손바닥 위에 올려놓고 중얼거린 말이 있다. "나는 부모와 자식이 있는 것도 아니니 피를 나눈 것은 너희들뿐이구나." 그림 속의 늙은 스님도 같은 말을 했을 법하다. 미물에 쏟는 애정이 해학적인 얼굴에 고스란히 담겨있는, 그리고 상징 대신 우의(寓意)가 가득한, 우리네 사랑스런 옛 풍속화이다.

흔히 옛 그림은 오른쪽 위에서 왼쪽 아래로, 눈길을 대각선으로 이동하면서 봐야한다고 말한다. 선조들이 붓글씨를 쓸 때 그랬다. 위에서 아래로, 오른쪽에서 왼쪽으로 행을 옮겨가며 썼고 읽을 때도 마찬가지였다. 이 버릇은 그림을 그리거나 볼 때도 여전했다. 두루마리 그림은 오른쪽에서 왼쪽으로 펼치며 본다. 그런들 '우상좌하의 그림읽기'가 불변인 것은 아니다. 왼쪽에서 오른쏙으로 보는 게 나은 그림도 있다. 이를테면 겸재(謙齋) 정선(鄭敾)의 산수화 〈조어도(釣魚圖)〉가 그렇다.

여름날 삿갓과 도롱이 차림을 한 낚시꾼이 몰아치는 비바람에 아랑곳없이 낚시에 정신이 팔렸다. 이 그림은 좌상우하로 시선을 옮겨야 자연스럽다. 왼쪽 산꼭대기에서 아래로 흘러내리는 비구

조영석, 〈이 잡는 노승〉, 18세기, 종이에 수묵담채, 23.9×17.3cm, 개인소장.

정선, 〈조어도〉, 18세기, 비단에 수묵, 61.2×31.3cm, 국립중앙박물관.

름, 그리고 왼쪽 나뭇가지를 훑고 지나가는 바람이 보는 이의 시선 흐름을 왼쪽에서 오른쪽으로 이끈다. 보는 법은 소재에 따라 다르다. 게다가 소재를 배치한 작가의 구상에 따라 바뀌기 마련이다.

옛 그림을 감상하는 방식에서 놓치지 말아야 할 것은 무엇인가. 그림의 배경을 이루는 역사나 문학 혹은 인물에 얽힌 고사 따위를 살피는 것이 큰 도움을 준다. 그러나 더욱 중요한 것은 그림의 마음씨를 읽어내는 일이다. 그림의 마음씨는 어떻게 파악하는가. 감상자가 자기 마음을 그림에 실어서 볼 때 가능하다. 그림에 마음이 실리면 그린 이의 고백이 들린다. 세상사 모든 일이 그렇듯이 마음이 실리지 않으면 봐도 보이는 게 없다. 어떤 예술도 간과하는 자의 눈에는 무덤덤할 수밖에 없다. 주마간산하면 나무와 수풀을 분간할 수 없다. 참말이지, 사랑해야 눈에 들고 품어야 읽히는 것이 우리 옛 그림이다.

화가의 시선은 남다르다. 같은 풍경을 봐도 그림이 되는 구도와 그림이 되지 않는 구도를 감각적으로 판별해낸다. 화가는 달리 보고 달리 그리는 존재다. 다른 사람보다 아름다움에 대한 인식의 차이를 명료하게 느낀다. 그 인식의 차이가 창의를 유발하고, 그 차이의 결과가 곧 창작이다. 화가들은 또격을 깨는 발상을 하라고 주문한다. 추사 김정희의 〈불이선란(不二禪蘭)〉은 조선의 난 그림 중 파격의 전형에 속한다. 제발도 이리저리 뒤섞인 혼란스러운 포치다. 그전의 난초 잎이 소면 면발이라면 추사는 칼국수 면발같은 난초를 그려냈다. 격식과 교범을 깨는 발상이다. 앞서 언급했던 18세기 중국의 이방응이 그린 〈전도춘풍(顚倒春風)〉도 괴이하기는 마찬가지다.

그는 뒤집어진 난초와 바로선 난초를 한 화면에 그렸다. 그의 난초는 우동 면발의 굵기다. 두 그림을 가리켜 불계공졸(不計工拙)이요, 상외기득(象外奇得)이라 해도 좋다. 이른바 잘 그리고 못 그리는 것을 따지지 않았고, 생각 밖에서 기이함을 얻은 것이다. 이는 법을 버리는 파격의 상상력에서 나오는데, 문학적 발상에 익숙하지 않고는 얻을 수 없는 덕목이다.

고격의 사의(寫意)뿐만 아니라 풍자, 해학, 골계미, 유희성도 문학의 중요 기능이다. 그런 성격이 묻어있는 그림도 많다. 단원 김홍도의 게 그림 몇 점은 화가의 문학적 너름새가 유감없이 발휘된 소품이다. 단원은 갈대를 물고

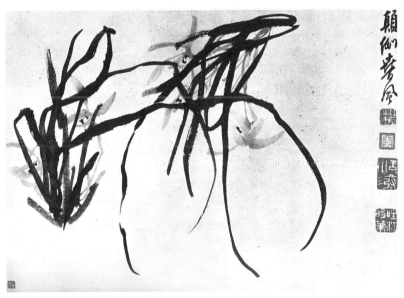

이방응, 〈전도춘풍〉, 18세기, 종이에 수묵, 28.3×41.3cm, 일본 개인소장.

있는 게 그림을 그렸다. 갈대를 문 게는 '전려(傳臚)'라는 의미로 읽힌다. 여기서 '려'는 갈대 '로(蘆)'와 발음이 비슷하고 그 뜻은 말을 위에서 아래로 전한다는 것이다. 곧 임금이 전시의 급제자를 호명하는 것을 말하는데, 갈대와 게 그림은 장원급제라는 상징을 지닌다. 단원은 이 그림에 써넣기를 '海龍王處也橫行(바다 용왕이 있는 곳에서도 옆걸음질 친다네)'라고 했다. 당나라 피일휴(皮日休)의 영물시(詠物詩)에서 한 구절을 따온 단원의 유쾌한 농담에 다름 아니다. 게는 껍질이 단단해 '갑(甲)'을 의미하는데, 이는 장원급제와 통하지만 나아가 갑옷으로 확대되기도 한다. 조선 말기 서화가인 지창한(池昌翰)의 게 그림에는 '한낱 미물에 지나지 않지만 단단한 갑옷을 입고 사해육주(四海六州)를 횡횡하는 기세가 놀랍구나' 하는 발문이 들어 있기도 하다. 게는 내장이라 할 것이 별로 없는 존재다. 그래서 창자가 끊어지는 고통을 모르기에 '무장공자(無腸公子)'로 불리기도 했다. 게 그림 하나에도 이런 문학적 상징 장치를 부여한 것이 곧 우리 옛 그림의 진면목이라 하겠다.

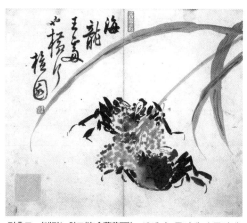

김홍도, 〈해탐노화도(海貪蘆花圖)〉, 18세기, 종이에 수묵담채, 23.1×27.5cm, 간송미술관.

미술과 문학의 관계성은 '質勝文則野 文勝質則史 文質彬彬然後君子(질승문즉야 문승질즉사 문질빈빈연후군자)'라고 갈파한 공자의 말에서 그 실마리를 찾을 수 있다. 군자는 바탕과 꾸밈이 더불어 빛나는 존재다. 그림에서도 그렇다. 좋은 작품은 내용과 형식, 주제와 문체가 따로 놀지 않는다. 문체는 드러나는 것이고 메시지는 숨는 것인데 드러내고 숨기는 것은 문학적 서사능력이 없으면 불가하다. 꾸밈은 교묘하고 뜻은 심장한 것, 곧 '문교의심(文巧義深)'이 예술의 방법론이 되기도 하듯이 옛적의 훌륭한 미술은 늘 문학적 상징을 환기시킨다.

르네 마그리트의 〈파이프〉는 상식을 전복하는 힘을 생각하게 만들고, 뒤샹의 〈샘〉은 일상의 충격을 부른다. 실재와 기호의 대비는 화가들이 즐겨 차용하는 방법론이다. 늘 보고 있는 것을 다시 생각해보라고 화가들은 말한다. 생각지 않았던 것을 생각하라고 화가들은 강조한다. 하늘 아래 새로운 것은 없다고 하지만, 마음을 실어서 보고 귀를 기울여 들으면 헌 것도 새 것으로 탈바꿈하는 것이 예술의 세계다. 무릇 간과하거나 흘려듣는 자에게는 그 어떤 것도 의미를 남기지 못한다. '범속하고 비루한 일상에서 장엄하고 주목할 만한 가치를 찾아내기', 이것이 미술가들의 영원한 목표다. 미술은 생각한 것을 형상화하는 방식을 가르쳐 주는 장르다. 그 방식은 두말할 것도 없이 '차이'와 '사이'를 찾아가는 창의에서 태어나는데, '문자향 서권기'는 예나 지금이나 주목할 만한 가치로 나아가는 가장 중요한 수단이다.

손철주

학력
영남대 국문학과
학고재 편집주간

논문, 저서
『그림 아는 만큼 보인다』
『옛 그림 보면 옛 생각 난다』
「화가의 으뜸가는 자질은 관찰력이다」, 『손해보험』 통권 제469호
「화려하나 고단한 文化거간, 화랑경영인 ; 직업세계의 현장5」, 『월간중앙』 제194호

관심분야
동서양 미술이야기, 인문학 강좌

명성황후와 고종의 사랑과 죽음과 복수
– 그 긴박했던 순간들의 기록 〈명성황후 발인반차도〉

박계리

명성황후와 고종의 사랑과 죽음과 복수
– 그 긴박했던 순간들의 기록 〈명성황후 발인반차도〉

박계리

1. 명성황후의 사랑과 죽음

명성황후는 1851년 여주에서 태어났다. 그녀가 태어난 여흥 민씨 집안은 숙종의 왕비인 인현왕후를 배출한 집안이었다. 명성황후의 아버지 민치록은 인현왕후의 아버지였던 민유중의 5대손이었다. 그러나 18세기 이후 집안은 기울기 시작하여 민치록은 민유중의 묘소를 지키는 일을 하다가 아버지 벼슬 덕에 문음으로 출사하나 높은 관직에 오르지는 못했다.[1] 1남 3녀를 낳았으나 모두 죽고 딸아이 하나만 남긴 채 이른 나이에 세상을 떠났다. 8살에 아버지를 여읜 명성황후는 홀어미 밑에서 자랐다. 어린 그녀를 마음에 들어 하였던 것은 대원군의 아내 부대부인 민씨였다. 민치록은 아들이 없자 민승호를 양자로 받아들였는데, 이 민승호의 누나가 부대부인 민씨였다. 민씨가 대원군에게 그녀를 적극적으로 추천하였던 것이다. 어린 아들을 왕위에 올

---

1) 한영우, 『명성황후, 제국을 일으키다』, 효형출판, 2006, p.19.

린 대원군은, 왕비를 내세워 정치를 하려고 하는 외척 세도정치를 무척이나 경계하고 있었다. 따라서 아버지도 없고, 남자 형제도 없는 민씨가문의 딸을 반가워하였다. 즉 그녀의 혼인은 그 시작부터 대원군과 고종의 권력 관계에서 자유롭지 못했다. 이후 45세 젊은 나이에 비참하게 죽어갈 때까지도 그녀의 삶과 사랑은 시아버지와 남편, 그리고 외세의 치열한 권력관계 속에서 나라가 요동을 칠 때 그 중심에 있었다. 부대부인 민씨에 의해 역사의 중심으로 불려나온 그녀는 그 중심에서 자신의 삶과 사랑을 위해 최선을 다했다.

명성황후와 혼례를 치를 무렵 고종에게는 이미 사랑하는 여인이 있었다. 명성황후가 궁에 등장했을 때, 상궁출신의 궁인 이씨를 아껴서 가까이 두고 있었다. 궁인 이씨가 아들 완화군을 낳자 외척에 의한 세도정치를 극도로 경계했던 대원군은 가문적으로 아무것도 기대할 것이 없는 완화군을 세자에 책봉하고자 하였다. 이는 결국 무산되었지만, 16세에 시집 온 명성황후가 궁에 들어서자마자 겪게 된 이러한 광경들은 그녀에게 궁 생활이 무엇인지 학습하게 해 주었을 것이다.

1부 1처제가 아니었던 조선시대 부부의 사랑이라는 것은 어떠한 것이었을까? 자유연애가 없었던 시절 배우자의 선택은 자신이 아니라 가문에서 결정되곤 했다. 왕은 배우자를 자신의 마음대로 결정할 수 없었지만, 그의 권력으로 자신이 마음에 드는 궁 안의 여성을 언제든지 가까이 둘 수 있었다. 그런 왕에게 배우자에 대한 사랑이란 무엇이었을까? 왕과 왕비가 존재하지 않는 사회에서 1부 1처제라는 규칙 아래 자유연애를 하며 살아가는 우리가 그 시절의 삶과 사랑을 온전히 이해하기는 어려울지 모른다. 그러나 그 시절에도 가슴 설레는 마음과 목숨을 거는 뜨거움과 부부애가 갖고 있는 믿음, 기대와 애서로움이 겹겹이 쌓여가는 사랑의 나이테가 있었을 것이다.

고종의 사랑을 회복한 명성황후는 1871년 첫 아들을 낳았으나 태어난 지 나흘 만에 죽는다. 태어나자마자 병에 걸린 아들을 치료하는 과정에서 대원군이 보내온 약이 병세를 더 심하게 하자 아들의 죽음 후 대원군과의 관계는 더욱 안 좋아졌다. 이후 황후는 4남 1녀를 낳았지만 모두 일찍 죽었고, 둘째 아들 척만이 살아남았다. 그러나 그는 몸이 약해, 세자를 향한 황후의 사랑과 염려는 과도할 정도로 극진했다고 알려져 있다.[2] 그 배경에는 권력을 둘러싼 복잡한 관계 속에서 음모와 권모 술수, 이에 따른 죽음들이 그녀를 둘러싸고 있었기 때문이었다.

명성황후의 양오라버니였던 민승호가 병조판서를 지내던 1874년, 폭약이 든 우편물을 받고 풀어보다가 물건이 터지면서 그 자리에서 숨진다. 이 때 함께 있던 어머니와 아들도 숨을 거둔다.[3] 이렇게 명성황후는 자신들을 사랑하는 가족들을 잃었다. 이러한 사건들은 명성황후와 고종의 시대가 얼마나 불안정하고 폭력적이었는지 말해준다. 명성황후는 아침에 늦게 일어나고 새벽 늦게까지 일하였다고 전한다. 친정어머니와 오라버니 민승호의 죽음에 대한 충격, 감당해야 할 많은 일들 속에서 쉽게 잠을 이루지 못하는 나날을 보냈지만 여러 기록에 의하면 명성황후는 조상의 제사 받들기나 대비를 모시는 일에 극진한 정성을 보였다고 전한다.[4]

풍전등화의 시대. 자신들의 가족이 죽어나가도 가족보다 국가의 운명을 생각해야만 했던 시대 속에서 때론 자신의 아버지와 싸워야 했지만, 명성황후와 고종은 항상 함께 했다. 그것은 단순히 서로가 부부였기 때문만은 아니었음을 알려준다. 서로 믿었고, 서로의 판단을 존중하는 인간에 대한 신뢰가 있었기 때문에 가능했을 것이다. 고종과 명성황후는 그렇게 사랑했다. 그 뜨거움은 목숨을 내어 놓을 수 있는 것이었다. 이를 가능하게 하였던 것은 고종이 신뢰할만한 명성황후의 능력에 기인할 것이다. 황후는 아버지로부터

---

2) 이민원, 「명성황후와 감고당」, 『역사와 실천』, 역사실학회, 2007, p.708.
3) 한영우, 앞의 책, p.20.
4) 이민원, 위의 책, p.708.

한문을 배워 어렸을 때 『소학』, 『효경』, 『여훈(女訓)』을 읽었고, 역사서 읽는 것을 즐겼했다고 전한다. 궁에 들어온 후에는 『주역』, 『자치통감강목(資治通鑑綱目)』 등 서적들을 더 많이 읽었다. 황후의 죽음과 함께 매장된 여러 유교 서적들은 그녀의 학식을 가늠하게 해준다.[5]

명성황후에 대한 외국의 기록을 보면 그녀가 가냘프고 미인이며, 눈이 날카로운 영민한 사람으로 묘사하고 있다. 또한 야심이 있으며, 매혹적인 여성의 모습을 하고 있었다고 전한다. 선교사 언더우드의 부인은 명성황후를 섬세한 감각을 가진 유능한 외교관이었고 애국적이었다고 술회했다. 이러한 성격의 명성황후와 소극적이었지만 온화한 성격의 고종이 함께 격동의 시대를 함께 헤쳐나갔던 것으로 보인다.

잘 알려진 바와 같이 고종과 왕비는 갑신정변이 일어나자 청군이 개입토록하여 3일 만에 이를 무너뜨렸다. 이후 김홍집 등 친일 내각이 다시 권력을 잡고 흥선대원군이 등장하자 이번에는 러시아 세력을 이용해 일본 세력을 추방하고자 하였다. 이에 일본 공사 미우라 고로가 1895년 8월 20일(양력 10월 8일) 일본인 자객들을 궁중에 침입시켜, 후에 명성황후가 되는 민왕후를 살해한다. 이후 민왕후의 죽음을 숨기고 왕후가 도망갔다고 발표하면서 왕후를 서인으로 폐위한 후 김홍집 내각을 출범시켰다.

이에 고종과 태자는 1896년 2월 11일 러시아 공사관으로 거처를 옮긴 뒤 김홍집 일파의 체포령을 내렸다. 국모시해를 방조한 김홍집, 정병하는 그날 성난 민심에 맞아 죽고, 권력은 다시 고종에게로 이양되었다. 아관파천이 있은지 1년 만인 1897년 2월 20일 고종은 경운궁으로 왔고, 그 사이 황후의 국장은 계속 연기되었다. 통상 국장이 사후 3개월을 넘기지 않는 선에서 치러졌던 것에 비해, 2년 넘게 국장을 행하지 않은 것은 관례에 어긋나는 일이었다.

---

5) 한영우, 앞의 책, p.22.

황후의 국장이 치러지기 전, 고종은 대한제국을 선포하였고, 자신은 왕에서 황제로, 왕후는 '명성황후'로 추존하였다. 아내의 명예를 먼저 회복하고, 안장한 것이었다. 억울한 죽음을 헛되지 않게 하기 위하여, 격동의 시절 피비린내 나는 역사의 중심에 서서 아내의 죽음을 최초의 근대국가인 대한제국을 탄생시키는 계기로 만들어냈다. 이 격동의 2년 2개월 간 명성황후의 국장을 준비하는 과정을 추적할 수 있는 그림 중의 하나가 이화여자대학교 박물관에 소장되어 있는 〈명성황후 발인반차도〉이다.

2. 그 긴박했던 순간들의 기록 〈명성황후 발인반차도〉

명성황후는 1895년 10월 8일 서거한다. 왕후로서 눈을 감은 그녀의 장례식은 2년 2개월이나 미뤄진 끝에 1897년 11월 22일이 되서야 치러졌다. 이날은 대한제국의 성립이 선포된 한 달 후였고, 이에 따라 명성왕후가 아닌 명성황후의 장례식이 치뤄졌다. 이 장례식의 발인행렬을 그린 작품이 〈명성황후 발인반차도〉이다. 한영훈 교수는 명성황후 국장 연구를 통해, 고종이 국가를 혁신하고 전통과 현대가 조화된 근대적 민국을 건설하는데 명성황후 국장을 적극적으로 활용하였음을 밝힌 바 있다.[6]

본 연구는 선행 연구들을 토대로 대한제국의 수립과 함께 황후의 장례로 격상된 행사의 성격과 의례의 변화가 이화여대박물관 소장 〈명성황후 발인반차도〉에는 어떻게 반영되었는 지 추적해보고자 한다. 이를 통해 고종이 '원수를 갚지 않으면 장례를 치를 수 없다'는 『춘추(春秋)』의 정신을 어떻게 실현시켜나갔는지 살펴보고자 한다.

---

6) 한영우, 앞의 책, 2006.

1) 이화여대박물관 소장 〈명성황후 발인반차도〉의 구성과 제작과정

이화여대박물관 소장 〈명성황후 발인반차도〉는 종이 위에 채색으로 그린 작품으로 세로 51.4㎝, 가로 2m 198㎝의 길이의 두루마리 형태로 장황되어 있으며, 작품 맨 앞에 '명성황후 발인반차도' 라는 묵서(墨書)가 적혀 있다. 반차도란 '의례에 참여한 사람들의 품계 및 신분에 따른 차례와 위치, 그리고 동원된 노부의장의 종류와 숫자 등을 알기 쉽게 도해한 것'[7]이다.

〈명성황후 발인반차도〉에 나오는 인물은 약 4,800여 명인데 이러한 참가자의 규모는 이전의 국장에 비해 크게 늘어난 것으로 이미 잘 알려져 있다. 경무관과 한성부 판윤이 맨 앞에서 행렬을 선도하고 있으며, 경무관 뒤로는 태극기를 들고 선사대(仙射隊)가 따르고 있다. 그 뒤로 26종의 가마가 행차를 하고 있다. 1866년(병인년) 황후를 왕비로 책봉한 책보를 실은 요여, 1973년(계유년) 존호를 올린 책보를 실은 요여, 1888년(무자년) 존호를 올린 책보를 실은 요여, 1890년(경인년) 존호를 올린 책보를 실은 요여, 1892년(임진년) 존호를 올린 책보를 실은 요여, 황후로 추존한 금책을 실은 요여, 시책을 실은 요여, 시보를 실은 요여, 평교자, 신백을 실은 요여, 제로용정과 향합향정, 신련, 봉여, 소궤(대소쿠리)와 변두궤를 실은 채여, 자기궤와 악기궤를 실은 채여, 황후가 읽던 서책을 실은 채여(2개), 평소에 쓰던 거울인 내지, 연갑을 실은 채여, 황후가 쓰던 손대야인 이함궤을 실은 채여, 황후가 입던 옷들을 담은 궤를 실은 가자, 황후가 쓰던 옷에 다는 장식물을 실은 채여, 증옥백을 실은 채여, 황후에게 올리는 추도사를 실은 채여, 견여, 향로를 실은 용정자와 향합을 실은 향정자에 이어 대여가 등장한다. 대여의 뒤를 시위대가 호위하며, 그 뒤로 이번 국상을 총괄하는 책임자인 총호사 소병세가 국

---

7) 박정혜, 「삼성미술관 Leeum 소장 〈동가반차도〉소고」, 『화원-조선화원대전』, 삼성미술관 리움, 2011, p.219.

장도감당상, 빈전도감당상 등을 거느리고 행차하며, 시위대가 행렬의 후미를 지키면서 따르고 있는 구성을 하고 있다.

이화여대박물관 소장 〈명성황후 발인반차도〉를 살펴보면, 대부분 목판으로 찍었으나 모필로 직접 그린 부분도 있다. 따라서 행렬을 선도하는 지방관들은 목판으로 찍은 것이 아니라 붓으로 그린 것임을 알 수 있다. 선두에서 행렬을 이끌고 있는 지방관과 당서경무관(當署警務官)이 타고 있는 말의 엉덩이 부분 선들을 살펴보면 선의 시작부분이 각각 다름을 한 눈에 알 수 있다. 상체의 윤곽선도 지방관, 경기관찰사, 당서경무관, 한성부주사가 각각 다름을 알 수 있어 붓으로 그린 것임이 드러난다. 그러나 『명성황후 국장도감의궤』에 실려있는 〈명성황후 발인반차도〉에서 같은 부분을 살펴보면, 목판으로 윤곽선을 찍은 후 그 위에 채색을 가한 것을 알 수 있다. 그 외의 대부분은 목판을 파서 찍은 후 채색한 것으로 판단되는데 인물 따로, 의물 따로, 목판을 만들어 찍어 효용성을 높이기도 하였다. 특히 가마의 예를 보면, 다양한 종류의 요여와 채여가 등장하고 있는데, 사실은 같은 도장을 찍은 후 요여와 채여에 맞게 채색한 것을 알 수 있다. 또한 이화여대박물관 소장 〈명성황후 발인반차도〉의 견여와 대여를 의궤의 〈명성황후 발인반차도〉의 견여, 대여와 비교하면 견여, 대여뿐만 아니라 이를 메고 가는 여사군의 모습도 두 그림이 똑같음을 한 눈에 알아볼 수 있다. 즉 견여를 포함한 여사군들 모두를 하나의 도장으로 파서 찍고 그 위에 채색을 올린 것을 알 수 있다.

흥미로운 것은 〈명성황후 발인반차도〉에 등장하는 요여, 채여, 견여, 대여를 조선시대 국장의 다른 발인반차도들과 비교해보면, 전체 행렬의 길이에서 차이가 나고 이에 따라 요여와 채여의 개수에서 차이가 있지만 견여와 대여의 기본적 형태와 크기는 동일함을 알 수 있었다. 즉 왕의 국장이든, 왕후의 국장이든 황후의 국장이든 이들의 관을 실고 발인을 떠날 견여와 대여의 조형과 크기는 기본적으로 같다는 것이다.

〈명성황후 발인반차도〉에서 이전과 다른 것은 행렬의 앞과 뒤에 있는 총을 든 시위군들을 들 수 있다. 이 시위군들은 명성황후의 〈빈전이봉 경운궁 시반차도〉에서부터 등장한다. 이번 명성황후 국장을 위해 새로 목판을 새겨 찍은 이 시위대들은 같은 발인반차도의 다른 행렬에 비해 매우 도식적이고 기하학적인 조형미를 지니고 있다. 시위군 뒤를 따르는 고취대들을 보면 걸어가는 움직임을 주고자 발의 표현과 움직임에 따라 펄럭거리는 옷의 리듬감 표현 등을 통해 자연스러운 사실감을 조형성에 반영하고 있다. 그러나 이에 비해, 신식 군인들은 근대성의 특징인 일사분란한 반복성과 총을 든 신식 군인들을 인격이 배제된 로보트와 같은 기계로 바라보는 시선을 반영한 듯이 기하학적 패턴의 나열로 표현하고 있다. 반면 〈철인왕후 발인반차도〉에 등장하는 군인들은 칼의 표현을 잘 활용하여 회화적인 화면을 구성해내고 있다.

이화여대박물관 소장 〈명성황후 발인반차도〉가 주목되는 것은 이 작품에는 내용을 수정한 부분이 많이 발견된다는 점이다. 화면에 보이는 부분들을 보면 종이를 덧붙여 그린 부분을 감춘 경우, 종이 덧붙인 후 다시 그린 경우, 도장이 찍힌 위에 다시 다른 도장을 찍고 채색을 한 경우, 색을 빼고 다시 그리거나 쓴 경우 등 다양하다. 또한 지금의 포스트 잇처럼 화선지에 수정 지시 사항을 써서 해당 부분에 붙여 놓은 예도 있다. 이러한 수정 사항이 증거하고 있는 것은 의궤에 실린 〈명성황후 발인반차도〉가 제작되기 전에 이화여대박물관 소장 〈명성황후 발인반차도〉가 제작되었다는 사실이며, 이는 의궤에 실린 〈명성황후 발인반차도〉가 발인 행사 이후에 제작된 것임에 반해, 이화여대박물관 소장 〈명성황후 발인반차도〉는 발인 행사 이전에 제작된 것임을 증언하고 있다고 하겠다.

'火鐵燭籠 靑領下紅(화철촉롱 청령하홍)'이라는 별지의 묵서는 화철촉롱의 위쪽은 청색, 아래는 홍색으로 만들라는 지시 사항이다. 더욱 흥미로운 것은 『명성황후 국장도감의궤』에 실린 〈명성황후 발인반차도〉에는 이러한 지시 사항이 반영되어 화철촉롱은 이전의 붉은색에서, 수정 사항에 맞게 윗부분에 청색이 첨가되어 있는 것을 알 수 있다. 또한 '挾靈輦軍(협령여군) 白衣 白戰笠(백의백전립)'이라는 별지 묵서도 있다. 협령여군이 먹으로 칠해져 있는데, 이들의 옷과 갓을 백색으로 하라는 지시 사항이다. 이 부분도 의궤에 실려 있는 〈명성황후 발인반차도〉에서는 수정되어 있다. 황초롱을 추가하라는 메모도 붙어있는데, 이 지시 사항에 따라 『명성황후 국장도감의궤』의 〈명성황후 발인반차도〉에서는 황초롱이 추가되어 있음을 확인할 수 있다.

『명성황후 국장도감의궤』에는 이 반차도의 수정과 관련된 기록이 있어서, 이를 살펴보면 1897년 3월 20일 국장도감 1방 소관으로 차비관들이 배열한 상태에서 이미 어람용 반차도를 수정하였음을 밝히고 있으며 2방·3방이 이에 따라 작업을 함으로써 행례시 착오가 없도록 하라고 지시하고 있다.[8] 또한 수정 사항이 반영된 어람용 반차도가 곧 들어오니, 시위인원 및 군병의 복색을 정할 때도 도감에 조회한 연후 거행하라는 지시사항이다. 이를 통해 이화여대박물관 소장 〈명성황후 발인반차도〉처럼 수정 사항과 수정 지시 사항이 그대로 드러나 있는 발인반차도는 발인 행사를 거행할 때 착오를 범하는 폐단을 막기 위해 만들어서 여러 차비관들의 검토를 거쳐 잘못된 부분을 바로 잡는 과정을 거친다. 이렇게 고쳐진 발인반차도는 발인행사 때 필요한 물건을 고치고 만들고, 인력을 동원하거나 복색을 정할 때 기준이 됨을 알 수 있다. 이러한 기록들에 의거하면 이화여대박물관 소장 〈명성황후 발인반차도〉가 바로 각양 차비관이 배열하여 수정 사항들을 반차도 위에 적거나 고친 그 〈명성황후 발인반차도〉 수정본일 가능성을 상정해 볼 수 있겠다.

의궤의 기록에 의하면 수정 사항이 반영된 발인반차도 최종본은 임금님께 올리는 어람용 반차도와 세자용인 봉진 반차도 2벌로 만들었음을 알 수 있다. 또한 관련하여 소용되는 물력구입목록이 기록되어 있다. 이를 보면, 최

---

8) 『明成皇后國葬都監儀軌』 卷二, pp.98~99.

종 반차도는 저주지에 초도를 그린 뒤 상품 도련지 25장에 옮겨 그렸으며, 아교 포수한 위에 이청, 삼청, 석록, 하엽(청록계열), 당주홍, 진분(적홍계열), 석웅황, 석자황, 동황(황색계열) 등의 화려한 채색안료와 청화먹을 사용해 그렸음을 알 수 있다.[9] 또한 『명성황후 국장도감의궤』에는 이 수정본을 토대로 어람용 발인반차도 제작에 사용된 재료들을 기록해두었다.[10]

『명성황후 국장도감의궤』 기록에 의하면 〈명성황후 발인반차도〉는 도감의 1방에서 만들어진 것을 알 수 있다. 의궤에 있는 1방에서 활동한 공장(工匠)의 명단을 살펴보면 사자관(寫字官)으로 이두혁(李斗爀), 서인표(徐寅杓)가 기록되어 있는데, 〈발인반차도〉에 쓰여져 있는 글씨들은 이들이 작성한 것으로 판단된다. 또한 화원에는 박창수, 김기락, 화사에는 신영필, 정대복, 홍봉순, 최성구의 이름이 기록되어 있다. 여기에 가장 먼저 화원으로 이름이 적힌 박창수는 『신정왕후(神貞王后) 국장도감의궤』(1890년)에서는 2방의 화원으로 2번째로 거론되고 있었다가 『태조 장조 정조 순조(太祖莊祖正祖純祖) 추존시의궤(追尊時儀軌)』(1899년)에서는 화원 3명의 이름 중 가장 먼저 전하며 6품으로 소개되고 있다. 또한 『순명비 국장도감의궤』(1904년)에서도 1방에서 종사하는 화원 5명 중 가장 먼저 이름을 전하고 있다. 따라서 박창수는 광무연간을 전후한 시기에 국가의 의례에 참여하였던 주요화원으로서, 이화여대박물관 소장 〈명성황후 발인반차도〉의 제작 역시 주필하였을 것으로 생각된다.

2) 국장의례의 격상과 〈명성황후 발인반차노〉 도상의 변모

당초 4월로 예정되어 있던 국장의 발인은 갑작스런 사정으로 연기되어 행

---

9) 『明成皇后國葬都監儀軌』 卷二, p.102.
10) 『明成皇后國葬都監儀軌』 卷二, pp.102~103.

례준비가 중단되었고, 이후 여러차례의 연기를 거쳐 대한제국의 선포와 고종황제가 즉위(1897년 9월 17일)한 이후 비로서 재개될 수 있었다. 황영우 교수는 이 때 국장이 미뤄진 이유를 이 무렵부터 고종의 황제 즉위를 촉구하는 칭제 상소와 관련된다고 파악했다.[11] 즉 고종은 전국민적 추대 속에서 황제국을 선포함과 동시에 명성황후의 국장을 성대히 치루면서 자주독립국가가 아니었기 때문에 당한 능욕, 즉 명성황후의 죽음을 황제국으로서의 위상을 대내외적으로 알리는 것으로 치유하고자 하였다.

국가의례는 대한제국의 선포를 계기로 왕후장에서 황후장으로 격상되었고, 이에 따라 행례의 성격과 내용에서도 많은 변화가 있었을 것임을 짐작할 수 있다. 다시 말해 대한제국의 성립 이전인 1897년 3월말에 내입된 어람용 발인반차도와 현재 『명성황후 국장도감의궤』에 실린 〈명성황후 발인반차도〉는 격이 달랐을 것으로 생각된다. 여기서 주목을 요하는 부분은 〈명성황후 발인반차도〉에 황색이 많이 사용되고 있다는 것이다. 『철인왕후 국장도감의궤』, 『정조 국장도감의궤』의 주조색이 붉은 색이었던 것에 비해 눈에 띄는 차이를 보여주고 있다. 황후로서의 예를 갖추기 위한 색임에 틀림없다. 그렇다면 이화여대박물관 소장 〈명성황후 발인반차도〉가 의궤의 기록상에 나타나는 3월 20일 수성본이라면 고종이 황제가 되기 전인 3월부터 이미 왕후를 황후로 책봉할 것을 염두에 누고 의례를 계획했다는 말이 되는데, 이것이 가능한 일일지 의문이 든다.

『명성황후 국장도감의궤』의 관련 기록들을 살펴보면, 1방에서 〈명성황후 발인반차도〉 및 '발인'에 대한 기록은 발인 당시 인원과 복장을 정하는 내용, 노제소에 배설할 기구와 인원들에 대해 정하는 내용 등 실재 발인 행사에 대한 구체적인 내용을 기록한 1897년 4월 이후에 거의 반년간 기록이 중

---

11) 한영우, 앞의 책, p.284.

단됨이 보인다. 그러다 고종이 황제 칭호를 받은 후로 '광무' 연호를 사용하여 '광무 원년 정유 9월 30일' 부터 다시 관련 기록이 재개되고 있다. 이 때의 내용이 바로 황색 사용에 관한 것이다.[12]

대한제국의 선포 후에야 비로서 황후장으로 격상된 국장의 성격이 확정될 수 있었고, 각양 의물을 모두 황색으로 한다는 방침이 하달된 것은 9월 30일이었던 것이다. 실제로 황후로 격상되기 이전인 1896년 7월 27일 거행된 〈빈전이봉 경운궁시 반차도〉를 비교해보면, '임진가상 존호 옥보요여'의 경우 〈빈전이봉 경운궁시 반차도〉에서는 가마 옆면의 색이 붉은색과 녹색의 배합이었던 것에 비해 〈명성황후 발인반차도〉에서는 붉은색 대신 황색을 사용하고 있다. '향합향정' 도 〈명성황후 발인반차도〉에서는 가마와 여사군 모두 황색으로 변화되었으며, 〈평교자〉의 부분도 〈명성황후 발인반차도〉에서는 황색으로 바뀌었다. 평교자, 신백요여, 신연 모두에서 붉은 색이었던 여사군들의 복식이 〈명성황후 발인반차도〉에서는 황색으로 변화되어있음을 확인해볼 수 있다.

1880년(고종 17년)에 치뤄진 왕후 국장이었던 『철인왕후 국장도감의궤』와 비교해보면 평교자, 유의칭가자(遺衣稱架子) 의물이 〈명성황후 발인반차도〉에서는 황색으로 바뀌었으며, 그 앞의 배안상에서도 붉은색이 황색으로 바뀐 것을 알 수 있다. 그렇다면 1897년 9월 국장의 승격에 따라 필요한 의궤의 용구는 모두 새로 만든 것일까? 기록은 이전의 용구를 개비하거나 개칠하여 조성했음을 보여준다. 이 문서는 황색으로 개비할 물품도 나열하고 있다. 일부는 새로 세작하기도 하였나. 가마부터 여사군의 복식까지 모두 황색으로 지장한 제로용정(提爐龍亭)과 향정은 9월 30일 새롭게 조성할 목록을 지시하고

---

12) "금번 인산 때 각종 의물을 역대 전례에 의거하라 영하니 국장도감이 거행할 事.라고 장례원에서부터 이미 재가가 내려갔사오니, 본방에서 관장하는 각양 의물은 모두 황색으로 마련함이 어떠하니이까 하니, 황색으로 새로 만들며 소용된 물자는 다시 품의하라고 결재하다." 『明成皇后國葬都監儀軌』卷二, p.120.

있으며,[13] 가소금저는 10월 3일 보수와 개칠이 지시되고 있다.[14] 그리고 황후장으로 치러진 명성황후국장 발인의 큰 특징인 '봉여' 역시 이 시기에 새로 제작되었다. 따라서 황색 봉여가 등장하는 이화여대박물관 소장 〈명성황후 발인반차도〉는 1897년 9월 말 이후 행사 수정 내용을 담고 있다는 점에서 이 시기 후에 제작된 것으로 생각된다. 의궤에는 같은 해 10월에 어람용 반차도를 다시 제가한 기록이 등장하고 있고[15], 이와 관련하여 '소용물력구입목록'도 제시하고 있다.[16] 이 내역을 3월 25일 기사와 비교시 자작판이 반립에서 한립으로 늘어난 것 외에는 변동사항이 없다. 그래서 3월의 〈명성왕후 발인반차도〉와 별개의 〈명성황후 발인반차도〉가 10월에 제작되었음을 알 수 있는데, 총호사 조병세의 보고에 의하면 어람용 반차도가 10월 23일에 내입되었다고 한다.[17] 그렇다면 이화여대박물관 소장 〈명성황후 발인반차도〉에 표현된 황색의 사용, 봉여의 등장 등 의물의 모습들과 발인 행사 후에 제작되는 『명성황후 국장도감의궤』 수록 〈명성황후 발인반차도〉와 거의 일치함에 비추어 볼 때, 이화여대박물관 소장 〈명성황후 발인반차도〉는 1897년 10월 23일 내입된 어람용 발인반차도 제작을 위해 만들어진 것으로 보아야될 것이다. 그러나 여러 차례 누적된 수정 사항과 장면을 오려붙인 편집 등을 감안할 때, 10월에 새로 그려진 것이라기 보다는 3월의 어람 및 왕세사 봉진 발인반차도를 위한 수정본 위에 다시 수정한 것으로 판단된다.

9월 변경된 국장의 의물들을 중심으로 이화여대박물관 소장 〈명성황후 발인반차도〉에 관련된 부분을 세밀히 살펴보면, 봉여의 부분은 삽입된 종이 아래 비쳐보이는 신연군의 모습이나 봉려 행렬 앞뒤에 배치된 시위군의 위

---

13) 『明成皇后國葬都監儀軌』 卷二, pp.124~129.
14) 『明成皇后國葬都監儀軌』 卷二, pp.129~130.
15) 『明成皇后國葬都監儀軌』 卷二, p.147.
16) 『明成皇后國葬都監儀軌』 卷二, p.148.
17) 『明成皇后國葬都監儀軌』 卷一, p.118. 10월 23일.

치로 보았을 때, 새로 그려 중간에 삽입시킨 것이 아닐까 추측해볼 수 있겠다. 평교자 부분을 자세히 보면 붉은 색은 빼고 노란색을 칠한 것임을 알 수 있으며, 제로용정 부분은 색을 뺀 것으로 의심된다. '유의칭가자' 처럼 채여 앞 배안상(排案床)에서는 의물을 붉은색에서 황색으로 미쳐 고치지 못했으나, 의궤에는 황색으로 변경되어 있는 경우도 있다. 이러한 흔적들은 한 달이 안되는 촉박한 시간 속에서 황후장으로 격상된 국장을 준비해야했던 긴박한 상황을 잘 드러내 준다고 생각한다.

고종은 9월 17일 황제 즉위식을 갖고, 왕후를 황후로 책봉하고 나서 사흘이 지난 9월 20일(양력 10월 15일)에 고종은 인산일을 다시 정하라고 명했으며, 이에 따라 발인을 10월 27일로 정했다. 이에 따라 '광무 원년 정유 9월 30일' 황색으로 변경할 것을 지시하였다. 발인까지 한달도 남지 않은 시간이었다. 그 사이에 '봉여' 가 제작되었을 뿐만 아니라 황후로서의 예를 갖추기 위한 새로운 의물들이 제작되었다. 의궤의 기록에 의하면 '영좌교의', '장족아', '향좌아' 처럼 그전에 준비해둔 것을 석자황색으로 개칠하여 사용한 경우도 있으며, '봉여' 를 비롯하여 '황룡봉개(黃龍鳳盖)', '금교의(金交椅)' 와 '금각답일좌(金脚踏)' 처럼 황제의 예를 갖추기 위해 새로 제작된 의물들도 있다.

새로 제작된 의물들은 무엇을 모본으로 해서 만든 것일까? 먼저 그동안 선행연구들을 통해 가장 많이 언급되어 온 『대명집례』를 살펴보았다. 먼저 『대명집례』에서는 봉여의 예는 보이지 않았다. 황룡봉개는 『대명집례』의 '황개' 와 비교해보면, 유사해 보이나 시붕의 장식 등에서 다름을 알 수 있다. '금교의' 와 '금각답' 의 경우에도 교의의답(交椅椅踏)과 비교해 볼 수 있으니 구조와 문양 모두에서 차이가 난다. 그런데 이 의물들을 청내 건륭 24년(1759년)에 완성된 『황조예기도식(皇朝禮器圖式)』에 나온 의물들과 비교해보니 정확히 일치함을 확인해볼 수 있었다. '봉여' 는 '황후의갑봉여' 와 달리 네 모서리의 봉황장식에서 유소가 내려져 있는 것 외에는 일치한다. 『황조예기도식』에서 봉여는 나무 바탕에 명황(明黃)으로 채색을 하고 전체 높이가 7척이며, 둥근 지붕은 이중으로 높이는 1척 5촌 5푼, 그 위에는 팔각의 단에 금색 봉황이 장식이 되어 있다고 밝히고 있는데, 『명성황후 국장도감의궤』에 적혀 있는 조형과 크기 모두 일치한다. 단, 명성황후의 경우에는 색채에 있어서, 명황색 대신 양황(洋黃)을 사용하였다는 점이 다르다.

이외에도 〈명성황후 발인반차도〉에 등장하는 '황룡봉개'는 『황조예기도식』의 '황후의가구봉개(皇后儀駕鳳盖)'와 일치하고, '금교의'와 '금각답'은 『황조예기도식』의 '황후의가교의'와 일치한다. 이외에도 새로 등장한 황색으로 제작된 의물들인 '봉여', '제로', '향합', '관분(盥盆)', '수병(水瓶)', '마궤(馬机)' 등 모두 『황조예기도식』에 등장하는 '봉여', '황후의가제로', '향후의가향합', '황후의가관분', '횡후의가수병', '향후의가마궤' 등과 일치한다.

이상에서 살펴본 바와 같이 이화여대박물관 소장 〈명성황후 발인반차도〉는 요여, 채여, 견여, 대여 등은 이전 시대의 전통을 그대로 이어 오면서 태극기 및 시민군의 의상 등은 당대의 상황을 반영하고 있었으며, 황후로서의 예를 갖추는 의물들은 청나라의 예를 모본으로 삼았음을 확인해볼 수 있었다. 또한 청나라의 의례서에 도상이 실리지 않아 그 모본을 찾을 수 없었던 경우에는 도상을 확인할 수 있는 명나라의 모본을 찾아 그 예를 따랐다는 것을 확인할 수 있다.

근대사를 연구하는 학자들이 대한제국을 주시하는 이유 중 하나는 중국을 중심으로 보고, 일본을 오랑캐로 보며, 세계를 중화중심으로 사고하는 세계관에서 탈피하여 우리 스스로 황제국임을 선포함으로써 중화시스템을 파괴하는 세계관를 드러냈다는 점에 있다. 따라서 고종은 아관파천을 감행할 수 있었으며, 서구의 지지를 얻고자 노력하였다. 메이지 유신이 천황제를 선포하였지만 근대적 시선으로 그 시기를 바라보는 맥락과 같다. 따라서 대한제국을 선포하는 고종의 세계관에서 명성황후의 국장을 준비할 때, 명나라의 예뿐만 아니라 청나라의 예를 모본으로 삼아 필요한 부분을 취사선택하여 차용하였다는 점은 일면 자연스럽다.

3. 맺음말

이상으로 이화여대박물관 소장 〈명성황후 발인반차도〉를 통해 명성황후의 죽음을 헛되이 하지 않으려는 고종의 노력과 그 긴박했던 순간들을 살펴볼 수 있었다. 고종은 아내의 죽음이라는 슬픈 사실을 대한제국의 선포라는 축제의 장으로 변모시켜냈다.

황색의 거대한 행렬과 등불의 행렬은 자신과 함께 이 땅의 근대화를 이루고자 하였던 명성황후가 가장 행복해할 선물이었을 것이다. 진정한 사랑은 말로 하는 것이 아니라 행동으로 보이는 것이라고 했다. 고종은 그렇게 자신의 사랑하는 아내이자 정치적 동지였던 명성황후에게 사랑을 실천했다.

1부 1처제가 아닌 시대의 부부의 사랑은 어떠한 감정이었을까? 자신의 배우자를 자신이 고를 수 없었던 시대의 사람들에게 결혼은 무엇이었을까? 사랑해서 결혼하는 것이 아니라 결혼해서 사랑을 시작하는 관계들에게 사랑은 무엇이었을까? 왕이라는 권력 앞에 사랑은 배우자는 또 어떠한 관계였을까? 상상하기 쉽지는 않다. 그러나 명성황후와 고종의 사랑은 단순히 한 여성과 남성이 만나서 이룬 부부라는 관계를 넘어 함께 나라와 민족의 앞날을 고민하고, 풍전등화의 격동의 시대를 역동적으로 해쳐나간 동반자였다는 점에서 지금의 우리들에게도 깊은 울림을 준다.

박계리

학력
이화여자대학교 가정관리학과
홍익대학교 미술사학과 석사
이화여자대학교 미술사학과 박사
한국전통문화대학교 초빙교수

논문, 저서
『모더니티와 전통론』
「한국 20세기 학그림을 통해 본 전통의 계승과 변용」, 『미술사논단』 통권 제39호
「이화여자대학교박물관 소장 〈명성황후 발인반차도〉 연구」, 『미술사논단』 통권 제35호

관심분야
한국근대미술, 전통, 박물관

자연을 그리다, 사랑을 담다

고연희

자연을 그리다, 사랑을 담다

고연희

1. 산수화와 화조화 그리고 '사랑'의 주제

'자연을 그리다'라고 하면 '산수화(山水畵)'가 떠오릅니다. 옛 그림 중 산수화는 가장 일반적인 그림이라고 생각되실 수 있겠지만 회화 역사상 동물화나 인물화에 비하여 늦게 발전했던 그림이며 가장 지적(知的)이고 차가운 종류의 그림입니다. 우리가 생각하는 애틋한 사랑 혹은 사랑의 본능적 감정을 산수화에서 찾기는 좀처럼 어렵습니다. 만약 산수화에서 사랑을 찾고자 한다면, 그것은 차원(次元)이 다른 사랑, 예컨대 지극히 고고한 자존적 자기애라든가 특정 지역에 대한 특별한 관심과 애정같은 것을 이야기할 수 있겠습니다. 그런데 문제는 이렇게 사랑이라는 개념의 범위를 넓혀간다면 사랑을 그리지 않은 그림은 없게 될 겁니다. 사실 엄밀하게 말하자면, 산수화란 세속의 감정과 욕심을 떨쳐낸 청정한 정신의 수준을 상상으로 표현한 것이 기본 주제였습니다.

'자연을 그리다'는 주제로 더욱 유구한 역사를 가지면서 다양한 주제가 그려진 것이 화조화(花鳥畵)라는 장르입니다. 꽃과 새라는 작은 동식물들을 다루는 그림입니다. 이러한 그림 속에는 수컷과 암컷의 사랑이나 어미와 새끼 간의 사랑이 대주제로 혹은 소주제로 담겨 있습니다. 이 시간에는 화조화 속의 사랑 이야기를 찾아보도록 하겠습니다.

1) 연(蓮)꽃과 원앙(鴛鴦)

연꽃은 의미의 연원이 깊고 사실 다양하여 불교에서 자비와 생명의 꽃이었고, 성리학자들에게 말쑥한 인격의 군자화였습니다. 이러한 연꽃이 사랑

심사정, 〈연지유압(蓮池遊鴨)〉, 견본채색, 142.3×72.5㎝, 호암미술관.

의 공간을 연출하는 것 또한 역사가 오랜 의미입니다. 젊은 남녀가 연밥을 던지며 구애하는 풍속이 있었으며 연꽃 아래 원앙 한쌍이 등장하는 그림들은 모두 남녀의 사랑을 주제로 한 그림입니다.

(아울러, 조선후기 풍속화의 배경으로 그려진 연꽃도 이러한 의미를 나타냅니다.)

'원앙'은 특별히 다정한 부부를 의미했습니다. 조선시대 왕실에서 사용했던 점술서적『귀곡사주경』를 보면 부부운을 말할 때 90%는 원잉으로 비유합니다. 원앙은 부부의 대명사이고 이상적인 부부의 다정한 모습입니다. (이 점술서적은 사람의 유형을 100가

『귀곡사주경』 갑병형 '혼인'　　　　　　　『귀곡사주경』 갑을형 '혼인'

지로 나누고 각 유형의 운명을 6가지로 나누어 풀이합니다. '혼인'은 6가지 중 하나입니다. 고귀하게 되는 부부는 봉황(鳳凰)으로, 한편 '형제'는 주로 기러기로, '자식'는 주로 꽃나무로 표현하고 있습니다.)

2) 호접도(蝴蝶圖)

장자(莊子)는 꿈 속에서 나비가 되었습니다. 나비가 되어 나풀나풀 날았다가 깨어나 나비가 나를 꿈꾸는지 내가 나비를 꿈꾸는지 모르겠노라고 한 호접몽(蝴蝶夢) 이야기를 들어보셨지요. 왜 하필 나비였을까요. 조선후기 문인들이 나비그림을 사뭇 많이 그렸습니다. 그들은 장자를 들어 나비그림을 감상하기도 했습니다. 나비그림은 선비들에게 큰 유행을 하였고 민화라 분류되는 많은 그림 중 화조와 함께 나비그림이 차지하는 비중이 적지 않습니다. 나비는 풍류(風流)의 의미를 가집니다. 그림 속 나비들은 가장 아름다운 꽃 속을 날고 있습니다. 그것은 꽃피는 계절의 따뜻함이며 꽃 속을 노니는 사랑입니다. 나비처럼, 나풀나풀 날아오르는 환상이 묘한 즐거움을 선물했던 것으로 보입니다.

3) 자모계(子母鷄)

변상벽, 〈어미닭과 병아리〉, 비단에 색, 99.4×
44.3cm, 국립중앙박물관.

어미닭이 병아리를 보듬어 사랑하는 장면을 그린 그림을 아시나요. 조선후기 화가 변상벽(卞相壁)이 그린 이 주제의 그림을 사실적 표현이라는 점에서만 감상하고 그친다면 그림의 오랜 주제를 놓치는 셈입니다. 이러한 그림은 이미 송나라 황실에서 그려졌고, 무수한 판화도로 그려졌으며, 근대기 민화까지 지속되었습니다. 주제는 어미닭이 새끼를 보듬는 자애(慈愛)입니다. 어미닭의 보살핌 속에서 많은 병아리들은 편안하고 즐겁지요. 송대 황실에서는 황제에게 백성에 대한 사랑이 어떠해야 하는지 가르치는 비유의 그림이었고, 중국에 있는 한국의 많은 선비들도 어미닭이 배 속이 텅빈 채로 병아리들을 보살피는 그 마음에 감동했습니다.

대학자 정약용(丁若鏞)이 변상벽의 그림에 부친 시에서도 "배고픔을 참아내는 어미의 마음이야"라고 하며 희생적인 어미닭의 사랑을 탄복하는 마음이 중요하게 읊어졌습니다. 이러한 전통을 알 때, 풍속도에 담긴 김득신(金得臣)의 〈파적도(破寂圖)〉에 그려진 고양이의 소행이 일으킨 상황은 더욱 절묘하게 느껴집니다.

4) 인추(引雛)

'인추'란 '새끼를 거느리다'는 뜻입니다. 작은 새나 동물들의 인추 장면을 상상해보시기 바랍니다. 조선시대 왕실과 가정의 혼인에 펼친 병풍 가운데 영모화초병(翎毛花草屛)이라는 화조병풍이 있었습니다. 이미 조선중기 기록에 따르면 혼례에 모란병, 십장생병, 영모화초병 등을 사용하는 전통이 있었노라는 기록이 있습니다. 이러한 기능성 병풍들은 예술작품으로 존중되지는 않았던 까닭으로 문인들의 감상기록이 매우 드물고 소장되기보다는 사용되고 소모되는 경우가 많았던 것으로 보입니다. 드물게 발견되는 문인들의 기록(박미, 송내희)은 한결같이 자신이 결혼할 때 사용했던 병풍인데 오래되어 낡아진 화조병풍을 다시 수리해 놓는다는 내용입니다. 19세기 문인 송내희(宋來熙, 1791~1867)가 정묘년, 즉 1807년의 자신의 혼례에서 사용된 영모화초병에 대한 기록이 흥미롭습니다.

> "그림 6폭은 내가 정묘년 가을 혼례 때 방에 펼친 것이며, 끝 한 폭은 정유년 봄에 황계의 친영에서 구비한 것이다. 정묘년은 올해 54년이 되었고, 정유년 24년이 되었다. 이 일곱 폭에 그려진 것은 모두 꿩과 물총새 등 여러 가지 새가 그 새끼의 무리를 거느리고 꽃과 나무 사이로 벌어져 있다. 보노라니 아주 기쁘다. 봉황과 같은 것은 서물이라 요순이나 문왕의 시절이 아니라면 다시 볼 수 없고, 꿩과 물총새 따위는 비록 색이 화려하나 뭇새에 속하니, 그리는 이가 봉황보다는 이러한 꿩과 물총새를 택한 것은 혹 봉황이 날 수 없는 시절의 뜻을 느낌이 있어서인가. 그러니 먼지가 끼고 좀이 먹었지만 전하는 바가 진실로 기이하다. 다시 수리하고 배접하고 보관하게 하노라. 간략히 병풍 곁에 적노라. 금곡 70옹이 쓰노라."[1]

현재 국립고궁박물관에 전하는 왕실이 사용한 흔적으로 남은 영모화초병들을 보면 인추형 새의 모습들이 눈에 띕니다. 여기서 '인추'라는 명칭의 사용은 저의 임의적 명명입니다. 그 기반은 사실 중국자료를 기반으로 합니다. 중국 송나라 황실에서 내장한 그림을 저록한 『선화화보(宣和畵譜)』를 보면, 화조화 목록 중에 '引雛(새끼를 데리고 가다)'라는 용어가 종종 그림의 제목으로 등장합니다. 예를 들자면, 송나라 초기의 가장 유명한 화조화가이자 황실화가였던 황전(黃筌)의 그림제목 중 〈인추작도(引雛雀圖)〉, 〈인추계칙도(引雛鸂鷘圖)〉, 중요한 황실화가였던 황거채(黃居寀)가 그린 〈약묘인추합도(藥苗引雛鴿圖)〉, 〈인추작도〉 등의 제목을 볼 수 있고, 송나라 소동파나 원나라 문인들에게 극찬을 받았던 화조화가 조창(趙昌)의 그림제목 중에도 〈사계화인추료아도(四季花引雛鷯兒圖)〉, 〈규화인추료자도(葵花引雛鷯子圖)〉 등이 있습니다. 아마도 화사하게 새끼 참새, 새끼 오리, 새끼 비둘기 등 새끼 새들이 눈에 띄게 함께 가는 모습이 그려졌었나 봅니다. 제목에 인추가 명시된 것이 그러하지요. 따라서 인추형 화조화는 황실이나 왕실에서 사용한 오래된 화조화의 이미지이자 주제였다고 할 수 있고, 조선시대 왕실에서 오래된 유풍의 화조화를 펼쳤던 것을 짐작할 수 있습니다. 먹이를 기다리는 새끼 새들의 모습에서 누구라도 사랑을 느끼게 됩니다. 새끼 병아리를 보살피는 암컷과 수컷의 한 쌍은 새끼들과 더불어 가족의 애정을 표현하고 있습니다. 활짝 핀 꽃들은 행복과 번영을 축복하는 기능을 합니다.

그런데 현전하는 대개의 화조병풍들에게는 새끼 새들의 모습은 잘 그려지지 않고 한 쌍의 새가 중심으로 그려지는 경우가 더욱 많습니다. 한 쌍의 새

---

1) 宋來熙, 「書舊屛雜畵」, 『錦谷文集』卷11, "此畵上六幅, 卽余丁卯秋婚時, 房中所張也. 末一幅, 丁酉春, 黃溪新迎所備也. 丁卯今爲五十四年, 丁酉今爲二十四年. 七幅所畵, 皆雉與翡翠等諸鳥, 而將其羣雛, 列坐花木之間. 相對甚樂也. 如鳳凰之特爲瑞物, 非舜文之世, 固不可復見, 而雉與翡翠之類, 雖有華彩不離凡鳥, 則畵者之捨彼取此, 抑有感於衰世之意歟. 然塵昏蠹蝕之餘, 猶有遺傳, 誠爲異也. 更使修補褙粧而藏之, 略識成毁於屛右云. (上章涒灘之復月), 錦谷七十翁書."

1폭   2폭   3폭   4폭

5폭   6폭   7폭   8폭

작자미상, 〈화조도〉, 《팔첩병》, 19세기, 종이에 채색, 각 110.6×43.2㎝, 서울역사박물관.

들이 주제로 그려져도 이것이 혼례에 펼쳐진다면 많은 새끼 새들의 탄생과 가족애(家族愛)의 축원을 담고 있었을 것으로 보입니다. 한 쌍의 암수새가 주제를 이루는 이러한 영모화초병은 현전하는 민화병풍들의 가장 많은 비중을 차지하는 주제입니다. 사계절 가장 어여쁜 꽃들이 피고 그 속에 한 쌍의 새들이 자리한 그림들은 가장 널리 애용된 그림 중 하나였다는 뜻입니다.

5) 원추리(萱花)

그림 자식이 부모를 사랑하는 의미의 상징적 그림은 없을까요. 자식이 어머니를 생각하는 마음은 원추리꽃의 그림에 표현됩니다. 아버지는 '춘부장'이라 할 때의 춘, 즉 춘(椿)나무입니다. 원추리 훤(萱)은 그 자체로 어머님을 뜻하는 말이기도 했습니다.

6) 배추(白菜) 혹은 숭(菘)

작가미상, 〈白菜二蝗〉, 비단에 채색, 24.1×25.5cm, 일본 고려미술관.

배추, 이것이 사랑과 무슨 관련이 있을까요? 배추가 무슨 사랑을 의미할까 의아하실 겁니다. 배추그림이 임금의 백성에 대한 사랑이며, 백성의 얼굴빛을 살피도록 하는 상징적 식물로 그려졌던 적이 있습니다. 정조임금이 배추그림을 보며 백성의 얼굴에 이 채소의 빛이 있어서는 안된다고 한 말이 유명했습니다. 이 말은 원래 송나라 학자 황정견(黃庭堅)의 시, '백성에게 이 색이 있게 해서는 안되고, 사대부가 이 맛을 잊어서도 안된다'에서 비롯한 것이지만, 백성에 대한 사랑의 뜻을 적절하게 표현한 정조의 말은 이후 고종대에도 귀범의 사례로 신하들에게 거론되었습니다.

또한 오래전부터 배추는 숭(菘) 혹은 숭채(菘菜)라 하여 겨울에도 푸른 채소로 소나무(松)의 지조를 가진 식물로 인정되고 있었으며, 서리를 맞으면서도 푸르고 덩치가 크고 밑둥은 허연 채소가 먹으면 소화가 잘되고 맛도 좋아 채소 중 으뜸의 위상을 가지고 있었습니다. 그리하여 위정자의 애민(愛民) 정신에 사용된 배추의 비유는 더욱 힘이 있었습니다.

7) 규(葵) 혹은 향일화(向日花)

군주사회에서 군신(君臣)의 관계는 특별했습니다. 신하의 임금에 대한 절대적 충성(忠誠)은 중요한 덕목이었지요. 충성은 완전한 사랑의 형태로 요구되었고, 이러한 내용이 반영된 동식물 상징이 만들어졌습니다. 그 가운데 오늘날 우리가 '해바라기'라고 하는 그 의미와 동일한 뜻으로 불려졌던 향일화(向日花, 해를 향하는 꽃)가 으뜸이었습니다. 이것은 규(葵), 특히 가을에 피는 추규(秋葵)입니다. 그 꽃잎의 색이 황색이어서 황족규라고도 합니다. 여름에 피는 홍색과 백색의 촉규(蜀葵)와는 다릅니다. 늘 해만 향한다는 의미는 '나는 당신만 바라봅니다'라는 절대적 애정표현이지요. 조선 학자 이언적(李彦迪)이 추규를 읊은 시구가 이러합니다. '只把丹心向日傾(한 군주에 대한 변치 않는 충성의 요구였습니다. 다만 일편단심으로 해를 향해 기울입니다)' 규화에 대하여는 고전번역자들도 몹시 혼동을 일으키니 먼저 꽃을 분명히 구분하여 알아 두는 것이 그림을 살피는 첩경입니다.

그림에서 흔하게 접할 수 있는 예는 아니지만, 오리 한 쌍이 물살을 가르

추규(황촉규)　　　　　　　　　　　　　　　촉규

고 가는 그림이 왕에 대한 애정으로 표현된 경우가 있었습니다. 멀리 간 신하의 신발이 오리로 변하여 물살을 가르고 임금 계신 궁궐로 아침마다 온다는 전설적 이야기를 기반으로 합니다. 조선시대 기록을 보면 한 관료가 먼 곳의 관직으로 나가는 벗에게 오리 그림을 선물한 예가 있습니다. 충성스런 신하가 되라는 뜻이었습니다. 또한 기러기가 남쪽으로 향하여 날아가는 것도 양(陽)을 향하여 날아가는 것이라 하여 충(忠)의 의미로 해석되었습니다.

2. 남는 말

이렇듯 화조류는 다양한 동식물의 생물학적 특성을 살펴 여러 가지 사랑의 주제를 효과적으로 표현했습니다. 마치 자연만물이 사랑으로 덮여 있는 듯 하지요. 그러나 화조류의 모든 주제가 사랑은 결코 아니었습니다. 실로 자연이란 것이 여기서 살펴보았던 그런 사랑으로 가득하지는 않지요. 물고기를 잡아먹는 물새들, 벌레를 먹으려고 웅크린 두꺼비 혹은 적극적으로 뛰어오르려는 개구리, 토끼나 꿩을 잡아 죽이려는 매의 날카로운 눈길 등 사랑과 오히려 반대가 되는 약육강식의 잔인한 장면들도 많이 그려졌습니다. 생각해보면 이러한 주제들 또한 앞에서 살핀 주제와 함께 생존의 양태들이라 할 수 있습니다.

끝으로, 병신년 원숭이해를 맞아 원숭이 그림 속 사랑을 찾아보도록 하겠습니다. 벗들의 사랑, 일종의 군집의 사랑과 즐거움이 담겨 있습니다. 그런데 그림 위에 적혀있는 시는 멀리서 들려오는 원숭이 울음 소리에 이별의 슬픔이 더한다는 유명한 당

원숭이 연적, 국보 279호, 간송미술관.

나라의 시입니다. 국보로 지정된 원숭이 연적은 어떠합니까. 자식에 대한 사랑으로 단장(斷腸)의 주제가 되었던 원숭이 어미의 애끓는 사랑의 이야기가 떠오르는 형상입니다.

고연희

학력
이화여자대학교 국어국문학과
이화여자대학교 국어국문학과 석사
홍익대학교 미술사학과 석사
이화여자대학교 국어국문학과 박사
서울대학교 규장각 연구교수

논문, 저서
『선비의 생각, 산수로 만나다』
『그림 문학에 취하다』
「投壺와 投壺格의 이미지화 고찰」, 『한국고전연구』 통권 제31집
「18세기 문학에서의 색채 표현과 강세황의 회화」, 『한국한문학연구』 제54집

관심분야
옛 그림, 문학, 미술, 조선시대 회화

조선시대의 남과 여, 그리고 애정

강명관

조선시대의 남과 여, 그리고 애정

강명관

1. 머리말

남자와 여자처럼 복잡한 관계도 없을 것이다. 그리고 그 관계에 구체성을 부여하는 요소는 대단히 복잡하다. 진화생물학·생화학부터 법·제도·경제 등의 문화적 요소들까지 복잡하고 풍부하게 개입한다.

조선시대 남자와 여자의 사랑에 대한 질문도 동일하다. 그것은 인간이란 동일성을 바탕으로 생물학적·문화적 요소들이 다양하게 개입한다. 생물학적 요소야 본질적으로 달라질 것이 없지만, 문화적 요소들은 고정적인 것이 아니라, 변화하는 것이다. 남자와 여자, 그리고 그 사이의 관계-애정의 문제 역시 역사적인 것이다.

조선시대의 남과 여, 애정의 문제를 역사학으로 포괄하여 다루는 것은 대단히 흥미롭지만 한편으로는 매우 복잡하고 다루기 어려운 문제다. 자료는 광범위하게 흩어져 있는 데다가 대부분 남성의 입장에서 작성된 것이라 남성 중심주의와 가부장제에 의해 심각하게 '오염'된 상태이다. 또한 한국의 역사학은 이 문제를 정면에서 다룬 적이 없다! 이런 점을 고려하면서 이 글에서는 간단히 조선시대의 남과 여, 애정문제를 간단히 스케치 해 보려고 한다.

2. 조선 전기의 남성과 여성

1) 대등한 남성과 여성

조선시대의 경우 남성이 여성을 제도적·법적으로 규정했던 시대라고 말할 수 있다. 조선시대 이전 사회, 즉 고려시대까지만 해도 남성과 여성은 이후 시기에 비해 평등했던 시기라고 말할 수 있다. 고려시대까지의 친족제를 보면, 공계적(共系的), 혹은 양변적(兩邊的)·양측적(兩側的) 친족제였다. 표현 방식은 달라도 이것은 한 개인을 파악할 때 남측과 여측, 혹은 외가와 친가를 동시에 고려하여 한 인간을 파악하는 방식이었다. 이것은 가부장제의 남성중심주의와는 확연히 구분된다.

아울러 고려시대까지는 결혼을 한 뒤 남성이 여성의 집으로 장가를 가서 사는 '처가살이혼'이 보편적이었다. 곧 부처제(婦處制)였던 것이다. 남성은 처가에서 아이를 낳아 키운 뒤 독립하였다. 달리 말해 자녀들은 조부 조모보다 외조부와 외조모를 훨씬 더 친숙한 사람으로 생각했다.

아울러 여성은 재산상속에 있어서도 원칙적으로 꼭 같은 비율로 재산을 상속받을 수 있었다. 아들과 딸이 각각 2명, 3명이 있으면 각 여성은 5분의 1을 상속받을 수 있었던 것이다. 그리고 약간 못마땅한 눈길이 있기는 했지만, 여성은 남편이 죽은 뒤 2번 이상 재혼할 수 있었다. 간단한 예지만 초상화의 경우를 들어보자. 고려 때에는 남성과 마찬가지로 여성을 남편과 함께, 혹은 단독으로 초상화를 그려 사찰 등지에 봉안하는 풍습이 있었으니, 그것은 여성의 높은 지위를 반영한 것이었다. 현재 남아 있는 공민왕과 노국대장공주의 초상, 조반(趙胖) 부인상 등이 그 실제 예다. 이런 풍습은 임진왜란 이전까지 남아있었던 것으로 보인다.

이런 관계가 근본적으로 변하는 것은 17세기 중반부터이다. 그 이전까지는 여성과 남성은 정치권력의 차원을 제외하면 대체로 평등하였고 일상에서 간혹 여성의 위상이 남성보다 높았던 경우도 발견된다. 다음 예를 보자.

1440년 5월 13일 좌찬성 이맹균(李孟畇)의 처 이씨는 남편이 자기 집안의 계집종과 성관계를 가진 것을 알고, 계집종의 머리를 자르고 참혹하게 매질을 했고, 마침내 계집종이 죽고 말았다. 시신을 종들을 시켜 묻게 했더니, 홍제원 근처의 구덩이에 내버렸다. 의금부·형조·한성부에서 살인범을 찾는 과정에서 투옥된 사람, 고문을 당한 사람이 쏟아져 나왔다. 이에 이맹균은 6월 10일 계집종에게 죄가 있어 아내가 종을 시켜 구타하고 머리털을 자르는 과정에서 죽었노라고 자백했다.[1] 조사 끝에 이맹균은 파직되고 이씨는 직첩(爵帖)을 빼앗겼다.[2] 사신은 한 마디를 덧붙였다. "이씨가 나이 70세 가깝고 또 자식도 없는데, 질투하기를 마지않아서 세상의 웃음거리가 되었다."[3]

살인에 비해 처벌이 너무 가볍다는 신하들의 요구에 세종은 이맹균은 파직 시켰고, 이씨가 나이가 많다는 이유로 더 이상 처벌하지 않으려 했지만, 계속되는 신하들의 처벌 요구에 두 사람을 이혼시키라는 요청은 거부하고, 이맹균은 남편으로 아내를 제어하지 못한 죄로 황해도 우봉현(牛峰縣)에 폄출(貶黜)했고, 이씨는 '명부(命婦)는 형을 가할 수 없으니 작첩을 거두면 족하다' 고 더 이상의 처벌을 하지 않았다.[4]

이런 예는 광범위하게 발견된다. 가장 적실한 사례는 여원부원군(礪原府院君) 송질(宋軼)의 아내와 세 딸일 것이다. 1517년(중종 12년) 5월 27일 사헌부는 '성격이 지극히 악한' (性至惡) 덕산현감(德山縣監) 이형간(李亨幹)의

---

1) 『세종실록』 22년(1440) 6월 10일(1).
2) 『세종실록』 22년(1440) 6월 12일(1)·17일(1).
3) 『세종실록』 22년(1440) 6월 17일(1). "李氏年垂七十, 且無嗣, 疾妬無已, 爲世所笑."
4) 『세종실록』 22년(1440) 6월 18일(1)(2), 19일(1).

처 송씨의 죄를 보고한다. 그 죄는 이렇다. 송씨는 평상시에 이형간을 늘 노예처럼 대했다(性至惡, 常時待亨幹如奴隷). 이형간은 왕명을 받들고 다른 지방으로 갔다가 찬바람을 쐬고 병에 걸려 덕산현으로 돌아왔다. 하지만 송씨는 관아의 문을 닫고 들어오지 못하게 하였다. 이형간은 동헌에 누워 땀을 내려고 옷을 달라 하였으나, 처는 끝내 주지 않았고, 이형간은 폭사(暴死)하고 말았다. 남편이 죽었음에도 불구하고 송씨는 슬퍼하지 않았다. 사헌부는 송씨의 행위가 강상(綱常)에 관계되는 것이라면서 의금부에 내려 조사할 것을 청했지만, 중종은 간악하기는 하지만 사족부녀라서 의금부에서 조사하는 것은 적당하지 않다며 사헌부에서 조사할 것을 명했다.[5] 6월 3일 사헌부는 사족 부녀를 사헌부에서 추고하기 어렵다면서 의금부에 내릴 것을 청했지만 중종은 허락하지 않았다.[6]

6월 9일 다시 사헌부에서 송씨를 조관(朝官)의 예에 따라 의금부로 옮길 것을 요청하자, 중종은 마지못해 허락하면서 관련인을 먼저 심문하고 송씨는 추문할 때에 가서야 가두라고 명한다.[7] 하지만 송씨가 의금부에 갇힌 것 같지는 않다.

6월 26일 대간은 송씨의 일을 다시 논한다.

> 이형간의 처 송씨의 사간(事干)들은 모두 송씨가 끌어다가 증거를 대게 한 사람들입니다. 하지만 덕산(德山)의 전리(典吏)는 마땅히 추국할 수 없는 자입니다. 비록 대체적인 일을 알고 있다 해도 어찌 감히 내아(內衙)의 일을 겉으로 드러내 말할 수 있겠습니까?
> 송씨가 범한 것은 강상에 관계된 것이고 소문이 확실하니, 사족 부녀라

---

5) 『중종실록』 12년(1517) 5월 27일(1).
6) 『중종실록』 12년(1517) 6월 3일(1).
7) 『중종실록』 12년(1517) 6월 9일(1).

도 마땅히 추국해야 합니다. 상께서 늘 어렵게 여기시지만, 송씨처럼 강상을 무너뜨리고 어지럽게 만든다면, 그 사족 부녀로서의 자격이 어디에 있습니까? 근래 처첩이 남편 위에 올라타는 풍조가 사대부 집안이면 모두 다 그러한데, 그냥 태연히 내버려두고 괴이하게 여기지 않아 그냥 습속이 되고 말았습니다. 추관(推官)이 추고하는 일을 소홀하게 여기는 것도 역시 이 때문입니다. 청컨대 사간을 추국하지 말고 송씨를 추국하여 다른 사람들을 징계하게 하소서.[8]

송씨를 추국해야 한다는 대간의 말은 송씨가 여전히 의금부에 갇히지 않고 있다는 것을 의미한다. 하지만 중종은 대간의 말을 따르지 않았다. 영의정 정광필 역시 송씨를 의금부에 가두고 추국하는 것을 반대하는 입장이었다. 정광필은 송씨가 시부모에게 불효하고 남편을 죽게 만든 죄를 저지른 것에 대해서는 대간의 말이 사실이라고 인정했다. 하지만 만약 투기로 인해 한 짓이라면, 이런 종류의 부인은 허다하게 있고, 사간(事刊)으로서 형벌을 받은 사람이 이미 많으며, 또 조종조 이래 사족을 가둔 적은 없었다' 는 이유로 송씨를 의금부에서 심문하는 것을 완곡하게 반대했다.[9] (이어지는 기록이 없어 이 사건의 결말은 알 수가 없다.)

송씨는 여원부원군(礪原府院君) 송질(宋軼)의 둘째 딸이다. 송질은 영의정까지 올랐으니 최고의 출세를 한 사람이다. 사신은 송질의 딸 셋 모두 투기를 잘 하고 아버지 송질의 권세를 믿고 남편을 종처럼 보았다고 한다.[10] 홍언필(洪彦弼)과 결혼한 첫째 딸은 홍언필이 지평(持平)으로 있을 때 홍언

---

8) 『중종실록』 12년(1517) 6월 26일(1).
9) 『중종실록』 12년(1517) 7월 6일(1). "李亨幹妻宋氏, 誠不孝於親, 不顧其夫, 故令致死, 則果宜論以臺諫所啓也. 若因妬忌, 而爲之, 則固有如此等婦人矣. 事干受刑, 亦已多矣. 且自祖宗朝, 無因士族婦女之時也."
10) "性皆善妬, 恃父勢, 奴視其夫."

필과 성관계를 가진 여자를 끌어다 놓고 가위로 머리털을 밀어버리고 피를 흘리도록 구타해 온전한 살갗이 없게 만들었다.[11] 대간이 탄핵하여 체직이 되었지만, 홍언필은 자신과 관계한 여자 집에서 그냥 붙어살았다. 이형간과 결혼한 딸은 둘째 딸이다. 사신은 이형간이 공무를 보기 위해 드나들 때 엄동설한임에도 불구하고 아내가 이불과 옷을 주지 않았고, 집에 오면 문을 닫고 들이지 않아 병을 얻게 되었다고 한다. 어느 날 집에 들어갈 수가 없어 바깥채에 누워 있었지만, 아무도 찾아와 돌보는 사람이 없었고, 구들이 과열되었으나 몸을 움직일 기력이 없어 지쳐 죽었다고 한다.[12]

송질의 딸들의 사례는 권세 있는 친정을 믿었다고 하지만, 그것만도 아니다. 사실 이와 동일한 성격의 자료가 조선 전기 『실록』에 상당수 발견되기 때문이다. 이런 사례들은 여성의 위상이 남성과 대등하다는 것을, 혹은 때로는 조건 여하에 따라 높은 수도 있다는 것을 의미하였다.

2) 다양한 남·여의 결합 방식

1405년(태종 5년)의 사례다. 사헌부는 회령군(會寧君) 마천목(馬天牧)의 처 김씨를 귀양 보낼 것을 청한다. 김씨는 원래 은천군(銀川君) 조기(趙琦)와 결혼했지만, 조기가 사망한 지 몇 해가 지나지 않아 검교 중추원 부사(檢校中樞院副使) 홍인신(洪仁愼)과 재혼한다. 이에 유사(攸司), 곧 사헌부가 처벌을 요청하여 이혼시키고 폄출한 적이 있다. 아마도 뒷날의 유사한 사례를 보선대, 김씨의 재혼이 남편의 3년상 안에 있었기 때문일 것이다. 그런데 김씨는 종편(從便) 처분, 곧 유배지를 서울 바깥의 지방에서 본인이 편한 것으로

---

11) "一適洪彦弼, 彦弼爲持平, 其妻誘引所奸女, 剪禿其髮, 縛打流血, 身無完膚."
12) "一適德山縣監李亨幹, 亨幹承差出入, 雖祁寒, 不許食枕·衣服, 還則閉門不納, 馴致得病. 一日欲入不得, 臥外軒, 無人來護, 燒 過暖, 亨幹不能運身, 氣逼乃死, 日曙始知."

고르라는 처분이 내리자, 이내 김천목과 결혼했던 것이다. 곧 김씨는 결혼을 세 번 했던 것이다.

김씨의 세 번에 걸친 결혼은 이 시기, 곧 1405년까지 여성의 재혼, 삼혼이 큰 문제가 되지 않았던 상황을 반영한다. 하지만 상기(喪期)를 문제 삼아 재혼을 처벌하여 이혼을 시킨 것 역시 여성의 성(性)을 통제하고자 하는 유교적 가부장제의 권력이 작동하기 시작했다는 것을 의미한다. 하지만 사헌부의 요청을 태종은 허락하지 않았다.[13] 마천목이 1400년 제2차 왕자의 난 때 태종을 도왔던 공신이기 때문이었을 것이다. 어쨌든 김씨의 사례는 여성의 재혼, 삼혼이 가능했던 고려의 유제가 관철되고 있음을 의미한다.

여성이 재혼, 삼혼이 가능했던 것과 동일하게 남성 역시 복수의 여성과 혼인관계를 맺을 수 있었다. 1406년(태종 6년) 전 지함안군사(知咸安郡事) 강회숙(姜淮叔)은 안씨와 결혼하여 아들 둘을 낳은 뒤 안씨를 버리고 홍씨와 결혼한다. 그 후에도 강회숙은 홍씨와 화합하지 못하고 다시 안씨와 사통했고, 한편 홍씨의 친정어머니 윤씨를 만욕(嫚辱)한다. 사헌부에서는 강회숙이 전처 안씨와 사통하고, 장모와 만욕했다는 이유로, 홍씨와 이혼시키고 귀양을 보낸다.[14] 강회숙이 안씨를 어떤 이유로 버렸는지는 알 수 없다. 단지 '버렸다(棄之)'라고 표현되어 있기 때문이다. 하지만 강회숙이 정식으로 이혼을 하지 않고, 안씨와 결혼한 것, 그리고 홍씨와 화합하지 못하자, 다시 안씨와 성관계를 가진 것은 결혼과 헤어짐이 매우 쉽게 이루어지고 있었던 사정을 짐작할 수 있다. 한편 국가가 여기에 개입해 윤리적 문제점을 들어 강제 이혼시키고 처벌하기 시작했다는 것도 유의미한 현상이다.

1412년(태종 12년) 5월 8일 개국공신 변계량(卞季良)은 유처취처(有妻娶妻)로 사헌부로부터 탄핵을 당한다. 변계량은 철원부사 권총(權總)의 딸과

---

13) 『태종실록』 5년(1405) 8월 23일(4).
14) 『태종실록』 6년(1406) 2월 11일(1).

결혼했다가 버리고, 오씨(吳氏)와 결혼한다. 오씨가 사망하자 이촌(李村)의 딸과 결혼했다가 몇 달만에 버리고, 또 도총제 박언충(朴彦忠)의 딸과 결혼하였다. 변계량은 모두 여자 넷을 처로 맞이했던 것인데, 유처취처로 탄핵을 당한 것은 이촌의 딸을 계실(繼室)로 맞았다가 박언충의 딸과 결혼했기 때문이었다. 『태종실록』에 의하면 변계량이 이촌의 딸에게 장가들어 계실로 삼았는데, 부부의 예로 대접하지 않고 너무 자유를 구속해 방에 가두어 두고 창으로 음식을 주고 소변도 마음대로 보지 못하게 하자, 이촌이 노하여 변계량에게 욕을 하고 딸을 빼앗아 간 뒤 사헌부에 소송하였다고 한다.[15]

　1409년(태종 9년) 사간원은 군자주부(軍資注簿) 곽운(郭惲)이 군자감 여종 장명(長命)을 첩으로 삼아 아들이 있는 적처(嫡妻)를 버렸다하여, 이혼시킬 것을 요청한다. 사간원에서는 '적첩(嫡妾)을 분간하는 것은 관계되는 바가 아주 무겁고 문란하게 할 수 없다'[16]는 것을 이유로 들었다. 첩이 적처의 자리를 빼앗을 수 없다는 것이다. 하지만 태종은 들어주지 않았다. 곽운은 곽추(郭樞)의 아들이었기 때문이었다. 곽운처럼 적처를 버리고 첩을 처의 지위에 올리는 경우는 다수 발견된다. 이것은 유교적 가부장제의 처·첩의 위계를 부정하는 행위였기에 사간원이 제동을 걸었던 것이다. 사간원은 곽운과 장명을 이이(離異)시킬 것을 요청했지만, 태종은 들어주지 않는다. 곽운은 곽추의 아들이었기 때문이었다.

　이상의 사례를 통해 여성의 경우 수절의 관념은 희박했고, 재혼, 삼혼은 여전히 문제가 되지 않았던 것을 짐작할 수 있다. 아울러 남성 역시 처를 쉽게 버리고 새혼할 수 있었으며, 첩을 사랑해 적처를 버릴 수 있었던 사정을 짐작할 수 있다. 일부일처제, 첩에 대한 적처의 우위는 관철되지 않고 있었던 것이다. 하지만 여성의 재혼을 비윤리적인 것으로 인식하거나, 적처와 첩

---

15) 『태종실록』 12년(1412) 6월 26일(1).
16) 『태종실록』 9년(1409) 4월 15일(2). "嫡妾之分, 所係甚重, 不可亂也."

의 위계를 분명히 하려는 의식이 국가권력을 통해 작동하여 이혼을 강제하기 시작했던 현상에도 당연히 주목해야 할 것이다.

특히 위의 사례 중 변계량의 경우는 유처취처, 곧 중혼(重婚)인 것인데, 이 중혼의 사례는 조선전기 『실록』에 광범위하게 등장하는 것으로 큰 사회적 문제이기도 하였다. 중혼을 금지하려는 노력은 상당히 긴밀하게 전개되어 성종 때 완성된 『경국대전』에 와서는 법적으로 완전히 금지되었다. 곧 다음 조항이 그 금지조항이다. "이미 혼서(婚書)를 받고서 다시 다른 사람에게 성혼(成婚)을 허락하는 자는 그 주혼자(主婚者)를 논죄하고, 파기한다."[17]

3) 통제되지 않는 성

이상에서 언급한 풍습과 제도로 인해 조선전기 여성과 남성의 관계는 조선후기와 사뭇 달랐다. 『세종실록』의 한 부분을 보자.

> 사헌부에서 아뢰었다.
> "이석철(李錫哲)이 처제인 종비와 간통했습니다. 무릇 화간(和奸)에 장 80대로 남녀가 죄가 같습니다. 하지만 처제와 간통한 자는 통상의 간통과 같은 예로 논할 수 없습니다. 친족끼리 간통한 율(律)에 선주뇌, 처의 전부(前夫)의 딸과 간통한 자에게 베푸는 장 1백 도(徒) 3년의 형률이 옳을 듯합니다.
> 그러나 우리나라의 풍속은 사위가 처가에서 생활하는 것이 온 세상이 다 그러합니다. 혹 처의 부모가 모두 죽고, 아내와 자매가 의지할 곳이 없으면 기르고 키워서 결혼까지 시켜주니, 의리가 골육과 같습니다.

---

17) 『經國大典』 刑典 禁制. "受婚書而再許他人成婚者, 其主婚者論罪, 離異."

지금 석철과 종비의 추잡한 행실은 금수와 같으며, 풍속을 무너뜨리고 어지럽힌 것이 이보다 심할 수가 없습니다. 만약에 율문만 따른다면 악을 징계할 수 없을 것이니, 마땅히 크게 징계해서 뒷사람들을 경계하게 하소서."[18]

처제와 간통했다는 것인데, 이것은 처가살이를 하기 때문이라는 것이다. 다른 사건을 하나 들어보자. 1432년 6월 18일 조정은 자신의 의자(義子) 변득비(卞得斐)와 간통하여 임신했다는 소근(小斤) 조이(召史)의 처벌을 의논하였다. 소근 조이는 형신을 하지도 않았지만, 정상을 자백하였다. 그럼에도 불구하고 소근 조이는 처벌을 받지 않고 석방되었다. 소근 조이와 이웃사람, 관령(管領) 등을 심문했지만, 사적(事跡)이 분명하지 않았다. 유죄를 확정할 만한 결정적인 증거를 발견하지 못했던 것이다. 또 6월 21일에는 도죄(徒罪) 이하의 죄에 대해 사면령을 내렸기에 소근 조이는 석방될 수 있었다.[19] 하지만 또 다른 이유도 있었다. 의자와 간통한 것은 천지에 용납될 수 없는 행위로 결코 용서받을 수 없는 것이었음에도 불구하고, 의자와 간통한 현장을 포착할 수 없었다는 것이 결정적인 이유였다.

약간 극단적이라고 할 사례를 든 것은, 그 극단 이하의 사례가 광범위하게 있었음을 드러내기 위해서다. 사실 여성의 주체로 삼는 남성과 여성의 애정 관계에 관한 사건과 사례는 조선전기 『실록』에서 광범위하게 발견된다. 남성과 여성은 자유스럽게 만났고, 특히 여성은 수동적이 아니라, 능동적으로 남성에 대한 성적 관심을 표현할 수 있었고, 또 남성을 거부할 수도 있었다. 우리가 잘 아는 유감동(俞甘同) 사선이나 어우동 사건은 이런 사회 분위기 속에서 나타난 것이다. 유감동 사건을 잠시 살펴보자.

평강현감(平康縣監) 최중기(崔仲基)의 아내, 검한성(檢漢城) 유귀수(俞龜

18) 『세종실록』 18년(1436) 4월 20일(2).
19) 『세종실록』 14년(1432) 6월 18일(1)·19일(2)·22일(4).

壽)의 딸인 유감동의 사건은 『세종실록』 9년(1427) 8월 17일(2)조에 처음 등장한다. 세종은 감동을 음부(淫婦)라고 지칭하며, 간부(奸夫)의 수와 남편, 그리고 세족의관(世族衣冠)의 딸인가를 묻는다. 이렇게 시작된 유감동 사건은 어우동 사건과 아울러 조선 최고의 성적 스캔들이 된다.

8월 18일 사헌부는 유감동은 '남편을 배반하고 스스로 창기(娼妓)라 일컬으며 서울과 지방에서 멋대로 행동' 하였고, 김여달(金如達)·이승(李升)·황치신(黃致身)·전수생(田穗生)·이돈(李敦)이 여러 달 동안 통간했으니, 모두 직첩을 거두고 형신할 것을 요청했다.[20] 20일 사헌부는 유감동의 간부로서 총제 정효문(鄭孝文)·상호군 이효량(李孝良)·해주판관(海州判官) 오안로(吳安老)·전 도사(都事) 이곡(李谷)·수정장(水精匠) 장지(張智)·안자장(鞍子匠) 최문수(崔文殊)·은장(銀匠) 이성(李成)·전 호군 전유성(全由性)·행수(行首) 변상동(邊尙同) 등을 추가하고 직첩을 거두고 추국하게 할 것을 요청했다.[21] 세종은 여기서 이효문과 이효량은 직첩을 거두지 말고 잡아오게만 하라고 지시했지만, 이효문은 사령(赦令)을 지났지만, 숙부 정탁(鄭擢)이 이미 상간(相奸)했다는 것을 알고서도 유감동과 관계한, 강상에 관계되는 죄를 범했다는 이유로, 이효량은 유감동의 남편인 최중기의 매부임에도 관계했으니, 짐승과 같은 행동이라며 끝까지 추국할 것을 요청했다. 하지만 세종은 이효문은 모르고 간통했고, 공신의 아들로 사죄(赦罪) 전의 일이라 하여 추국하지 말라고 명한다. 이들 중 황치신·변상동·전수생 등은 감동이 인정하지 않았다 하여 석방되었다.[22]

조사가 계속되었고, 유감동과 관계를 가졌던 남자들이 속속 나타났고[23] 전모가 대강 밝혀지자, 처벌 방법과 수준이 논의되었다.[24] 9월 16일 사헌부

---

20) 『세종실록』 9년(1427) 8월 18일(3).
21) 『세종실록』 9년(1427) 8월 20일(4).
22) 『세종실록』 9년(1427) 8월 20일(6).
23) 『세종실록』 9년(1427) 8월 29일(2)·30일(4), 9월 1일(2)·(2).

는 유감동의 간부들의 죄상을 다음과 같이 적시했다.[25]

간부

- 성달생(成達生)·정효문·유승유(柳升濡)·김이정(金利貞)·김약회(金若晦)·설석(薛晳)·여경(余慶)·이견수(李堅秀)·이곡과 장인(匠人) 최문수·장지·이성 등 범죄한 것이 사전(赦典)에 있었음.
- 전유성·주진자(朱嗔紫)·김유진(金由畛)·이효례(李孝禮)·이수동(李秀東)·송복리(宋復利)·안위(安位) 등은 유감동의 내력을 살펴보지 않고 아무 곳에서나 간통하여 욕심을 마음대로 채웠다.
- 이자성(李子成)은 간통은 하지 않았으나 간통한 것과 다름이 없다.
- 황치신은 관진(關津)의 아전으로 지나가는 여자를 불러 상간했는데 뒤에는 그 내력을 알고도 계속 상간했다.
- 변상동은 이승이 유감동을 첩으로 삼아 데리고 살 때 몰래 간통했으니, 마음과 행동이 불초할 뿐만 아니라 여러 달 간통하였으니 유감동의 내력을 몰랐을 리가 없다.
- 이승과 이돈은 유감동의 신원을 알면서도 태연히 간통했고, 유감동의 아버지의 집에까지 드나들었으니, 너무나도 부끄러움을 모르는 자들이다.
- 오안로는 백성의 사표(師表) 「民表」로서 내력을 알 수 없는 여자를 아내(衙內)로 끌어들여 간통하고, 관물을 팔아주기도 하고, 그냥 주기도 하였다.
- 전수생도 역시 여러 달 행간(行姦)하였으니, 유감동의 신원을 알았던 것이 확실히다. 게다가 맹인이 써달라는 난자(單子)라 핑계를 대고 그것을 현재의 군자감(軍資監)에 올릴 것을 최복해(崔福海)에게 청하여, 직접 쌀 10두를 주게 하였고, 그것도 부족하여 또 서생의 청이라고 핑계를 대고 쌀 1곡(斛)을

---

24) 『세종실록』 9년(1427) 9월 14일(1).
25) 『세종실록』 9년(1427) 9월 16일(1).

주었다. 도둑과 다름없는 짓이다.

• 이효량은 무복친(無服親)이기는 하지만 처형의 정처와 간통했으니 사람이라 할 수 없다.

• 권격은 고모부 이효례가 유감동과 간통한 것을 알고서도 여러 차례 간통했다.

• 김여달은 피병(避病)하러 가는 유감동을 만나자 순찰한다 속이고 위협해 행간했고, 음욕을 처음 열 때부터 유감동의 남편 최중기의 집에까지 드나들면서 거리낌없이 상간했다. 끝내는 유감동을 거느리고 도망하기까지 했으니, 완악함은 견줄 데가 없다.

간부는 아니지만 유죄인 경우

• 최복해는 전수생의 간계(奸計)를 듣고 맹인이라 가탁해 군자감에서 쌀을 얻어주었다.

• 유감동의 아버지 유귀수는 딸의 음행을 막지 못했고, 간부들은 집안에 허접(許接)했다.

사헌부에서 이 범죄에 의거해 조율한 것은 다음과 같았다.

• 전유성·주진자·김유진·이효례·이수동·송복리·안위·이자성은 관리로서 창가(娼家)에 잔 죄를 적용해 장 60대를 칠 것.

• 황치신은 남편이 없는 여자와 화간(和奸)했으니 장 80대를 칠 것.

• 이승은 유감동을 임지에 거느리고 가서 영을 어겼으니,[26] 태(笞) 50대를 칠 것.

---

26) 관리가 첩을 데리고 갈 수 없다는 율을 범했다는 뜻으로 해석됨.

- 오안로는 관리로서 창가에 잔 죄로 장 60대를 칠 것이다. 거기에 포물(布物)을 받고 잡물을 팔아치운 죄로 태 40대를 치고, 급량미(給糧米)를 도둑질한 죄로 장 80대를 칠 것이다.
- 전수생은 관리로서 창가에 잔 죄로 장 60대를 칠 것이다. 거기에 군자감 주부로 있을 때 1곡이 넘는 쌀을 준 죄는 장물 1관(貫) 이하로 계산하여 장 80대를 칠 것이다.
- 이효량은 장 1백 대.
- 권격은 장 90대.
- 김여달은 유감동이 남편 최중기와 같이 살 때 간통했는데, 유감동은 남편과 자다가 소변을 본다는 핑계로 김여달에게로 도망쳤다. 유감동은 남편을 배반하여 도망해 개가한 자로서 교형(絞刑)에 처할 것. 김여달은 1등을 감하여 장 1백 대에 유삼천리(流三千里)에 처할 것.
- 정효문은 유감동이 정탁의 첩으로 있을 때 간통했으니, 이것은 같은 성의 조카로서 백숙(伯叔)의 아내를 간통한 경우로서 참형에 처할 것.
- 이효량은 유감동의 남편 최중기의 매부로서 간통했으니, 장 1백 대를 칠 것.

이것이 원래의 조율이었다. 다만 모두 사죄 전에 범한 것이라 하여, 다음과 같이 다시 조율했다.

- 변상동은 유감동을 이승의 첩으로 알고서 간통했으니, 장 90대.
- 1426년에 다시 간통한 김여달과 각 사람은 장 80대.
- 재차 간통한 이효량과 권격은 장 1백 대.
- 종일(從一)[27]은 장 1백 대를 치되, 옷을 벗기고 형을 받게 할 것.

---

27) 여기서만 나오는 인물, 다른 곳에서는 나오지 않는다. 강명관

- 황치신·오안로·이승·전수생은 장 80대를 치되, 오안로와 전수생은 자자(刺字)할 것.
- 전유성·주진자·김유진·이수동·송복리·안위·이효례·이자성은 모두 장 60대를 칠 것.
- 권격과 변상동은 장 90대를 칠 것.
- 이돈과 김여달은 장 80대를 칠 것.
- 이효량은 장 1백 대를 칠 것.
- 유귀수는 태 40대를 칠 것.
- 최복해는 태 50대를 칠 것.

세종은 아뢴 대로 따르고, 유귀수는 태 40대는 면하고, 자원하여 부처(付處)하게 하고, 황치신은 관직만 파견하고, 오안로는 자자를 면하고 장만 80대를 치고, 이돈·이효량·변상동·전수생은 공신의 후손이므로 다른 처벌은 면하고 외방(外方)에 부처하게 하였다. 주진자는 공신의 아들이므로 파직만 하고, 권격은 1등을 감하고, 이자성은 논죄하지 말 것을 명하였다.

가장 중요한 처벌 대상자로 유감동이 남았다. 유감동은 사헌부에서 '남편을 배반하여 도망해 개가한 자'로서 교형에 처할 것을 요청했지만, 이 형은 집행되지 않았고, 9월 16일 사헌부에서 장형을 집행한 뒤 변군(邊郡)의 노비로 삼아 죽을 때까지 사령을 만나도 방면되지 못하게 할 것을 청하자, 세종은 그대로 따랐다.[28] 이듬해인 1428년 윤4월 1일 세종이 유감동의 천역(賤役)을 면제해 먼 지방에 안치할 것을 명하고 있는 것을 보면, 어디인지는 알 수 없지만, 유감동이 1427년 9월 노비가 되었던 것은 분명하다.

유감동이 이렇게 여러 사람과 성적 관계를 맺은 것은, 김여달에게 강간을

---

28) 『세종실록』 9년(1427) 9월 16일(3). "望旣杖之後, 沒爲邊郡奴婢, 以終其身, 雖遇赦宥, 使不得免放."

당했기 때문이었다. 하지만 그 최초의 불행한 계기에도 불구하고 유감동과 관계한 사족들의 통제되지 않는 성은 문화적 형태로 남는 것이다.[29]

3. 변화의 시작, 남·여 관계의 재조정

이상에서 언급한 현상들은 유교적 가치관으로 판단하건대 분명 부도덕한 것이었다. 성리학을 국가 이데올로기로 삼은 사족(士族) 남성들은 남성과 여성의 관계를 재조정할 필요가 있다고 생각하였다. 그들은 '남성=여성'이라 평등한 관계를 '남성〉여성'이란 남성 우위의 수직적 관계로 변화시키는 법과 제도를 확정하는 한편(개가 금지, 여성의 외출 금지, 여성의 사찰 출입 금지 등), '남성〉여성'의 관계가 정당한 것이라는 생각을 여성의 머릿속에 설치하는 작업이 시작되었다. 이 작업에는 여러 책들이 동원되었다. 가장 기본적인 아이디어를 제공한 것이 주자가 편찬한 『소학』이었다. 그리고 『삼강행실도』 같은 책들이 세종 시대에 편찬되었다. 먼저 『삼강행실도』 「열녀편」을 간단히 살펴보자. 『삼강행실도』 「열녀편」은 '여성이 남성에게 성적으로 종속된 존재라는 것이 윤리'라는 논리를 발명한 책이었다. 「열녀편」의 '열녀(烈女)'는 기본적으로 여성의 남성에 대한 성적 종속성을 비상한 행위(뜨거운 행위)로 입증하는 여성을 말한다. 원래 이런 열녀는 없었다. 열녀 대신 절부(節婦)라는 것이 있었다. 절부는 남편(性的 대상자)의 부재에도 다시 결혼하지 않은 여성이다. 고려시대에는 열녀는 없고, 절부만 있었다. 절부는 의부(義夫, 아내가 죽어도 다시 결혼하지 않은 남성)와 짝을 이룬다. 그러나 조선조 『경국대전』에 와서 의부는 없어진다. 열녀는 절부의 연장인데, 단지 성

---

29) "若甘同女之醜惡, 初非如此之甚也, 乃被金如達之强暴而始之也".

적 종속성을 실천하기 위해서 재혼을 하지 않는 것이 아니라, 그 성적 종속성을 윤리로 삼고 그것을 천명하기 위해, 자신의 신체 혹은 생명을 자발적으로 희생한 여성이다. 「열녀편」은 한글로 번역되어 중종조까지 엄청난 숫자로 보급되었다. 조선의 지배층은 백성들에게 결코 책을 보급하지 않았다. 백성들을 적당한 수준에서 무지한 존재로 묶어두는 것이 양반들의 통치에 편리했기 때문이었다. 따라서 훈민정음이 만들어지고 금속활자가 만들어졌지만, 백성들의 교양과 지식을 계발할 서적의 보급(즉 한글 서적)은 결코 이루어지지 않았던 것이다. 유일하게 번역되어 보급된 책이 이런 윤리서였던 것이다.

절부는 16세기까지도 다수 나온다. 하지만 그것은 대개 남편이 죽었을 때 다시 결혼하지 않는 여성을 지칭하는 것이었다. 우리가 아는 열녀, 즉 남편 부재시에(혹은 남편이 부재할 위기에 빠졌을 때) 자신의 신체 일부를 훼손하거나, 혹은 신체 전체를 훼손하는, 즉 스스로 목숨을 끊는 형태의 열녀는 17세기부터 본격적으로 나오기 시작하여 18~19세기에 절정을 이룬다. 그 형태는 대단히 잔혹하였다(박지원의 『열녀함양박씨전』과 정약용의 『열부론』). 특히 임진왜란 병자호란 때 왜군에 의해 엄청난 성폭행과 여성의 죽음이 있었던 바, 전쟁 이후 체제는 이들을 모두 '열녀'로 표창하고 정문(旌門)을 세워 기념하였다(그 결과가 『동국신속삼강행실도』란 책이다). 이후 여성이 남성에게 성적으로 종속되어 있는 것을 자신의 신체를 훼손·희생하면서 입증하는 것이 윤리적 행위라는 생각이 17세기 중반을 지나면서 여성들의 대뇌에 설치되었고, 이것은 조선초기부터 조선의 양반사대부들이 추구한 가부장제 사회 만들기의 결과였던 것이다.

대체로 17세 중반을 지나면서 남성이 여성의 집안으로 장가를 가던 혼속(婚俗)이 여성이 남성의 집으로 시집을 가는 식으로 바뀌고, 여성이 꼭 같이 N분의 1을 상속받던 상속제도가 남성 장자에게 재산을 몰아서 주는 장자우대불균등상속제로 바뀐 것도 결과적으로 여성에게 남성에 대한 성적 종속성을 심는 데 결정적인 역할을 한 것으로 보인다.

4. 맺음

이제 부부 이외의 관계는 모두 부도덕한 것이 되었다. 사족이 향촌의 지배 세력이 되고, 여성이 남성의 집으로 시집을 가게 되자, 여성의 활동공간은 축소되었다. 이런 변화는 분명 여성에게 불리한 것이었다. 남성–사족은 세종 때부터 성리학의 도덕주의에 입각하여 사치노예인 기녀(妓女)를 없애려고 했고, 중종 때 실제 없앤 적도 있었지만, 기묘사화 이후 즉각 복구시켰다. 한편 남성–사족은 처첩제를 유지하면서 자신들의 성적 욕망을 넓게 관철시키고 다양한 형태의 애정을 표현할 수 있었다.

이상의 변화는 여성에게는 절대적으로 불리한 것이었다. 또 이로 인해 전체적 차원에서 남녀간의 사랑에 어떤 변화가 일어났음을 예상할 수 있을 것이다. 다만 그 변화가 어떤 것이었는지, 또 사족 외의 계급에는 어떻게 나타났는지 우리는 아는 것이 없다. 앞으로 연구를 기다린다.

강명관

학력

부산대학교 국어교육과

한국학중앙연구원 한국학대학원 한문학 석사

성균관대학교 한문학 박사

부산대학교 한문학과 교수

저서

『조선에 온 서양 물건들』

『조선시대 책과 지식의 역사』

「茶山과 明·淸 文學」, 『동양한문학연구』 제36집

「전근대 문학에 있어서 생활과 문학의 交織」, 『대동한문학』 제31집

관심분야

한문학, 조선시대 인물, 지식사, 풍속사

세상에 대한 사랑을 빚어낸 예술가
- 오지호, 김환기, 천경자

오병희

세상에 대한 사랑을 빚어낸 예술가
- 오지호, 김환기, 천경자

오병희

남도는 청자와 분청사기의 본고장이며 이를 기반으로 차와 다도문화가 발달·전개되었다. 서편제·동편제 등의 판소리, 좌우도 풍물(농악), 남도음식문화 등이 복합적으로 작용하여 남도를 예향으로 자리매김하게 만들었다. 특히 남도를 예향으로 인식하게 하는 전통 중 가장 핵심적인 역할을 한 분야는 미술이다. 남도는 정신과 이치를 담은 남종화 전통과 감성적인 채색화 전통, 한국인의 민족성을 담은 동국진체, 생명의 근원인 빛과 아름다움을 그린 서양화와 모더니즘 현대미술의 시작을 알리는 앵포르멜 추상 등이 시작되고 전개된 곳이다. 그리고 우리나라 포스트모더니즘의 대표적인 장르인 민중미술이 전개되었으며 새로운 시대의 뉴미디어아트가 1995년 광주비엔날레 인포아트전을 통해 소개되었다.

이처럼 예향 남도는 남종 한국화, 서양화, 추상회화, 채색화, 민중미술, 뉴미디어아트 등 다양한 분야의 작품이 시작되고 전개되어온 한국근현대미술의 보고이다. 이러한 전통은 그 맥이 이어져 한국화, 서양화, 조각, 영상, 설치 등 뚜렷한 색채와 개성을 지닌 많은 예술가들에게 영향을 주었다. 또한 남도의 아름다운 자연환경은 예술가에게 영감을 주어 작가의 미의식과 자연이 결합된 개성 있고 독특한 작품의 소재가 되었다. 한국미술의 거장 오지호, 김환기, 천경자는 예향 남도가 낳은 대표적인 예술가로 이들은 민족과 남도를 사랑하고 자신의 삶을 사랑한 작가이다.

우리에게 친숙한 마네, 모네, 피카소, 마티스, 칸딘스키, 뒤샹, 달리와 같은 인상주의, 신인상주의, 야수파, 추상회화, 다다이즘, 추상표현주의, 미니멀리즘(과도기로 포스트모더니즘 성격을 함께 지님) 작가들을 모더니즘 예술가로 분류할 수 있다. 이러한 모더니즘 미술의 특징은 독창성으로 지식인이나 천재가 새로운 내용의 깊이 있는 이론으로 전에는 존재하지 않았던 작품을 만들어 낸 것이다. 모더니즘에서 독창성은 '누가 무엇을 처음으로 만들었는가'가 중요하며 모사나 복제를 금기시한다.

모더니즘 추상회화의 순수주의를 언급한 이론가는 클레멘테 그린버그이다. 그린버그는 진정한 모더니즘이란 "자유 사회의 자유 사고 체계를 갖는다."고 말한다. 아방가르드의 자율적 태도만이 독특하고 특별한 예술과 문화를 진보시킬 수 있으며 이러한 대표적인 사례가 추상의 순수주의라고 언급하였다. 그린버그는 잭슨 폴록, 윌리엄 드 쿠닝, 마크 로스크와 같은 미국 추상표현주의 작가들을 모더니즘의 기수로 정의하였다. 이러한 이론의 영향으로 구상회화에 대한 추상회화는 모더니즘 현대미술로 일컬어진다.

오지호, 김환기, 천경자는 작가의 개성을 살려 독창적인 새로운 화풍을 만든 우리나라를 대표하는 모더니즘 예술가이다. 「세상에 대한 사랑을 빚어낸 예술가」는 남도 예향을 상징하는 오지호, 김환기, 천경자의 예술세계와 예술가의 삶에 대한 내용의 글이다. 이들 작품의 근원적인 원류는 예술을 사랑하는 심성과 자연의 원천적 심성을 본받아 살아온 삶에 있다.

1. 민족의 빛과 생명을 사랑한 오지호

오지호는 맑고 밝은 색채로 한국의 자연과 생명의 본질을 그린 작가이다. 빛에 의해 형성된 색에서 영감을 받아 한국의 아름다움을 밝고 맑은 자연과 생명으로 표현하였다. 아름다운 자연은 화가의 마음을 움직였으며 한국인의 타고난 미의식과 자연관이 결합되어 개성있고 독창적인 작품을 만들었다. 오지호는 빛에 의해 발현된 생명, 자연에 대한 존경 등 인간의 보편적인 감성으로 밝고 맑은 빛의 우리나라의 풍경을 화폭에 담았다.

오지호는 휘문고보 시절 우리나라 최초의 서양화가 고희동에게 지도를 받았다. 1926년 동경미술학교에 유학하여 일본의 외광파 화풍을 배웠으나 외광파가 일본의 풍토나 기후에서 기인된 것임을 깨닫고 우리 민족의 새로운 화풍을 찾게 된다. 오지호는 빛에 의해 발현된 생명감을 담은 우리 민족의 따스한 감성과 한국의 아름다운 자연 환경에 맞는 색채와 표현기법 등을 연구하여 독창적인 회화세계를 열었다.

1931년 녹향회 전시 때 우리 민족의 특성과 자연에 기반을 둔 녹향회의 이념을 드러낸다. 오지호는 김주경과 함께 세운 녹향회에서 우리의 자연을 표현할 수 있는 밝고 명랑한 색채의 회화에 대해 공식적으로 선언한다. "앞으로 우리가 지향해야 할 민족예술은 명랑하고 투명하고 오색이 찬연한 조선 자연의 색채를 회화의 기조로 한다. 그러기 위해서는 조선인이 일본인으로부터 받은 일본적 암흑의 색조를 팔레트에서 구축(驅逐, 몰아서 내쫓음)하여야한다."고 주장하였다.[1] 이러한 민족주의를 표방한 녹향회는 1932년 제3회 전시를 구상하다 총독부의 탄압으로 무산된다.

이후 오지호는 선전을 비롯한 모든 전시회에 참석하지 않고 우리 민족의

---

1) 최영주, 「오지호 화백의 인간 기행」, 『정경문화』, 1982.7, pp.175~196.

좌 오지호, 「오지호·김주경 이인화집」, 1938.
우 오지호, 〈남향집〉, 1939, 80×65cm, 국립현대미술관.

색과 자연에 기반을 둔 작품세계를 완성해간다. 교육자로서 오지호는 민족
주의자들이 운집해 있는 개성 송도고등보통학교 교사로 1935년부터 10년간
재직하면서 학생들에게 애국사상을 고취시켰다. 송도고보 시절인 1938년,
김주경과 함께 우리나라 최초의 원색화집인 『오지호·김주경 이인화집』(이하
『이인화집』)을 발간한다. 이인화집은 오지호 작품 10점과 김주경 작품 10점
이 원색으로 실려 있고 오지호 「순수회화론」과 김주경 「미와 예술」의 미학
논문을 함께 실어 민족주의 작품세계를 이해 할 수 있게 한다.

　『이인화집』의 미술사적 의의는 맑고 밝은 빛을 가진 우리의 자연을 표현
하기 위해 우리 민족의 독자적인 화풍으로 화단에 다시 등단한 것이다. 일본
에서도 볼 수 없는 원색화집을 발간하여 일본인들에게 우리 민족의 색이 있
고 이를 바탕으로 창조한 독창적인 화풍이 있음을 알렸다. 그리고 내선일체,
황국식민화라는 명분으로 일본이 조선에 대한 통치를 강화하고 우리말 사용
을 금지한 상황에서 한글로 된 화집을 발간하였다는 점에서 의의가 있다.

『이인화집』에서 오지호는 「순수회화론」을 주장하였는데 우리나라에 양화가 도입된 이래 독자적으로 전개한 미의식이란 점에서 의의가 있다. 오지호는 생명과 생에 대한 아름다움에 대한 감동을 표현하는 것을 미(美)라고 보았으며 이에 따라 빛에 의해 발현된 생명의 본질을 관찰하고 발견하여 그 본질적 미를 화폭에 담았다.

개성시절에 그린 우리나라 근대미술의 정수 〈남향집〉은 빛에 의한 우리 민족의 색을 표현한 걸작이다. 오지호는 「순수회화론」에서 '회화의 방법은 오로지 사실에 있을 따름이다.'라고 적었다. 〈남향집〉은 사실에 기반을 두고 빛에 의해 발현된 한국의 초가집을 그린 작품으로 남향집은 송악산 아래 오관이란 동네에 있던 개성 특유의 초당집이다. 오지호가 개성에 살았던 집으로 소녀가 서있는 사랑채 대문으로 들어가면 4칸짜리 안채가 나오고, 사랑채에서 나오면 3~4칸짜리 돌계단을 통해 밖(전답 등)으로 나갈 수 있는 개성 특유의 초당집 구조를 가지고 있다. 그림의 왼쪽 부분이 사랑채, 오른쪽으로 작은 창살문이 있는 곳은 화장실이며 토담이 둘러져 있다.

〈남향집〉은 1948년 오지호의 첫 번째 개인전에서 〈사양〉(斜陽, 25호)으로 출품되었다. 같은 해 광주미술연구회에서 간행한 「오지호 첫 개인전 목록」에 관객들의 출품작 이해와 감상을 위해 작가 자신이 작품에 대해 설명하였다. 〈사양〉은 '이른 겨울 빛이 따뜻한 어느 날 오후 남향 초가집의 흰 벽과 그 앞에 있는 늙은 대추나무의 수많은 가지와의 음양의 교차를 그린 작품'으로 기록되었다.[2] 〈남향집〉은 1939년 햇빛이 따뜻한 초겨울, 대추나무 고목이 있는 개성 초당집 사랑채를 그린 작품으로 문을 열고 나오는 소녀는 오지호의 둘째 딸이다. 우리의 민족 정서를 담은 초가집과 흙담 그리고 담 밑에

---

2) 오지호가 「吳之湖 첫 個人展 目錄」(1948)에 남향집을 그린 이유에 대해 적었다. '25.斜陽(25號), 初冬 빛이 따뜻한 어느 날 午後 南向 草家집의 흰 壁과 그 앞에서 있는 늙은 대추나무의 數많은 가지와의 陰陽의 交叉 이것이 畵因이다.' (오순영, 『吳之湖·팔렛트 위의 哲學』, 죽림, 1999, pp.579~580.)

서 졸고 있는 백구와 귀여운 소녀를 그린 정겨운 그림이다. 빛에 의한 대추
나무 고목의 그림자를 밝고 맑은 청색으로 표현하였고 빛이 비춘 양지를 노
랑과 황토색을 적절하게 사용하여 따뜻하고 편안한 느낌을 주고 있다. 〈남
향집〉은 한국의 맑은 공기와 투명한 빛에 의해 발현된 초가집과 대추나무의
음양의 교차를 명랑한 색조로 그린 우리의 민족성을 담은 근대 한국미술의
걸작이다.

  1942년 5월 총독부에서 전쟁기록화를 그리라는 명령이 떨어지자 "총독부
가 권장하는 전쟁기록화는 참여않겠다. 억지로 그림을 그리라고 강요한다면
차라리 붓을 꺽겠다."고 선언하자 총독부에서는 채색 배급을 중지하고 아국
의 정책에 불응하는 사상이 의심스러운 자로 낙인찍혔다. 1944년 전면 징용
제가 실시되고 용산 헌병대에서 반일 지식인으로 낙인 찍혀 일본 헌병이 파
견되자 이를 피해 개성을 탈출해 함경남도 단천, 철산의 최남주의 집으로 피
신을 갔다.

  오지호는 해방이 되기 바로 전 고향 동복으로 돌아와 해방을 맞이한다. 해
방 이후, 서울로 올라가 조선미술건설본부 임원 등 3년 동안 서울에서 활동하
다 정치혼란에 따라 광주로 내려온다. 이후 오지호를 일컬어 '무등산의 별'
또는 '무등산 산신령' 등의 무등산 호칭이 연결되어 불린다. 1948년 광주미술

좌 오지호, 〈추경〉, 1953, 50×60cm, 광주시립미술관.
우 오지호, 〈설경〉, 1972, 53.5×73cm.

연구회를 결성하였으며,
1949년부터 1960년까지
조선대학교 교수를 역임
한다. 1961년 4·19직후
뜻하지 않은 사건에 연루
되어 무죄로 석방될 때까
지 1년간 옥중생활을 하
기도 한다. 1965년 전남
도전을 세워 남도 미술

오지호, 〈함부르크항〉, 1977, 65×91cm, 광주시립미술관.

의 발전을 주도하였으며, 남도 화단에 맑고 밝은 기운의 한국적인 자연을 기
반으로 한 화풍을 정착시켰다. 1954년부터 1982년(작고)까지 평생 집을 소
유하지 않고 조선대학교 관사였던 지산동 초가에 거주하였다. 이 초가는 검
소하고 지사적 삶을 산 오지호의 삶을 상징한다.

1950년대 대표작 〈추경〉은 맑고 밝은 색채로 한국의 가을 풍경을 그린 작
품으로 남도의 서경이 잘 담겨 있다. 맑은 하늘을 끼고있는 아담한 산을 뒤
로하고 옹기종기 모여있는 집들을 정겹게 표현하였다. 황토색의 땅, 노랑·빨
강의 단풍으로 물든 산의 모습을 작가의 독특한 시각과 감성적 색으로 살린
작품이다. 원산을 파랑색과 흰색의 차가운 색으로 그리고 숭앙에 따뜻하고
밝은 산을 그려 색의 대조를 통한 공기원근법으로 입체감을 나타냈다. 초가
지붕을 흰색과 파랑색으로 개성있게 묘사하였으며 고향을 보는 듯한 포근하
고 편안함을 주는 우리 민족의 따뜻한 정서를 담은 작품이다.

〈설경〉은 겨울 경치를 자유로운 필치와 감성으로 새롭게 느끼고 이를 표
현한 작품이다. 자연의 청량한 기운을 만끽할 수 있는 차가운 겨울 풍경에서
정신의 맑고 깨끗함을 얻을 수 있다. 남도의 겨울 자연을 관조해 문인화를
그린 듯 자연의 내면을 그려낸 작품으로 남도 풍경화의 진면목을 볼 수 있
다. 〈함부르크 항〉은 독일 함부르크 항구에서 받은 이국적인 인상을 그린 작

품이다. 빛의 영향으로 하늘과 바다를 짙고 옅은 청색의 단일한 색으로 표현하였다. 건물들을 희미하게 원경에 배치하였으며 후경에는 건물이나 크레인, 배들이 보이는 항구의 모습이있다. 전경의 배는 물살을 가르며 진행하는 동적인 움직임을 표현했다. 하늘과 바다, 부둣가의 모든 정경을 푸른색으로 처리하였지만 왼쪽 앞부분의 갈색 선착장과 색의 대조를 이뤄 변화의 즐거움을 준다.

오지호는 빛에 의한 색의 변화를 통해 자연의 본질을 묘사하고 창조한 모더니즘 예술가이다. 빛에서 발현된 생명에 관한 새로운 미학을 추구한 미술이론가이자 이론을 작품에 적용하여 한국의 맑고 밝은 자연을 새로운 안목으로 탐구하여 작품을 제작하였다. 우리 민족의 따스한 감성과 남도의 밝은 광선, 아름다운 자연환경에 맞는 새로운 한국적인 작품을 그린 한국근현대미술의 대가이다. 오지호는 자연에서 발산되는 생명력을 화면에 담아낸 민족의 빛, 우리나라의 생명을 사랑하고 표현한 예술가이다. 또한 민족주의자로서 일제강점기, 해방 후 역사적 격동기를 살아가면서 예술가의 지조를 지키고 올곧게 행동한 지식인이다.

2. 한국의 정서와 고향을 사랑한 화가 김환기

우리나라 추상회화의 선구자 김환기는 한국인의 정서와 본질 등을 표현한 한국근현대미술을 대표하는 예술가이다. 김환기는 일본대학 미술학부를 졸업하였고 1935년 중반이후 기하학적, 구성주의 경향의 추상 작품을 그렸다. 일본 유학시절 〈론도〉는 당시의 새로운 모더니즘 미술인 입체파와 기하학적 추상을 받아들여 그린 추상회화이다. 작품에는 직선과 곡선의 대비, 평면으로 처리된 색면, 색채 대비에 의한 율동감이 나타난다. 색은 경쾌하고 밝으며 형태는 기하학적 모양으로 2박자의 재미있는 기악곡(론도)이 연주되는

현장과 소리의 이미지를 조형
화하였다. 음악을 추상회화로
나타낸 작품으로 그림 속 인물
들은 화면 전체의 리듬 속에
완전히 통합되어 색면으로 존
재한다.

김환기는 광복 이후 서울대
학교 교수를 지냈으며 1948년
유영국, 장욱진, 이중섭과 신

김환기, 〈론도〉, 1938, 61×71.5㎝, 국립현대미술관.

사실파를 조직하여 한국미술사에서 초기 모더니즘 회화운동을 전개한다. 이
시기 작품은 엄격하고 절제된 조형성에 한국의 서정을 담은 것이 특징이다.
한국전쟁 이후, 조국의 소중함을 느끼고 산이나 달, 학, 매화, 조선시대의 백
자 등 한국적 정서를 표현하였다. 김환기 작품의 정서는 부드러움이며 한국
적 소재의 서정성은 자연을 노래한 따뜻한 정서를 담고 있다.

김환기는 한국인의 정서와 삶에 관련된 소재를 사용하여 한국의 미의 원
천을 찾으려 하였다. 이러한 작품으로 〈달과 항아리〉, 〈매화가지와 항아리〉,
〈탁자 위에 편병과 정물〉 등이 있으며 공통적으로 백자항아리가 나타난다.
김환기는 백자항아리를 좋아하여 수집하였다. 백자항아리에서 한국 선의 멋
을 찾으려 하였으며 작품 속에 달빛을 은유한 백자의 은은한 빛을 나타냈다.

〈항아리와 여인들〉은 초기 추상에서 구상으로 변화를 보여주는 작품이다.
우리 민족의 따뜻하고 담박한 정서를 민속적 소재와 따뜻한 색채를 통해 담
아냈다. 푸른 하늘과 바다 위에 떠 있는 돛단배, 해변의 모래가 잘 어울리는
평화로운 작은 세상을 완성하여 그렸다. 이러한 세상에 살고 있는 풍성한 물
고기를 담은 여인과 달항아리를 이고 가는 여인들을 둥글둥글하게 단순화하
여 묘사하였다. 백자처럼 둥글둥글한 여인들과 그 여인들이 지닌 백자항아
리를 통해 풍성함과 자연과의 조화를 느낄 수 있다.

김환기는 1956년부터 1959년까지 파리 시대를 거쳐 귀국 후 홍익대학교 교수로 재직한다. 이 시기에 나무와 해와 달, 산, 여인과 도자기 등 우리의 정서를 담은 서정성 짙은 소재를 그렸다. 〈영원한 노래〉는 이전의 백자항아리와 전통창문틀 등의 소재에 산, 나무, 구름, 학, 사슴 등과 한국전통문양을 함께 그려 한국인의 정신세계를 보여주고자 하였다. 파란 물감을 두텁게 바르고 그 위에 십장생 등 다양한 전통소재와 직선과 둥근 사각형 도형을 짜임새있게 구성하였다. 한국적인 감성을 담은 단순화된 기물, 십장생의 정겨운 모습, 직선과 둥근 사각형 모형 등 구상과 추상이 공존하는 작품이다.

　　김환기의 한국의 미는 고향에 대한 기억과 추억에서 나온 것으로 신안 안좌도의 고향 섬의 풍경에서 한국 자연의 순수한 본성을 찾고자 하였다. 단순화된 산과 바다, 해와 달, 나무, 민속적 소재를 그린 작품은 고향으로 상징되는 우리 강산에 대한 사랑의 마음을 읊은 것이다. 이러한 내용은 1960년대 초 고향에 대한 회상에서 나타난다.

　　　　……그저 꿈같은 섬이요, 꿈 속 같은 내 고향이……순하디 순한 마을 안
　　　산에는 아름드리 청송이 숨막히도록 총총히 들어차있고 옛날에 산삼도 났

김환기, 〈항아리와 여인들〉, 1951, 54×120㎝, 환기미술관.

좌 김환기, 〈영원한 노래〉, 1957, 162×129cm, 호암미술관.
우 김환기, 〈여름달밤〉, 1961, 194×145.5cm, 국립현대미술관.

다지만 지금은 더덕이요 복령(茯苓), 가을이면 송이버섯이 무더기로 난다.
낙락장송이 울창하게 들어찬 산을 바라보며, 또 그 산속에서 자란 나에게는
고향 생각이란 곧 안산 생가 뿐…… 눈을 감으면 환히 보이는 무지개보다
더 환해지는 우리강산…[3]

〈여름달밤〉은 나무, 달, 산, 구름, 항아리 등 한국인들이 좋아하고 친숙한
소재를 그린 작품으로 고향에 대한 애틋함과 우리 민족의 정서를 담고 있다.
청색을 주색으로 하여 두터운 질감을 나타냈으며 산과 달, 강 등 자연을 이
루는 이미지를 단순화하여 자연 본질의 내면을 나타냈다. 윗부분의 달과 크
기가 다른 두 네모꼴의 색면이 균형을 이루며 경쾌한 색감의 대비와 반복의

---

3) 김환기, 「고향의 봄」, 1962. 3.(박미정, 「자연을 추구하고 영원을 노래하다」, 『김환기』, 마로
니에북스, 2012, p.61, 재인용.)

조화를 이루는 작품으로 한국의 아름다움과 전통을 단순화하여 개성적으로 표현하였다.

김환기는 1963년 브라질 상파울루비엔날레에 참가하였다가 뉴욕으로 이주하였다. 1960년대 말부터 타계하는 1974년까지 점, 선, 면 등 순수 조형적 요소로 내면에 담긴 서정적 세계를 표현하였다. 이전에 화면에 등장한 전통적인 소재들이 사라지고 선과 면, 점을 이용한 화면 구성이 주를 이룬다. 이 시기 작품은 캔버스가 커지고 청색을 주로 사용하면서 전체를 균일한 크기의 점으로 채우는 전면적인 구성을 한다. 동양의 정신과 서양의 형식이 융합된 작품으로 화면은 점들로 가득차 있으며 점들은 우리 강산과 별, 우주를 함축한다.

문학과 음악을 사랑할 뿐만 아니라 조예가 깊은 김환기에게 점은 새로운 추상을 향한 출발점이었으며 내면의 표상이다. 밤하늘의 무수한 별을 고향에 두고 온 그리운 얼굴이라 여기고 별을 그리듯 화폭에 점을 찍어갔다. 김환기의 선과 점에 대해 적은 일기를 통해 작가가 순수한 내면과 하늘의 본성을 표현한 예술가라는 것을 알 수 있다.

　　"내가 그리는 선(線), 하늘 끝에 더 갔을까. 내가 찍은 점(點), 저 총총히
　　빛나는 별만큼이나 했을까 …"[4]

〈무제〉는 균일한 색면에 기하학적 질서를 보여주는 추상회화이다. 화면 전체가 청색을 기본으로 칠해지고 진한 청색과 붉은색 점을 통해 변화를 준다. 신안 안좌도의 고향 바다와 같이 투명하고 맑은 푸른색을 전면에 채색하고 큰 사각틀 가장자리에 둥근 사각과 중앙에 있는 작은 색점으로 변화를 준

---

4) 김환기, 1970년 1월 27일자 일기(박미정, 앞의 글, p.67, 재인용.).

작품으로 동양의 직관과 서양의 모더니즘 추상이 융합된 작품이다.

1970년대 단순화된 기본 조형요소로 구성된 점화(點畵) 작품들은 구체적인 소재의 서정성이 사라진 함축적이고 상징적인 시적(詩的) 화면이 된다. 〈15-VII-70-#181〉은 화면의 역동성을 강조하면서 다양한 변화를 시도하였다. 청색을 주조로 중앙에 사각공간을 설정하고 사각을 색점으로 마무리하였다. 하나하나의 점은 우주를 구성하는 기본 단위로 이러한 요소가 조합되어 하나의 작품이 된다. 비슷하지만 하나같이 다른 점들은 서로 의지하고 존재하는 형상으로 거시의 세계에서 본 많은 세상의 군상을 표현한 것이다.

김환기는 우리나라 현대추상미술의 개척자이자 이를 발전시킨 모더니즘 예술가이다. 산, 나무, 달, 새, 항아리 등 한국적 소재를 사용하여 한국인의

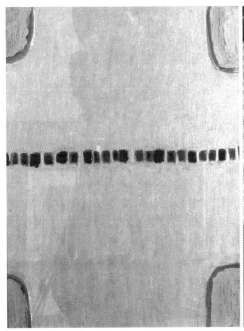

좌 김환기, 〈무제〉, 1966, 61×46㎝, 광주시립미술관.
우 김환기, 〈15-VII-70-#181〉, 1970.

정서를 나타냈으며 한국의 자연을 사랑하는 마음으로 그린 작품은 관객들을 감동시킨다. 내면적인 정신과 세상의 구성 원리를 무수한 점과 색면으로 표현하였으며 이 안에 우주와 인간의 감수성을 담아 본질을 나타냈다. 한국인의 정서와 한국의 미, 세상의 근본적인 존재를 작품으로 승화시킨 김환기는 우리 시대의 많은 사람들이 사랑하는 작품을 남긴 한국근현대미술사의 거장이다.

3. 삶의 여정을 예술로 사랑한 천경자

천경자는 한국미술사에서 나혜석, 박래현과 함께 근대여성미술을 시작한 선구자로 여성이 작품 활동을 하는 것이 어려운 시기에 활동하였다. 천경자가 그림에 대해 알게 된 것은 광주공립여자고등보통학교(현 전남여고)를 다닐 시절 화가의 꿈을 키우면서부터이다. 졸업반이 되면서 결혼을 하라는 부친의 권유를 설득하여 1941년 동경여자미술전문학교에 입학한다. 유학기간 동안 제22회 조선미술전람회에 〈조부(祖父)〉, 제23회 〈노부(老父)〉가 연달아 입선하면서 화가로서 초석을 다진다.

졸업 후 귀국하여 유학 중 만난 학생과 결혼하고 광주로 이사하였으며 광주에서 화가 배동신, 시인 서정주, 소설가 이효석 등 문화예술인들과 교류하였다. 1946년 전남여고 미술교사가 되었으며 같은 해 전남여고 강당, 1948년 광주여중 강당에서 개인전을 가졌다. 그러나 해방 이후 천경자에게 불행한 일들이 지속적으로 일어난다. 부친은 집안이 몰락하면서 한량이 되었으며 한국전쟁을 겪고 지독한 가난을 경험한다. 그리고 천경자는 신문기자와 가슴아픈 사랑을 하고, 아끼던 친여동생의 병고와 죽음을 경험하게 된다.

이러한 천경자의 내면의 한(恨)의 모습을 표현한 작품이 〈생태〉이다. 천경자는 1950년 한국전쟁 전후 뱀에 매료되어 광주역 부근의 뱀집을 찾아 뱀

스케치에 열중하였다. 1951
년 여동생 옥희가 폐결핵으
로 세상을 떠났으며 이 무렵
〈생태〉를 제작한다. 〈생태〉
는 35마리의 뱀이 뒤엉켜
우글거리는 작품으로 절박
함 속에서 슬픔을 극복하기
위해 그린 그림이다. 작품을

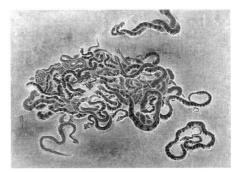

천경자, 〈생태〉, 1951, 51.5×87cm, 서울시립미술관.

제작할 당시 누이동생이 죽고 사랑하는 연인이 자신에게 절교선언 같은 알
수 없는 편지를 손에 쥐어주고 떠났을 때였다. 죽을 것 같은 절박한 심정을
담은 충격적인 뱀 그림은 기존화단에 큰 파장을 일으켰다.

천경자의 작품세계는 꿈과 정한(情恨)의 세계를 담고 있다. 전기에는 주로
현실의 삶과 일상에서 느낀 체험을 바탕으로 삶과 죽음, 불행과 행복 등 자
신의 내적 갈등을 치열하게 쏟아 넣었다면 후기는 외부 자연에 존재하는 것
들을 통해 자신의 꿈과 낭만을 실현하는 시기로 꽃과 여인을 소재로 자신의
환상을 펼치거나 수차례 해외여행에서 느낀 이국적 정취를 통해 원시에 대
한 향수를 반영한다.[5]

이처럼 천경사 작품의 기본적인 백은 한으로, 한을 남은 사신의 모습을 끊
임없이 작품에 투영하여 꽃, 뱀, 여인 등으로 표현했다. 천경자는 "그것이 사
람의 모습이거나 동식물로 표현되거나 상관없이, 그림은 나의 분신"이라고
말한다. 또한 "모든 예술이 한을 승화시켰을 때 향기가 있다. 원삼 적삼 색의
변질처럼 무수한 세월의 서리를 묵묵히 견뎌왔기 때문에 이처럼 한은 푸는
것이 아니라 묵묵히 견디는 것이다."(1989)[6]라고 하였다. 천경자는 작품을

5) 『국립현대미술관 소장품 선집』, 국립현대미술관, 2004, p.106.
6) 박래경, 「향기로운 삶, 향기 있는 그림」, 『천경자의 혼』, 서울시립미술관, 2004, p.11.

통해 한을 극복한 것이 아닌 자신이 묵묵히 견뎌온 인생에서 한을 승화하였다. 작품을 감상하는 관람객은 그 내면의 상징에 동화되어 자연스럽게 한의 세계에 들어가고 이를 승화시킨 경지를 경험한다.

1960년대 후반부터 1970년대 초반의 작품은 〈청춘의 문〉, 〈고(孤)길례언니〉, 〈사월〉 등 꽃과 여인이 어우러진 화사한 색채의 여인 초상을 그렸다. 몽환적인 분위기의 〈청춘의 문〉은 여배우 그레타가르보(Greta Garbo)의 초상으로 천경자가 꿈꾸는 이상향의 여인을 그린 것이다. 그레타가르보, 마릴린 먼로 같은 여배우들을 꽃과 함께 환상적으로 표현하였으며 보통학교 시절의 이상향이었던 길례언니의 모습도 이상향의 여인으로 나타난다. 이러한 이상향의 여인들은 아마도 자신의 현실에 대한 역설적인 표현으로 여겨진다.[7]

〈고(孤)길례언니〉의 길례언니는 작가의 유년시절 만나 기억 속에 남아있는 멋쟁이 선배의 모습을 그린 작품이다. 유년시절 소록도 나병원의 간호부로 있던 길례언니가 여름날 보통학교 교정에서 열린 박람회장에서 노란 원피스를 차려입고 온 인상을 회상하여 그린 작품이다. 길례언니는 이상향의 여인으로 그 시절의 인상을 잊지 못해 기억을 떠올려 그렸다. 노란 원피스를 차려입은 커다란 눈망울을 가진 당당하면서 맑은 표정이 매혹적인 모습의 마음속에 간직한 여인을 화폭에 담았다.

천경자는 1970년대 중후반부터 과거를 회상하며 혼자 남은 여인의 고독, 질곡 많았던 세월의 회한을 담은 작품을 그렸다. "내 온몸 구석구석엔 거부할 수 없는 숙명적인 여인의 한이 서려있나 봐요. 아무리 발버둥쳐도 내 슬픈 전설의 이야기는 시워시시 않아요." 이처럼 천경사는 사신의 삶의 내년에 한을 담아내고 이겨내는 작품을 그렸다. 50대 중반에 22살 때를 회상하여 그린 〈나의 슬픈 전설의 22페이지〉는 꽃, 여인, 뱀이 한 화면에 모두 나온다.

---

7) 『국립현대미술관 소장품 선집』, 앞의 책, p.106.

좌 천경자, 〈길례언니〉, 1973, 33.4×29㎝, 개인소장.
우 천경자, 〈내 슬픈 전설의 22페이지〉, 1977, 43.5×36㎝, 서울시립미술관.

천경자는 "그림 속의 여자는 본인이고 꽃과 뱀, 머리에 얹은 것도 한, 한이 많아서 머리에 뭘 인다. 정신에 필요한 영양소같다."(1978)[8]고 하였다. 즉 주인공은 작가 자신이고 꽃과 뱀은 인생에서 겪은 한으로 천경자가 지닌 많은 한을 이고 있는 자화상이다. 천경자는 21살 때의 결혼, 22살 때의 첫 딸을 낳았던 경험과 폐병으로 죽은 여동생과 아버지의 죽음, 그리고 결혼생활의 파국 능 슬프고 우울한 기억을 작품에 담아냈다. 20대 조반의 거친 삶을 표현하는데 고통의 상징인 뱀이 등장하여 화관의 자리를 대체하고 가슴에 한 송이 붉은 장미를 드리워 그 시기 역경 속에도 작은 사랑과 아름다움이 있었음을 나타낸다.

1969년 이후 천경자는 해외 스케치 여행을 통해 한이 담긴 삶을 극복하고 새로운 인생을 찾고자 하였다. 해외여행 시기 작품은 이국의 풍물과 동물,

8) 박래경, 앞의 글, p.11.

인물을 소재로 치밀한 관찰을 통해 꽃과 나무 등을 펜이나 연필로 현장에서 스케치하였다. 그리고 꽃잎 하나하나, 나비와 새의 날개마다 각 부분의 색깔까지 꼼꼼히 적어놓았다. 이후 여행에서 돌아와 오랜 제작 기간을 거쳐 여행의 감흥과 회상을 되살려 완벽에 가깝게 치밀하고 독특한 채색작업을 통해 작품을 완성하였다.

천경자의 해외여행 작품은 남미, 아프리카, 동남아시아 등 열대 지역에서 원시적 생명력을 느낄 수 있는 작품이 많다. 〈자메이카의 고약한 여인〉은 자메이카의 푸른 하늘과 진기한 식물들을 그리고 나귀를 끌고 가는 여인의 모습을 원색으로 표현한 작품이다. 작품명에서 알 수 있듯이 작가의 감성을 실어 고약한 여인의 내면의 표정을 담았다. 녹색의 잎과 붉은 색의 꽃이 대조를 이루면서 강렬한 원색으로 원시성과 생명력을 표현했다. 열대 화훼와 바다, 땅, 그리고 낯선 인물의 모습에서 이국적인 정취를 느낄 수 있는 작품이다.

천경자가 절필하게 된 사건은 국립현대박물관 소장 〈미인도〉의 위작 논쟁 때문이다. 천경자는 1991년 4월 '내 작품이 아닌 가짜'라고 강력하게 이의를 제기했지만 미술관은 진짜라고 맞받아치면서 논쟁이 확대된다. 천경자는 "내 작품은 내 혼이 담겨있는 핏줄이나 다름없어요. 자기 자식인지 아닌지 모르는 부모가 어디있나요? 나는 결코 그 그림을 그린 적이 없습니다. 나는 절대 머리결을 새가맣게 개칠하듯 그리지 않아요. 머리 위의 꽃이나 어깨 위의 나비 모양도 내 것과는 달라요. 작품 사인과 표시연도도 내 것이 아니에요." 68

천경자, 〈자메이카의 고약한 여인〉, 1989, 31.5×40cm, 서울시립미술관.

세의 천경자는 세상과 언론을 향해 이야기했지만 노인이 정신이 오락가락해 헛소리한다는 이야기만 듣는다. 이 사건 이후 천경자는 "붓을 들기 두렵습니다. 창작자의 증언을 무시한 채 가짜로 우기는 풍토에서 더 이상 그림을 그리고 싶지 않습니다."고 절필을 선언하고 미국으로 떠난 후 2015년 타계한다.

천경자는 남도가 배출한 한국화단을 대표하는 화가이자 근현대미

문제의 〈미인도〉

술사의 중요한 예술가이다. 화려한 원색의 채색화로 삶 속에서 느낀 한을 예술세계로 승화시켰으며 여성미술의 여명의 빛을 밝혔다. 과거의 추억, 현재의 꿈, 미래를 상상하여 그린 작품은 슬픔, 행복, 꿈이 담겨있으며 세계를 누비며 그린 작품은 화려한 채색과 풍물로 감흥을 지닌다. 이러한 작품들은 천경자 화풍이라는 독창적 예술세계로 미술사적 평가를 받고 있다.

오병희

학력

서강대학교 사학과

홍익대학교 미술사학과 한국미술사전공 석사

홍익대학교 미술학과 미술비평전공 박사

광주시립미술관 학예연구사

저서

「남도 모더니즘 회화의 선구자 오지호」, 『아시아문화』 통권 제5호

「근현대 남도 한국화의 정신과 독창성」, 『아시아문화』 통권 제7호

「우리 민족의 글씨, 동국진체의 전통」, 『아시아문화』 통권 제8호

「한국화단의 거목, 예향 남도의 창시자 허백련」, 『아시아문화』 통권 제15호

관심분야

한국미술사, 남도미술, 미디어아트

그리스 신화 속 연인들이 그림과 만났을 때

최혜영

그리스 신화 속 연인들이 그림과 만났을 때

최혜영

    신화는 예술의 영원한 텃밭이라고 말한다. 그리스 로마 신화 소재는 실제로 이천년 이상 수많은 예술 작품으로 승화되었다. 그리스 신화가 다른 어느 신화보다도 유명해진 것은 신화 자체의 아름다움이나 다양성뿐만 아니라 문학이나 철학, 미술, 조각 그리고 오늘날 영화산업에 이르기까지 수많은 작품으로 끊임없이 재생산되고 재창조되어왔기 때문일 것이다. 유럽의 어떤 박물관이나 미술관에 갔을 때, 만약 성경 이야기와 그리스 로마 신화 배경을 모르면 제대로 그 그림을 이해하지 못하고 수박 겉만 맛보고 오는 결과를 낳을 것이다.

    수많은 명화로 탄생한 그리스 신화의 여러 소재 가운데 사랑 이야기를 빼놓을 수는 없을 것이다. 그리스 신화에는 애정과 질투 등 온갖 형태의 사랑이 뒤엉킨 이야기가 대단히 많은데 여기서는 죽음을 뛰어넘으려 한 사랑, 짝사랑, 배신당한 사랑, 금지된 사랑, 영혼과 육체가 함께 한 영원한 사랑 등의 다섯 유형으로 나누어 각 유형마다 하나씩 살펴보도록 하겠다.

1. 죽음을 무릅 쓴 사랑의 찬가 : 오르페우스 & 에우리디케

2. 배신당한 사랑 : 메디아 & 이아손

3. 짝사랑과 삼각관계의 사랑 : 아리아드네 & 테세우스와 디오니소스

4. 금지된 사랑 : 페드라 & 히폴리토스

5. 영혼과 육체의 온전한 사랑 : 프시케 & 에로스

이 강의는 이상의 신화 이야기와 더불어 이와 관련된 그림들을 차례로 살펴볼 것이다. 분량이 너무 많아질 것을 고려하여 그림에 대한 구체적인 이야기는 첫 주제인 오르페우스 관련 그림과 화가들만 중점적으로 보고 나머지는 강의 시간에 살펴보도록 하겠다.

1. 죽음을 무릅 쓴 사랑의 찬가 : 오르페우스와 에우리디케

오르페우스는 그리스 신화에 나오는 최고의 음악가로 아내 에우리디케와의 슬픈 사랑이야기로 잘 알려져 있다. 오르페우스는 예술을 담당한 뮤즈 9 자매 중 막내인 칼리오페와 강의 신, 혹은 트라키아 왕이었던 오이아그로스 사이에서 태어났다고 전해지며 '음악의 아버지'로도 불린다. 그의 감미로운 목소리와 리라 연주 솜씨는 신과 인간은 물론 사나운 동물마저 얌전하게 만들고 나무나 바위까지 춤추게 할 정도로 뛰어났다고 한다. 또 고대 세계의 대표석인 보험남인 아르고호의 원성에도 참가해 리라 연주로 세이렌늘의 노래를 물리쳐 안전한 항해를 도왔다고 한다.

그 뒤 오르페우스는 아름다운 님프 에우리디케와 결혼하여 행복한 날들을 보내게 되었다. 그러나 얼마 있지 않아 에우리디케는 그만 풀 속에 있는 뱀에게 발을 물려 죽고 말았다. 사랑하는 아내를 잃은 오르페우스는 너무나 슬퍼하다가 저승에 가서 아내를 찾아오기로 결심한다. 지옥의 강 스틱스를 지

키는 사공 카론과 개 케르베로스까지 그의 노래와 연주로 매혹시켜 무사히 저승의 왕궁에 도착했다. 오르페우스가 지하의 왕 하데스와 왕비 페르세포네의 옥좌 앞에서 아름답고 슬픈 노래를 불렀을 때, 지하 세계의 모든 이들이 눈물을 흘렸다고 전한다. 탄탈로스는 목이 마른데도 잠시 물을 마시려고 하지도 않았고, 시지포스도 바위 굴리기를 잠시 멈추고 바위 위에 앉아서 노래를 들었을 정도였다. 그의 음악에 감동한 하데스와 페르세포네의 허락으로 오르페우스는 에우리디케를 데리고 가도 좋다는 허락을 받았다. 다만 조건이 하나 있었는데, 그것은 지상에 도착하기 전까지는 그녀를 뒤돌아보아서는 안 된다는 것이었다. 오르페우스가 앞서고 에우리디케는 뒤따르면서 지하 세계를 떠나 지상으로 걸어갔다. 그런데 지상 세계 출구에 거의 도착한 오르페우스가 에우리디케가 잘 따라오고 있는지 갑자기 너무 궁금하여서 그만 뒤돌아보고 말았다. 그 순간 에우리디케는 지하 세계로 되끌려갔다.

아내의 두 번째 죽음은 오르페우스를 정신 나간 사람으로 만들었다. 목숨을 걸고 아내를 구하러 갔지만 결국 다시 아내를 잃은 오르페우스의 상실감과 자괴감이 너무나 컸기 때문이다. 그가 에우리디케를 그리워하면서 부른 애절한 노래는 수많은 여성을 감동시키고 그를 연모하게 하였지만, 오르페우스는 이후 어떤 여자도 가까이 하지 않았다. 오르페우스의 무시와 냉담함에 분노한 트라키아 여성들은 오르페우스를 갈가리 찢어서 죽였다고 전한다. 오르페우스가 죽은 후에도 그의 잘려진 머리는 바다로 떠내려가면서 리라를 타며 노래를 했다고 한다. 뮤즈들은 오르페우스의 찢긴 시체의 조각들을 한곳에 모아 장례를 치렀고, 제우스에 의해 오르페우스의 리라는 하늘의 성좌 즉 거문고자리가 되었다.

이상 오르페우스의 애절한 사랑 이야기를 오비디우스의 신화 이야기를 중심으로 살펴보았다. 아름다운 아내와의 사랑, 죽음, 재회, 이별, 후회, 지조, 처참한 죽음 등으로 이루어진 오르페우스의 이야기는 한 여자를 끔찍이 사랑한 남자의 모습을 보여준다. 잃어버린 사랑에 대한 아쉬움, 그것은 이루어지지 못했기에 더욱 더 아름다워 보였던 것은 아닐까?

하지만 원래 오르페우스는 단순한 사랑이야기의 주인공이 아니라, 고대의 오르페우스 교단이라는 종교 집단의 시조이기도 하였다. 예를 들어, 오르페우스의 마지막 처참한 죽음에 대해서 그리스 비극 작가 아이스킬로스는 오르페우스는 디오니소스 신의 경쟁자이던 아폴론을 더 존경했기 때문에 디오니소스가 자신의 광란적인 여신도들을 시켜 갈갈이 찢어죽이게 했다고 해석하기도 하였다. 여러 근거로 미루어 오르페우스는 아마도 원래는 디오니소스 종교의 신도였다가 점차 이를 개혁하고자 하였지만 전통 디오니소스 제식을 선호하던 신자들로부터 배척당하였던 것으로도 보인다.

실제로 초기의 고전 문헌에서 오르페우스는 일종의 샤먼적 음악가 및 밀의 종교 신비가로 그려졌고, 아내 에우리디케는 중요하지 않는 존재로 별로 언급되지도 않았다. 그러다가 후기에는 점차 아내 에우리디케의 역할이 커지고, 사랑으로 고통받는 이로서의 오르페우스의 모습이 두드러지게 된다. 이러한 오르페우스의 사랑이야기는 특히 로마 시대의 시인 오비디우스에 의하여 더욱 알려지게 된다.

또한 로마 시대에는 오르페우스 이야기와 크리스트교와의 흥미로운 만남이 이루어지게 된다. 일부 크리스트교도들이 오르페우스가 에우리디케를 구하려 지하 세계에 내려간 것을 그리스도가 죽음의 세력으로부터 영혼들을 구하기 위해서 지하로 내려간 것과 비교하기 시작하였기 때문이다. 즉 에우리디케는 인간의 영혼을 상징하며, 그녀를 물어 죽인 뱀은 사탄이라 할 수 있는데, 결과적으로 오르페우스는 에우리디케를 구하는데 실패하였으나, 그리스도는 인간의 영혼을 구원하실 수 있다는 점을 대조시키고 있다. 4세기의 기독교사가 에우세비오스 역시 오르페우스와 그리스도를 비교하면서, 오르페우스가 그의 음악으로 사나운 짐승들을 길들였던 것처럼 예수 그리스도는 인간들을 길들였다고 하였다. 사나운 짐승을 달래는 오르페우스는 구약 성서 (이사야 11장)에 묘사된 '사자와 양이 함께 뛰노는' 평화로운 왕국의 그리스도의 원형으로 여겨졌다. 그래서 그런지 카타콤에서도 악기를 지닌 오르페우스 혹은 동물들과 함께하는 오르페우스의 그림이 그려져 있고, 십자가에 달린 사람 밑에 오르페우스의 이름이 적혀있는 그림이 나타나기도 하였다.

중세 이래 지금까지도 수많은 오르페우스 이야기가 있다. 중세 영국의 로맨스 〈오르페우스 경〉에서는 오르페우스와 에우리디케가 행복한 결말을 맺는 것으로 변형되었다. 그 외에도 글루크의 오페라 〈오르페우스와 에우리디케〉, 장 콕토의 희곡 및 영화 〈오르페우스(불어로 오르페)〉, 20세기 브라질 영화 〈흑인 오르페우스〉 등에도 오르페우스 소재가 등장한다.

2. 그림 속의 오르페우스와 에우리디케

오르페우스와 에우리디케에 대한 수많은 명화들은 특히 몇 가지 주제를 그리고 있다. 하나는 오르페우스와 에우리디케가 아직 죽기 전 함께 있는 장면, 다음으로는 저승에 찾아간 오르페우스가 하데스와 페르세포네 앞에서 연주하고 에우리디케를 데리고 나가도록 허락받는 장면, 또는 오르페우스가 지상 세계 출구에서 뒤돌아봄으로써 에우리디케와 두 번째 이별하게 되는 장면, 마지막으로는 오르페우스의 살려신 머리가 노래하는 모습 등이 그것이다. 어떤 장면을 택하였던가는 각 화가의 특성, 심리적 상태, 상징성 및 시대적 배경에 달려있다고 할 것이다. 가장 선호된 주제는 아무래도 오르페우스가 뒤를 돌아봄으로써 에우리디케를 다시 잃어버리는 장면이라 할 수 있는데, 아마도 가장 로맨틱하고 비극적인 장면이기 때문일 것이다.

1) 바로크 미술에서의 오르페우스와 에우리디케

바로크라는 말은 '찌그러진 진주'라는 말에서 나왔다고 알려져 있다. 여기서는 '진주' 보다 '찌그러진' 이라는 말에 초점을 두는 편이 옳은데, '괴상 망칙한 양식' 이라는 의미에서 비판적으로 부쳐진 단어이기 때문이다. 바로크 양식의 특징은 호방하고 역동적인 형태 포착, 격동감과 풍요감, 대담한 구도, 빛과 어둠의 대비를 극대화한 것이라고 할 수 있다. 최초의 바로크 미술가는 카라바조로 알려져 있다.

그런데 예술 사조는 역사적·시대적 산물이라는 것, 당시의 정치·경제·사회적 상황과 밀접한 관련을 맺고 있다는 것을 잊어서는 안된다. 예를 들어서 절대 왕정 절정기에 나왔던 바로크 예술은 절대 왕정의 절대 권력, 강력함, 힘을 과장스럽게 보여주려는 시대적 맥락에서 이해될 수 있다.(참고로 17세기 바로크 시대에 이어 18세기에는 절대 왕권이 서서히 쇠퇴하는 대신 신흥 부르주아의 세력이 커지던 시대 상황에서 귀족과 부르주아적 예술이라 할 수 있는 로코코 양식이 발달하게 되었다. 로코코의 특징은 부드럽고, 우아하고 섬세한 아름다움, 아늑함, 에로틱함, 감미로움 등 개인의 감성적 체험에 호소하는 그림들이 많은데, 이는 살롱을 중심으로 사치스럽고 유희스러운 사교계 예술의 특징을 보인다.) 17세기 바로크를 대표하는 화가들은 렘브란트, 루벤스, 푸생, 벨라스케스 등으로, 여기서는 루벤스와 푸생이 그린 오르페우스와 에우리디케 관련 그림을 소개한다.

⑴ 푸생(1594~1665)

프랑스 출신 푸생은 루벤스와 더불어 17세기 바로크 시대 최대의 화가로 불리며, 루이 13세의 조정으로 프랑스에서 거주한 석도 있었지만 대부분 로마에서 살았다. 프랑스 근대 회화의 시조라고도 하며 후일 고전주의의 다비드, 낭만주의의 들라크르와, 인상주의의 세잔에도 영향을 주었다고 한다. 그가 그린 〈에우리디케와 오르페우스〉는 바로크 화풍 아래서 영웅적 이상주의와 결합한 풍경화적 특성을 보여준다. 악기를 연주하는 오르페우스와 뱀에게 물려 화들짝 놀라는 에우리디케, 그리고 이를 보고 놀라는 낚시하는 사람

푸생, 〈오르페우스와 에우리디케〉, 17세기, 루브르박물관, 바로크 미술.

등의 스토리가 화폭에 잘 어우러져 있다. 또 에우리디케의 죽음과 이별을 예고하듯이 하늘에는 먹구름이 덮여있고, 멀리 보이는 성에는 검은 연기가 올라오고 있다. 삶과 죽음이 교차하는 순간의 사건을 푸생은 밝음과 어두움을 대비시키면서 잘 표현하고 있다.

회화는 고결하고 진실한 인간의 행위를 표현한 것이라고 믿었던 푸생은 특히 두 가지 면에서 뛰어난 화가였다. 먼저, 베르니니가 그를 '위대한 이야기의 화가이며 신화 창조자'라고 불렀을 정도로 푸생은 놀라운 인문학적 교양의 소유자로서 수많은 역사적·신화적·문학적 이야기를 통하여 인간의 숭고한 사유와 감정을 표현하고자 하였던 화가였다. 또한 그는 한 예술가로서 세밀하고 치밀한 능력을 보여주었던 화가였다. 그는 주제를 잘 보여줄 효과적인 장면을 고심하고 심리적 특징을 적절하게 드러내기 위한 인물들의 포즈를 생각해본 후 이를 작은 밀랍상으로 만들어서 공간에 배치해보았다. 그리고 마음에 들면 이를 확대하고(혹은 실제 모델을 쓰기도 하면서) 옷을 입히고 무대 장치에 세운 다음, 여러 방향에서 조명을 비추어보고 빛의 효과가 가장 두드러지는 배치를 그림으로 옮겼다고 전한다. 이러한 세밀한 기초 작업 아래서 진행되었으면서도, 그림들이 형식적이거나 딱딱하지않게 보이는 것은 유연한 상상력과 역동적 생명력을 동원하여 이상주의적이고 영웅적인 성격을 잘 표현하였기 때문이라는 평가를 받는다.

(2) 루벤스(1577~1640)

푸생이 고전주의적 화풍을 보이는 바로크 화가라면, 플랑드르를 중심으로 활약하였던 루벤스는 그야말로 바로크 화가라 할 수 있다. 어릴 적 재미있게 보았던 애니메이션 〈플란더스의 개〉의 주인공 네로가 너무나 보고 싶어 했던 그림이 바로 루벤스의 그림이었다. 루벤스는 바로크 양식의 특징을 그대로 드러내주는 그림들, 전체적인 X자 혹은 대각선 구도, 뒤틀린 인체, 과감한 움직임, 빛과 어두움의 강렬한 대조 등을 이용해 감동을 주는 작품들을 많이 남겼다. 루벤스의 〈오르페우스와 에우리디케〉에는 중간에 저승의 궁전을 암시하는 기둥과 저승의 분위기를 보여주는 자욱한 연기가 피어오르는 가운데, 맨 오른쪽에는 저승의 신 하데스와 페르세포네가 앉아있고, 왼쪽에

루벤스, 〈오르페우스와 에우리디케〉, 17세기, 프라도미술관, 바로크 미술.

는 에우리디케를 데려가도 좋다는 허락을 받은 오르페우스가 오른쪽 어깨에 악기를, 왼손으로는 에우리디케의 손을 잡으려 하면서 지상으로 나가려는 장면이 그려져 있다. 특히 오른쪽에 어두움에 휩싸여 있는 페르세포네와 빛으로 희게 빛나는 에우리디케의 대조가 눈에 띈다. 루벤스가 그린 그림 속 여성들은 너무 뚱뚱하여서 당시 아름답지 않다는 비판을 받기도 하였는데, 여기서도 에우리디케는 어떤 다른 화가의 에우리디케보다 풍만한 몸매를 보이고 있다. 오르페우스 역시 어떤 다른 화가가 그린 오르페우스보다 근육질로 보이며, 특히 하데스의 몸집이나 포즈는 지하 세계의 왕답지 않게 바로크 양식의 과장된 몸짓을 잘 보여주는 듯하다. 당시 귀족 등에게 인기가 많아서 그림 요청이 쇄도하였던 루벤스는 제자들을 이용하여 그림을 그렸는데, 먼저 본인이 전체적 구상이나 스케치, 밑그림을 그려주면 제자들이 색칠 등 전체 작업을 하고 마지막에 다시 루벤스가 마무리하는 식으로 완성하였다고 한다.

당시 플란더스 즉 플랑드르 저지대에서 번영하던 무역과 상업 중심지였던 안트베르펜(안트워프)을 중심으로 형성된 안트베르펜 학파는 루벤스의 영향을 많이 받은 플랑드르 바로크 화풍을 보이고 있다. 『플란더스의 개』 마지막에서 네로가 사랑하던 개 파트라슈와 함께 죽은 곳도 바로 안트베르펜 성당의 루벤스의 그림 〈십자가에서 내려지는 예수 그리스도〉 앞에서였다.

2) 고전주의, 신고전주의, 라파엘전파

고전주의는 역사상 여러 번 등장한다고 할 수 있다. 르네상스 고전주의, 고전주의, 신고전주의, 심미주의적 고전주의 등이 그것이다. 고전주의는 바로크와 로코코에 대한 반발 및 고대 그리스 로마 문화에 대한 관심이 커지면서 나타나게 되었다. 당시 이탈리아 폼페이 등의 고고학적 발굴이 이루어지고, 귀족 자제들의 그랜드 투어(그랑 투어)가 유행하게 된 것도 고전주의가 성행하게 되는 중요한 요인이 되었다. 이와 함께 당시에는 '그랜드 매너'라고 해서 그림의 배경에 고전적인 요소를 그려 넣는 관행도 유행하였다. 고전적 미술의 특징은 과장되거나 화려한 바로크나 로코코 양식에 대한 반발로 나타난 것이니만큼 고요한 단정미가 두드러지는 것이 특징인데, 연극무대처럼 보이는 공간, 단순한 구도, 건축적 배경을 바탕으로 등장인물은 그리 많지 않으며 내면에 숨어 있는 비극적 감정이 느껴지는 것이라 요약할 수 있겠다.

그런데 영국에서는 신고전주의와 통하는 라파엘전파 화가들의 활동이 두드러졌다. 라파엘전파는 영국의 젊은 예술가들이 르네상스 전성기 화가였던 라파엘로로 대표되는 지극히 세련된 규범적 화풍에 반대하고, 라파엘 이전의 시대의 솔직하고 단순한 묘사로 되돌아가자고 주장한데서 붙여진 이름이다. 이들은 미술이란 규범에 의하여 좌우되는 것이 아니라 현실이 규범을 세우는 힘이 되어야하면서, 엄격한 규범적인 고전주의 회화를 거부하였다. 라파엘전파를 대표하던 로세티나 모리스는 모두 화가인 동시에 시인으로 대체로 문학적인 재능도 함께 보이는 것이 특징이었다. 그들의 화풍은 이후 2차 라파엘전파의 출현 등을 낳았으며, 당대를 대표하던 영국 화가들의 대부분이 라파엘전파에 일정 기간 속해 있었다고 할 정도로 큰 영향을 끼쳤다. 이러한 흐름에 속하는 많은 화가들이 예를 들어서 와츠, 스탄호프, 레이튼, 워터하우스, 모르간 등이 오르페우스와 에우리디케 관련 그림을 그렸다.

그 가운데서도 와츠(G.F. Watts, 1817~1904)가 그린 〈오르페우스와 에우리디케〉가 특히 흥미를 끈다. 와츠는 1860년대 말, 심미적 고전주의적 경향의 대표 작품이라 할 수 있는 〈오르페우스와 에우리디케〉를 1869년 왕립 아카데미 여름 전시회에 전시하였다. 일부 평론가는 와츠가 오르페우스에 관한 여러 고전적 전거 가운데서 로마 시대의 시인 오비디우스의 『변신』을 읽고 영감을 얻어서 그린 것으로 추정한다. 와츠는 오르페우스와 에우리디케의 사랑과 이별에 그의 개인적 감정을 몰입시켰던 것은 아닐까? 와츠와 아름다운 젊은 여배우 엘렌 테리와의 첫 결혼도 11개월 만에 끝났기 때문이다.

좌 레이턴, 〈오르페우스와 에우리디케〉, 19세기, 레이턴하우스박물관.
우 와츠, 〈오르페우스와 에우리디케〉, 19세기, 하버드대학교 미술관, 심미적 고전주의.

　신고전주의 화가들은 기원전 5세기 그리스 미술, 예컨대 파르테논 조각이나 회화가 아름다움의 척도라고 보고 이후 헬레니즘 및 로마 시대적 고전주의(17~18세기)를 배척하였다. 이들이 인간을 양식화하고 왜곡하였다는 이유 때문이다. 와츠의 〈오르페우스와 에우리디케〉는 특히 파르테논 신전의 인물들을 해부학적으로 자세히 연구한 듯 보인다. 와츠는 그림을 그리기 위해서 조각 연습을 하는 것이 필요하다고 생각하여 진흙이나 왁스로 미리 만들어 보았다고 하는데, '영국의 미켈란젤로'라는 별명이 붙여진 것도 이런 그의 노력 때문이었을 것이다. 또한 신고전주의는 이면을 읽고 해석이 필요한 세밀한 것을 강조하기보다 형태나 색채를 강조하고 시적이고 신화적인 주제나 목가적인 면을 강조하는 경향이 있는데, 이러한 점 역시 그림에 잘 나타난다. 특히 와츠의 오르페우스에서 보이는 특징 가운데 하나는 다른 화가들의 그림에서 항상 보이는 악기조차 보이지 않는다는 점이다. 인물의 표현에 집중한 나머지 오르페우스의 상징인 악기조차도 생략해버린 것이다.

그의 오르페우스 그림은 한편으로는 르네상스 전통을 뒤돌아보면서 다른 한편으로는 20세기의 도래를 바라보는 것 같은 화풍으로 유럽회화사에서 중요한 전환기를 이루는 것이라 할 수 있다.

3) 상징주의

상징주의는 신비로움과 신화적 소재를 주로 다루었는데, 주관적, 다층적, 풍부한 색채, 고통을 겪는 영웅들의 우아함 등이 그 특징이다. 수수께끼 장면이나 세부 묘사 등에서 느껴지는 즐거움도 이 미술이 주는 하나의 장점이다. 상징주의를 대표하는 화가는 모로(G. Moreau, 1826~1898)인데, 그가 그린 〈오르페우스의 머리를 들고 있는 트라키아 소녀〉는 특히 유명하다. 상징주의 예술에서 오르페우스가 가졌던 의미는 특히 컸는데 오르페우스가 저승에서 노래하고 죽은 뒤에도 그의 머리가 노래를 불렀다는 것은 예술의 영원성과 힘을 상징한다고 여겨졌으므로 유럽 심미주의와 상징주의의 중심주제가 되었기 때문이다. 모로는 1826년 파리에서 건축가의 아들로 태어나 미술 대학을 졸업하였다. 처음에는 당시 낭만주의의 대가 들라크루아의 영향을 강하게 받기도 하였고, 이탈리아를 오래 여행하면서 얻었던 영감도 컸다.

모로, 〈오르페우스의 머리를 들고 있는 트라키아 소녀〉, 1865,
오르세미술관, 상징주의.

그가 그린 대다수 그림의 주제는 고대 그리스 신화와 역사였는데, 의식적으로 신화를 주제로 한 그림에서 인간의 번민과 고통, 이상적인 영웅상 등을 상징적으로 표현하였다. 1892년 파리의 예술학교의 미술과 교수로서 마티스, 루오 등의 제자들을 길렀으며, 그가 살던 집이 현재 모로 박물관(rue de la Rochefoucauld, 14번지)이 되었다. 모로는 상징주의를 대표하는 화가이면서 후일 표현주의의 결정적 선구자가 되었고, 초현실주의에도 영향을 주었다고도 평가된다.

3. 배신당한 사랑 : 메디아 & 이아손

그리스 신화 중에서 메디아만큼 오랜 세월 수많은 예술가와 작가의 관심을 끈 신화도 드물 것이다. 사랑 때문에 아버지와 조국을 배반하고, 남동생을 죽이면서 남편을 사랑하였고 그 사이에 두 명의 아이들을 낳았지만 남편은 결국 배신하여 다른 여자와 결혼하려 하였던, 사랑에 배신당한 대표적인 캐릭터라고 할 수 있다. 그러나 메디아는 그냥 배신당하지 않고 이에 대한 처절한 복수를 감행하였던 것으로도 유명하다. 남편이 새로 결혼하고자 하던 연적과 연적의 아버지를 죽이고, 급기야는 남편에게 복수하기 위해서 자신의 아이들까지 죽이기 때문이다. 형제 살해, 군주 살해, 친자 살해 등 모든 살인을 자행하는 잔혹한 여인의 표상이 된 메디아 이야기는 충격적이며, 따라서 대표적 악녀로 알려져왔다. 하지만 최근에는 여성 권리 신장과 연관시켜 메디아를 복권시키려는 움직임이 활발하다. 메디아의 고향으로 알려진 흑해 연안 국가 조지아에서는 메디아를 관광 자원으로도 활용하고 있다. 조지아의 최대 항구이자 아름다운 휴양지인 바투미의 중앙 광장 이름은 메디아 광장이며, 그 중심지에 황금 양털을 들고 서있는 메디아 동상이 있다. 이아손 일행이 황금 양털을 얻기 위해서 방문한 콜키스로 추정되는 이곳을 기념하기 위한 것이다.

1) 이아손의 모험과 메디아

메디아와 관련된 고대 신화 이야기는 『아르고스 호의 원정기』와 에우리피데스 비극 『메디아』 등이 대표적이다. 우리에게 잘 알려진 메디아 이야기는 다음과 같다. 이아손은 테살리아 지방의 이올코스의 왕 아이손의 아들이다. 어린 이아손을 대신하여 아버지가 이복동생인 펠리아스에게 왕위를 물려주었는데, 성장한 이아손은 숙부에게 왕위를 돌려주기를 요청하였다. 펠리아스는 흑해의 동쪽 끝 콜키스(오늘날 조지아)에 있는 황금 양가죽을 찾아오면 왕위를 돌려주겠다고 하였는데, 이는 미션임파서블을 통해서 이아손이 죽기를 바랐기 때문이다. 이아손은 자기를 도울 원정대를 모집하였고 앞서 살펴본 오르페우스를 비롯하여, 고대 그리스의 내로라하는 헤라클레스, 디오스쿠로이 쌍둥이 형제, 네스트로 등 유명한 영웅들이 대거 모였다. 이들은 아르고스 호라고 이름이 붙여진 배를 타고 떠났으므로, 이들 일행은 '아르고스호 원성대'라고 불리게 된다. 이들은 여러 모험을 겪으면서 보스포로스 해협을 거쳐 목적지인 콜키스에 도착한다. 콜키스 왕은 태양신의 아들로 알려진 아이에테스였고, 왕의

모로, 〈이아손과 메디아〉, 1865, 오르세미술관, 상징주의, 초현실주의적 경향.

딸 메디아는 마법에 능한 아름다운 공주였다. 콜키스 왕은 이아손을 죽일 작정으로 불을 내뿜는 황소를 제압하라는 몹시 어려운 과제를 내며 이를 달성하면 황금양가죽을 주겠다고 제안한다. 용맹하고 잘생긴 이아손에게 반한 공주 메디아는 마술을 이용하여 이아손 일행이 황금양가죽을 얻도록 도와준다. 또 이아손 일행의 배를 타고 함께 도망할 때, 콜키스 군이 추격해오자 이를 따돌리고자 함께 데리고 갔던 남동생을 죽여 시체를 토막내어 하나씩 버리기까지 하였다. 추격자들이 배를 멈추고 시신을 수습하는 동안 멀리 도망가고자 하였던 것이다.

그리스에 도착하였을 때, 황금양가죽을 가져오면 이아손에게 왕위를 넘겨주겠다던 펠리아스가 약속을 지키지 않자, 메디아는 펠리아스와 그의 딸들을 마술로 현혹하여 펠리아스를 죽게 만든다. 하지만 그 뒤 이아손은 왕위에 오르기는커녕 코린토스로 도망가서 정착하게 되었다. 코린토스에서 메디아와 이아손은 아들 둘을 낳고 살게 되는데, 아들이 없던 코린토스 왕은 이아손과 자기 딸 크레우사를 결혼시켜 왕위를 물려주고 싶어하였다. 그러자 이아손은 메디아를 버리고 크레우사와 결혼하고자 마음먹는다.

2) 에우리피데스의 메디아

에우리피데스의 비극 『메디아』는 이아손이 코린토스의 공주 크레우사와 결혼하려고 하는 데에서부터 시작한다. 남편과 아이들을 뺏기고, 자신에게는 즉각적인 추방령이 내려지자 메디아는 복수를 결심하고, 하루만 더 코린토스에 머물게 해달라고 간청한다. 이 하루 동안 메디아는 독을 묻힌 옷과 황금머리띠를 크레우사 공주에게 결혼 선물이라 보내어 불타 죽게 만들고, 딸의 죽음을 막으려 하던 왕마저 함께 죽게 만든다. 크레우사의 다른 이름은 글라우케로 알려져 있는데, 그리스 코린토스에 가면 지금도 '글라우케의 샘'이 있다. 독이 묻은 옷을 입고 타죽어가는 듯 괴로웠던 크레우사가 제발

드레이퍼, 〈동생을 죽이는 메디아〉, 1904, Bradford Art Galleries, 빅토리아 화풍.

샘이 되게 해달라고 빌어서 생겼다는 푸른 샘이다. 마지막으로 메디아는 이
아손에게 복수하기 위하여 둘 사이에 태어난 아이들마저 자신의 손으로 죽
인다. 마지막에 메디아가 이아손에게 '당신에게 고통을 주기 위하여 내가 당
신 아이들을 죽였다'는 잔인한 소식을 전하고, 이아손이 통곡하고 절규하는
가운데 에우리피데스의 비극은 끝난다.

　여러 신화를 종합하여 메디아의 이후 행적을 살펴보면 다음과 같이 정리
된다. 자기 손으로 아이들을 죽이고 코린토스를 떠난 메디아는 아테네로 가
아이게우스 왕과 결혼하였다. 그런데 아이게우스가 트로이젠의 왕녀에게서
얻은 아들 테세우스가 성장하여 아테네로 찾아오자 메디아는 의붓아들 격인
테세우스를 죽이려다가 실패하고 아테네를 떠난다. 나중에 고향인 콜키스로
돌아갔는데, 삼촌이 자기 아버지를 몰아내고 왕이 된 것을 보고 아버지에게
왕위를 되찾아주고, 자기는 더 동쪽으로 가서 이란 고원 쪽에 정착하였다고
전한다. 메디아의 아들은 메도스인데, 메디아 혹은 메도스는 아시아 대국 메

디아의 조상이 되었다고 한다. 후일 메디아의 공주 만다네가 낳은 아들 키루스는 페르시아를 건국하여 전 아시아를 통일하게 된다. 한편, 메디아는 죽은 후에 그리스 최고의 영웅으로 알려진 아킬레우스와 부부의 연을 맺게 되었다는 신화도 함께 전한다.

그런데 에우리피데스의 비극 『메디아』는 기존의 메디아 신화와는 다른 점이 많다. 에우리피데스의 메디아는 남편 이아손에 대한 증오감으로 아이들을 자기 손으로 죽인다. 하지만 에우리피데스 이전에 있었던 신화에서 메디아는 마법에 능한 무서운 살인자가 아니라 사랑스런 성격의 왕녀였다. 또한 메디아가 자기 아이들을 죽인 것이 아니라, 오히려 아이들에게 불멸의 생명을 주기 위하여 헤라 신전에 바쳤지만 불사의 생명을 얻게 하는 데에 실패하였다고 전한다. 혹은 코린토스인들이 메디아의 아이들을 죽였다고도 전한다. 또한 에우리피데스의 『메디아』에서는 이아손이 코린토스의 공주와 결혼하여 왕위를 차지하려하고, 메디아는 코린토스의 왕 크레온에 의해 추방령에 처해지게 된다. 하지만 메디아가 원래 코린토스의 정통 왕위 계승권을 가지고 있었다는 신화도 전해오고 있었다. 즉 메디아의 아버지는 원래 코린토스의 왕이었으나, 다른 이에게 왕위를 양위하고 그리스를 떠나 흑해연안 콜키

들라크루아, 〈아이를 죽이는 메디아〉, 1838, 루브르박물관, 낭만주의.

스로 간 것이다. 후에 코린토스의 왕위 계승자가 끊어지게 되자 코린토스인들은 메디아에게 왕위를 제의하였다. 그래서 메디아의 남편 이아손이 왕위에 올라, 메디아와 이혼하기까지 이미 10년 동안 코린토스를 다스렸다는 것이다. 그런데 이아손은 메디아가 헤라 신전에 아이들을 바친 것을 알고는 화를 내고 코린토스를 떠나버렸고 메디아도 코린토스를 떠났다고 한다.

3) 다양한 메디아

에우리피데스가 기존의 메디아 신화를 변형하여 새로운 메디아를 창조해 내었듯이 에우리피데스 이후에도 메디아는 많은 작가들의 소설이나 그림 소재로 활용되었다. 로마시대의 세네카, 근세 프랑스 작가 코르네이유 등도 메디아를 주인공으로 한 작품들을 남겼다. 특히 오늘날에는 에우리피데스의 메디아를 새롭게 해석하려는 시도가 나타나고 있다. 사실 에우리피데스를 고대의 페미니스트로 보려는 이가 있을 정도인데, 작품 속에서 남편 이아손의 배신이나 여인들이 당하는 부당한 대우에 대해서 메디아가 신랄하게 비판하고 있기 때문이다. 남편을 빼앗긴 메디아는 다음과 같이 부르짖는다.

"생명과 분별력을 지닌 만물 가운데서 여자들이 가장 비참한 존재야. 우선 여자는 많은 지참금을 주고 남편을 사서는 상전으로 모셔야 하니까 말야. 그보다 더한 것은, 여자의 행복이 남편이 좋으냐 나쁘냐에 달려있다는 것인데, 남편과 헤어신다는 것은 여사에게 불명예스럽고 그렇다고 남편을 거절하는 것도 불가능하지… 남자는 밖에 나가 친구들과 함께 즐길 수도 있지만 여자들은 남편 한 사람만 쳐다보고 살아야 해. 남자들은 여자는 집에서 안전하게 사는 반면, 자기들은 창을 들고 싸우러 나간다고 하지만 이보다 더 바보 같은 소리는 없어. 아이를 한 번 낳으니 차라리 세 번 싸움터로 뛰어드는 편을 택하고 싶으니까."

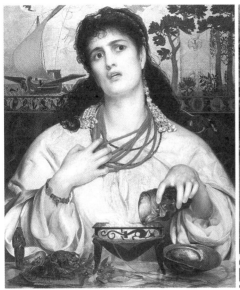

좌 산디스, 〈메디아〉, 1868, 영국버킹엄미술관, 라파엘전파.
우 모르간, 〈메디아〉, 1889, Williamson Art gallery, 라파엘전파.

이러한 메디아의 고백은 20세기 페미니스트들의 동감과 지지를 이끌어내어서, 메디아를 남성중심적 사회 질서에 대항하여 도발적으로 문제를 제기하고 여성인권을 주장하였던 선구자로 보는 이들이 나타났다. 가부장적 사회에서 조국이나 아버지보다도 자신의 사랑을 선택하여 세상 끝까지 달려갔던 당찬 여인으로 메디아를 새롭게 조명하는 것이다.

이와 함께 최근 메디아의 악녀 이미지를 벗겨 주고, 총명하고 사려 깊은 여성으로 그리는 시도도 나타났다. 볼프(C. Wolf)가 1996년에 발표한 소설 『메디아. 목소리들』이 그 대표적이다. 여기서 메디아는 자기 동생이나 아들까지 죽인 사악한 여자가 아니라, 총명한 딸, 지혜로운 아내, 자상한 어머니, 사랑의 치료자로 나타난다. 메디아가 콜키스를 떠난 것은 부조리한 가부장권과 부패한 정치 구조에 대한 항거였다. 권력에 집착한 아버지와 함께 부패한 나라에 살 수가 없어서 떠났던 것이다. 그러나 조국까지 버리고 따랐던 이아손도 결국 무능하고 우유부단한 사람에 불과함을 깨닫고 순진하고 자연을 사랑하는 한 남자와 새로운 사랑에 빠진다. 또한 메디아는 연적인 크레우사를 질투하기는커녕 오히려 그녀의 어릴 적 상처를 치유해준다. 당연히 메디아는 남동생이나 자기 아이들을 죽이지도 않았다. 이 모든 것이 메디아를 제거하기 위하여 코린토스의 위정자들이 꾸민 거짓 혐의였던 것이다.

이처럼 메디아를 사악한 존재가 아니라 전사의 용맹성과 마법적 재능을 가진 존재로 재해석하는 경향이 늘고 있다. 우리나라에서도 메디아에 대한 새로운 각색이 있었다. 〈두 메디아−어미와 여인의 두 마음〉이라는 극이 그것이다. 기본적인 틀과 내용은 그리스 신화에 나오는 메디아의 모습을 따르고 있으면서 악녀 메디아와 양심의 메디아 두 메디아가 등장하여 갈등한다는 내용이다. 이 극은 배경을 한국으로 하고, 판소리를 삽입하는 등 한국적 색채를 덧입히기도 하였다. 또한 최근 〈메디아 온 미디어〉라는 연극도 상연된 바 있는데, 21세기 미디어 시대와 메디아라는 악녀를 결합시키면서, 메디아의 죄가 단지 메디아의 욕망 때문만은 아니라는 것을 말하고 있다.

4. 짝사랑과 삼각관계의 사랑
: 아리아드네 & 테세우스와 디오니소스

아테네의 영웅 테세우스와 크레타 섬의 미노타우로스 이야기는 잘 알려져 있다. 미노타우로스 신화의 줄거리는 내강 나음과 같다. 크레타섬의 미노스왕의 왕비 파시파에는 포세이돈이 보낸 소를 보고 반하게 된다. 이 소는 포세이돈이 그를 기만한 미노스를 징벌하기 위해 보낸 것이었다. 소를 향한 불타는 욕정을 가지게 된 파시파에는 당시 최대의 장인 다이달로스에게 부탁하여 나무로 된 암소 형상을 만들고 그 안에 들어가 소와 관계를 가진다. 그 사이에서 미노타우로스라는 반인반우가 태어난다. 이 미노타우로스는 다이

상 카우프만, 〈낙소스에서 버림받은 아리아드네〉, 휴스턴미술관, 1774, 신고전주의.
하 모르강, 〈낙소스의 아리아드네〉, 1877, 라파엘 전파, 심미주의적 경향.

레니, 〈디오니소스(바쿠스)와 아리아드네〉, 1620년경,
로스엔젤레스 자연사박물관, 바로크, 고전주의에 영향.

달로스가 설계한 라비린토스라는 미궁에 살면서 아테네에서 공물로 보내어지는 소년, 소녀들을 잡아먹다가 결국 아테네의 영웅 테세우스에 의해서 퇴치된다. 그런데 테세우스는 미노스 왕의 딸 아리아드네 공주의 도움이 없었으면 성공하지 못하였을 것이다.

아리아드네는 크레타 섬에 일종의 볼모로 온 테세우스에게 한 눈에 반하여 아버지 눈을 피해 미궁을 건설한 다이달로스에게 가서 미궁을 탈출할 수 있는 방법에 대해서 묻는다. 그리고 유일한 방법인 실꾸리를 테세우스에게 주고 자신이 미궁 밖에서 실꾸리를 잡고 있음으로써 테세우스를 살렸던 것이다. 아리아드네의 도움으로 미노타우로스를 죽이고, 미궁을 무사히 탈출한 테세우스는 아리아드네와 함께 크레타를 탈출하였다. 하지만 테세우스는 아테네에 오는 도중에 낙소스란 섬에 들렸고, 여기서 휴식을 취하던 가운데 곤히 잠자던 그녀를 버려두고 몰래 출항하여 아테네로 돌아온다. 이렇게 하여 지극한 아리아드네의 사랑은 결국 짝사랑, 응답받지 못한 사랑이 되어버렸다.

테세우스에게 버림받은 아리아드네는 어떻게 되었을까? 여러 이야기가 전하는 가운데, 고대 가장 인기 있었던 신화는 홀로 남은 가여운 아리아드네의 아름다움에 변한 디오니소스(바쿠스)가 아리아드네를 자신의 부인으로 삼고 아이들을 낳고 함께 산다는 것이다. 나아가 디오니소스는 제우스에게 부탁하여 그녀에게 신들처럼 노쇠하지 않는 영원한 생명을 주었다고 한다.

여기서 아리아드네만 테세우스를 사랑한 것이 아니라, 디오니소스가 아리아드네를 먼저 짝사랑하였을 것 같기도 하다. 어떤 신화에 의하면, 디오니소스는 낙소스에서 테세우스에게 버림받은 아리아드네를 처음 본 것이 아니라, 그 이전 크레타섬에서 아리아드네에게 선물 공세를 펴면서 그녀의 환심을 사려고 하였다. 디오니소스는 특히 아리아드네에게 보석이 박힌 머리 관을 주었는데, 아리아드네가 이 보석관을 테세우스에게 선물했고, 테세우스는 실꾸리가 아니라 보석관에서 나는 빛을 따라 미궁에서 길을 찾아 나올 수가 있었다는 신화도 전한다. 후에 디오니소스는 테세우스에게 버림받은 아리아드네를 다시 낙소스에서 발견하고 그녀와 결합하고 별들 사이에 그 휘황한 관을 머물게 했다. 또한 디오니소스가 아리아드네를 사랑했건만, 아리아드

티티아노, 〈아리아드네와 박쿠스〉, 1523년경, 런던 영국박물관, 르네상스.

네가 이를 배신하고 아르테미스 신전에서 테세우스와 동침을 하자 아르테미스 여신이 화살로 아리아드네를 죽였다는 신화도 전한다.

또한 왜 테세우스가 자기를 도와준 아름다운 아리아드네를 버리고 갔을까에 대해서도 여러 신화가 전한다. 가장 오래된 전승에서는 테세우스가 아이글레라는 다른 여성을 사랑하여 아리아드네를 버렸다고 하거나, 아테나 여신이 테세우스에게 그녀를 버리고 혼자 아테네로 돌아오도록 지시한 것으로 되어 있다. 그러다가 후대로 갈수록 그 이유에 대한 매우 다양한 이야기가 나타난다. 그런데 후기로 올수록 테세우스가 아리아드네를 버린 것이 아니라 오히려 디오니소스가 그녀를 납치했다던가, 아니면 폭풍 혹은 병 등의 어쩔 수 없는 상황에서 테세우스와 아리아드네가 헤어지게 되었다는 이야기가 더 많아지고 있는 것이 특징이다. 여러 이유가 있겠지만, 아마도 아테네의 영웅인 테세우스가 아리아드네를 버리는 배은망덕한 인격을 가진 것으로 보이지 않기 위해서 이런 이야기들이 생겨났다고 볼 수 있을 것 같다. 아리아드네를 두고 삼각관계에 있는 디오니소스 신은 아테네인이 중시하는 신이었고, 테세우스는 아테네를 통합시킨 영웅적인 왕이었다. 아테네인들로서는 아리아드네를 둘러싼 디오니소스-테세우스의 관계가 아테네의 영예와 이익에 합치되기를 원했을 것이다. 만약 테세우스가 디오니소스의 뜻

로스킬리, 〈코벤트 가든에서의 박쿠스와 아리아드네의 승리〉, 20세기.

에 따라 아리아드네를 포기한 것이라면 테세우스는 신에게 순종한 경건한 인간으로 부각되고 디오니소스와 아리아드네는 테세우스와 우호적인 관계를 맺게 될 것이었다. 고전기 아테네 도기에 아테나 여신이 아리아드네로부터 테세우스를 쫓아내고, 디오니소스에게 아리아드네를 인도하는 그림이 많은 것은 바로 이 때문일 것이다.

그리하여 로마 시대로 오면서는 테세우스가 아리아드네를 버린 사실은 잘 언급되지 않고, 테세우스와 아리아드네가 헤어진 것은 디오니소스가 아리아드네를 사랑하여 가로챘기 때문인 것으로 많이 나온다.

5. 금지된 사랑 : 페드라 & 히폴리토스

테세우스를 짝사랑하였지만 이루어지지 못하였던 아리아드네와 자매지간인 페드라가 테세우스의 아내가 되었다는 점은 매우 흥미롭다. 크레타 섬의 미노스가 죽고, 그의 아들 데우칼리온은 왕위에 오른 뒤, 테세우스가 다스리는 아테네와 동맹을 맺고자 아리아드네의 동생 페드라를 테세우스와 결혼시켰기 때문이다. 테세우스와 페드라 사이에는 테세우스가 죽은 뒤 왕위를 계승하게 되는 데모폰과 아카마스라는 아들을 두었다. 그런데 테세우스는 페드라와 결혼하기 전에 아마존을 원정하던 도중에 사랑에 빠진 아마존의 여왕 히폴리테로부터 이미 아들 한 명을 얻었다. 어머니 이름을 따서 히폴리토스라 불리는 이 아들은 여성이나 사랑에는 통 관심이 없고 사냥과 순결함으로 무장된 꽃남이었다. 그런데 페드라는 바로 자신의 의붓아들이기도 한 히폴리토스에게 사랑을 느끼게 되어 견딜 수가 없는 지경에 이르게 되었다. 식음을 전폐하는 상사병에 걸린 페드라로부터 병의 원인을 알게 된 페드라의 유모가 페드라를 돕고자 이 사실을 히폴리토스에게 알리게 되었다. 하지만 히폴리토스는 계모의 사랑에 어이없어하면서 차갑게 거절하였다. 이에

상, 좌 알렉산드르 카바넬, 〈페드라〉, 1880, 메트로폴리탄미술관, 고전주의.
상, 우 J. Geirnaert, 1819, 보우즈박물관.
하 〈테세우스, 페드라, 히폴리토스〉, 18세기, German School.

상심하고 상처받은 페드라는 남편 테세우스에게 거짓으로 히폴리토스를 모략하는 편지를 쓰고 자살하기에 이른다. 히폴리토스가 자기를 성폭행하려하였다고 거짓 모함을 하면서. 이에 분노한 테세우스가 히폴리토스를 죽여달라고 자기의 신적인 아버지 포세이돈에게 부탁하여 해변에서 마차를 끌던 히폴리토스를 죽게 만든다.

이 이야기를 소재로 해서 '페드라 콤플렉스'라는 정신분석 용어도 생기게 되었으며, 많은 예술 작품이 만들어지기도 하였다. 고대 그리스의 비극작가 에우리피데스의 『히폴리토스』로 인해서 페드라를 비롯하여 프랑스의 극작가 라신의 〈페드르〉 등이 있다. 또한 근대 희곡의 아버지라는 유진 오닐의 극 〈느릅나무 밑의 욕망〉도 페드라를 당시의 시대 상황에 맞추어 재해석한 작품이다. 75세의 아버지 캐벗(Cabot)이 35살의 신부 애비(Abbie)를 맞이하게 되면서 애비와 25살의 의붓아들 이븐(Eben)의 관계를 그린 작품이다. 다만 이 작품에서의 애비와 이븐이 진심으로 서로 사랑하면서 비극을 맞이한다는 점이 히폴리토스로부터 외면당하였던 그리스의 페드라와는 다른 점이다. 〈느릅나무 밑의 욕망〉이라는 이 희곡은 소피아 로렌 주연의 동명의 영화로도 만들어졌다. 또한 그리스의 국민 배우 멜리나 메르쿠리가 페드라 역을 맡은 영화 〈페드라〉[국내 개봉작은 〈죽어도 좋아〉(1662년)]도 있다. 페드라의 신화를 역시 현대적으로 새해석한 이 영화에서 히폴리토스에 해당하는 알렉시스는 젊은 계모 페드라와 이루지 못하는 사랑에 몸부림치다가 자동차를 몰아 절벽으로 추락하고 페드라는 수면제를 먹고 자살한다는 내용이다.

6. 영혼과 육체의 온전한 사랑 : 프시케 & 에로스

'에로스(Eros)'는 '사랑'이다. 에로스는 사랑과 아름다움의 여신 아프로디테의 아들이다. 사랑과 아름다움의 여신이 낳은 아들의 이름이 다시 '사랑'이

좌 프랑수아 에두아르 피코, 〈에로스와 프시케〉, 19세기경, 루브르박물관, 신고전주의.
우 프랑수아 파스칼, 〈프시케와 에로스〉, 1797, 루브르박물관, 신고전주의.

라는 것은 매우 흥미롭다. 오늘날 에로틱, 에로티시즘, 에로 배우 등의 단어가 이에서 나왔듯이, 주로 육체적인 사랑을 뜻하고 있다. 고대 그리스에서 사랑을 뜻하는 단어는 여러 가지가 있는데, 신적인 사랑인 아가페, 친구 사이의 사랑인 필로스, 엄마의 아기에 대한 사랑 스트르게 등이다. 그런데 에로스가 사랑한 여성이 바로 프시케, 즉 영혼으로 번역될 수 있는 이름을 가지고 있다는 것은 더욱 흥미롭다. 프시케의 어원은 프네오, 즉 숨쉬다라는 단어에서 유래되었다. 고대 그리스인들 가운데, 정신이나 마음이 숨을 쉬는 '폐'에 존재한다고 믿는 이들이 많았기 때문이다. 오늘날 마음, 정신, 심리를 뜻하는 영어 단어에서 psyche를 발견할 수 있는데, 정신분석학을 뜻하는 psychology가 그 대표적인 것이다. psyche가 문제가 생겼을 때 나타나는 사이코패스라든가 사이코라는 단어도 여기에서 나왔다. 나아가서 프시케는 나비를 의미하기도 해서 프시케를 그린 그림에서 프시케에 날개가 달린 그림이 많다.

좌 윌리엄 아돌프 부게로, 〈첫 키스〉, 1899, 살롱고전주의.
우 투만, 〈자연의 거울을 보는 프시케〉, 1893.

여하튼 육체적인 사랑 에로스가 사랑하고 갈망한 대상은 바로 프시케, 영
혼이었으며 이 둘이 사랑이 이루어지기 위해서는 믿음과 인내가 필요하였다
는 것이 이 신화에서 드러난다.

기원전 2세기 로마 작가 아풀레이우스가 쓴 『황금 당나귀』에 처음 등장하
는 프시케 이야기는 다음과 같다. 어느 나라에 아름다운 세 딸을 둔 왕이 살
고 있었다. 다른 두 딸도 아름다웠지만, 막내인 프시케는 빼어나게 아름다웠
다. 사람들이 이렇게 살아있는 공주의 아름다움에 빠지다보니 미의 여신 아
프로디테 신전을 찾는 사람도 줄어들 정도였다. 분함을 참지 못한 아프로디
테는 아들 에로스에게 복수를 해줄 것을 당부하였다. 어머니의 부탁으로 프
시케를 벌하기 위해 찾아간 에로스는 오히려 그녀의 아름다움에 반하고 말
았다. 그 뒤로 프시케는 날로 더 아름다워졌지만, 청혼하는 이들은 한 명도
없었다. 왕이 그 연유를 알기 위해서 델피의 아폴론 신탁을 듣고자 하였을

때, 그 대답은 바위산 꼭대기에 사는 괴물이 그녀의 짝이라는 것이었다. 신탁에 의하여 바위산 꼭대기로 올려지게 된 프시케는 괴물이 아니라 아름다운 정원과 멋있는 궁전을 발견하였다. 또 궁궐 안에는 온갖 아름다운 것, 좋은 것, 맛있는 것들이 있었으며, 보이지 않는 감미로운 음성의 하인들이 그녀를 시중들었다. 그리고 한밤중에는 누군가가 들어와 프시케와 사랑을 나누었다. 프시케는 그가 누구인지, 그 얼굴조차 보지 못하였는데, 언제나 날이 새기 전에 나갔기 때문이다. 얼굴을 보여 달라는 프시케의 말에 신랑은 그 모습을 보려고 하지 말고 그냥 자신을 믿으라고 하였다. 가족이 보고 싶던 프시케는 신랑에게 부탁하여서 서풍의 신 제피로스를 통하여 자신의 소식을 전해주기도 하고, 프시케가 어떻게 사는지 보고 싶다는 언니들을 궁전으로 데려오기까지 했다. 언니들은 프시케가 아직 신랑을 한번도 본 적이 없다고 하자 신랑이 잠든 사이에 등잔불을 켜서 누구인지 확인하라고 충고하였다. 결국 프시케는 한밤중에 일어나 등잔을 켜들고 신랑의 얼굴을 보았다. 참으로 아름다운 신랑의 모습을 발견하고 놀라서 뜨기운 기름 한 방울을 그의 어깨에 떨어뜨리고 말았다. 놀라서 잠이 깬 에로스는 의심이 자라는 마음에는 사랑이 깃들지 못하며, 이제부터 영원히 헤어져 있

니콜라오스 기지스, 〈프시케〉.

을 것이라며 날아가 버렸다.

　프시케는 에로스를 찾아서 온 땅을 헤매지만 만날 수 없었다. 그러던 어느 날 산을 넘다가 데메테르 신전에 들어가게 되었다. 신전 안에 흩어져 있는 곡식 낟가리를 프시케가 깔끔하게 정리하자, 고맙게 생각한 데메테르 여신이 프시케가 에로스의 어머니인 아프로디테에게 용서를 빌라고 충고해주었다. 그러나 여전히 프시케를 미워하던 아프로디테는 프시케에게 여러 문제를 안겨주면서 괴롭혔다. 어려운 시험들을 에로스와 강의 신 등의 도움으로 해결한 그녀에게 맡겨진 마지막 시험은 저승으로 내려가 저승의 왕비 페르세포네의 아름다움을 나누어받아 상자에 담아오라는 것이었다. 역시 보이지 않는 목소리의 도움을 받아 저승으로 내려가게 된 그녀에게 주어진 당부는 페르세포네가 그 상자에 아름다움을 넣어주거든 절대로 뚜껑을 열어보지 말라는 것이었다. 저승의 미션임파서블을 무사히 마치고 온 프시케였지만, 다시 호기심과 자신도 아름다움을 나누어가지고 싶은 마음에 뚜껑을 열고 말았다. 그 상자 안에는 잠의 씨가 들어있었고, 이가 밀려나와서 프시케는 깊은 잠이 들었다. 에로스가 그 소식을 듣고는 급히 가서 프시케를 깨우고 나무란 뒤 제우스 신에게 가서 프시케와 맺어줄 것을 청하였다. 결국 제우스와 아프로디테가 이를 받아들이고, 프시케는 올림포스로 와서 영원한 생명을 입고 에로스와 하나로 맺어졌다. 이로써 드디어 육체와 영혼은 하나로 연결되었다. 이 둘 사이에 태어난 아기의 이름은 기쁨이었다고 전한다. 플라톤의 대화편 〈향연〉이 특히 감미롭게 느껴지는 것은 에로스에 대한 논의 때문일 것이다.

|참고문헌|

오비디우스, 천병희 역, 『변신이야기』, 도서출판 숲, 2005.

아폴로도로스, 천병희 역, 『그리스 신화』, 도서출판 숲, 2004.

아풀레이우스, 송병선 역, 『황금 당나귀』, 매직 하우스, 2008.

최혜영, 「에우리피데스의 『메데이아』와 펠로폰네소스 전쟁」, 『서양사학연구』 18, 한국서양문화사
    학회, 2008.

최혜영

학력
경북대학교 문리과대학 사학과
경북대학교 교육대학원 역사교육전공 석사
그리스 이와니나 국립대학교 문학박사
전남대학교 인문대학 사학과 교수

논문, 저서
『그리스문명』
『도시로 보는 유럽통합사』(공저)
「'아테네형' 교육과 '예루살렘형' 교육의 비교 연구」, 『서양사론』 제74호
「오비디우스의 추방 원인과 언론 자유의 한계」, 『역사학보』 제172집

관심분야
서양고대사, 서양문화사, 그리스 로마 신화, 서양 문명

고대 미술에 나타난 사랑이야기

노성두

고대 미술에 나타난 사랑이야기

노성두

'플라토닉한 사랑'이라는 말이 있다. 그러나 이건 플라톤하고 상관없는 말이다. 이성 간에 시커먼 마음 품지 말고 오직 고결한 정신적인 교감을 나누는 관계를 그런 식으로 말하나 본데, 고대 그리스인들은 플라토닉한 사랑을 하지도 않았고 알지도 못했다. 후세 사람들이 지어낸 추상적인 개념일 뿐이다.

그리스인들은 이집트나 페르시아와 달라서 신들을 경외의 대상이라기보다 친구처럼 생각했다. 신과 인간 사이에 불연속적 심연이 존재한다고 본 오리엔트 문명권에서 신은 까마득한 곳에 존재하는 절대적이고 가부장석 이미지였지만, 그리스에서는 신들도 인간의 세계에 넘나들며 사랑을 나누고 질투하고 토라지기도 한다고 생각했고, 무엇보다 내세에 큰 가치를 두지 않았다. 고대 그리스에서는 왕이나 통치권자가 신격을 인정받거나 제사장의 직분을 겸직하지 않았던 것도 달랐던 점이다. 그래서 그리스 신화에 나오는 사랑의 유형도 다양하기 짝이 없다. 그러면서도 하나같이 공감이 간다. 가령 성경에 나오는 성스럽고 헌신적인 사랑은 거의 눈을 씻고 보아도 없다.

신화에는 신과 영웅과 괴물과 인간이 나온다. 이들이 서로 터부(taboo)를 넘나들면서 따끈한 사연을 만들어낸다. 우선 익시온부터 시작하자. 아테네

〈익시온의 저주〉, 서기 1세기, 폼페이 베티이의 집 벽화.

아크로폴리스의 파르테논 신전 남쪽에는 네모난 판부조들이 장식되어 있는데, 인간족 라피타이와 반인반마 켄타우로스의 전투를 다루고 있다. 라피타이의 족장 페이리토오스가 결혼식에 켄타우로스를 초대했는데, 술에 취한 하객들이 신부와 신부측 들러리를 추행하는 바람에 싸움이 벌어졌고, 결국 테세우스가 나서서 소란을 진정시킨다. 여기서 라피타이와 켄타우로스는 모두 같은 아버지의 배다른 형제들인데, 바로 익시온의 자식들이다. 익시온은 저주받은 영웅으로 타르타로스에 떨어져 불타는 바퀴에 포박된 채 영원한 형벌을 받고 있는 것으로 알려진 인물이다. 익시온이 딱한 처지가 된 것은 순전히 헤라 여신을 사랑했기 때문이었다. 라피타이족의 왕이었던 익시온은 디아와 혼인하면서 돈이 많은 사윗감 행세를 한 적이 있었다. 장인 데이오네우스가 지참금을 요구하자 집에 찾아오시면 직접 드리겠다고 거짓말을 치고는 벌겋게 달군 숯에 침대를 밀어 넣어 장인을 태워 죽인다. 찾아온 손님을 후하게 접대하되 결코 해쳐서는 안 된다는 크세니아의 예법을 어긴 것이다. 몹쓸 죄였지만 제우스는 익시온의 죄과를 눈감아주기로 하고 올림포스의 연회에 불렀는데, 이번에는 익시온이 헤라의 미모에 군침을 흘리는 게 아닌가! 제우스가 구름을 가지고 가짜 헤라 네펠레를 만들어주었더니 얼씨구나하고 단박에 일을 벌이는 것이었다. 이를 본 제우스의 분노가 폭발해서 익시온은 명부에 떨어져 바퀴 형벌을 받게 된다는 이야기이다. 폼페이 베티이의 집에서 나온 벽화는 왼쪽부터 바퀴에 포박된 익시온, 헤파이스토스, 헤르메스 그리고 그림 중앙에 앉아있는 네펠레, 이리스, 헤라 여신의 모습을 보여준다.

그렇다고 제우스가 참한 남편은 아니었다. 올림피아 제우스 신전 인근에서 나온 테라코타로 구운 〈제우스와 가니메데스〉는 남녀노소를 가리지 않는 전천후 바람둥이 신 제우스의 진면목을 보여준다. 가니메데스는 트로이의 왕 트로스의 아들로서 '인간 가운데 가장 아름다운 자'로 알려져 있다. 고대 도기그림에서는 수염 난 어른이 어린이에게 토끼나 닭을 선물로 건네면서 하룻밤을 애걸하는 장면들이 흔하게 보인다. 이 작품에도 가니메데스는 제우스가 화대로 지불한 닭을 들고 있다. 헤라클레스가 사후에 올림포스의 헤베와 결혼하는 바람에 식탁 시중들 사람이 없어지자 가니메데스가 그 역할을 대신 맡았다고 한다.

제우스는 여성편력 목록이 꽤 실나. 소로 변신해서 에우로파를 유혹했고, 사티로스로 변신해서 안티오페와 동침하는가 하면, 황금 빗물로 변신해서 다나에를 임신시키고, 먹구름으로 변신해서 이오와 바람을 핀다. 아르테미스로 변신해서 칼리오페를 유혹한 일도 있다.

〈가니메데스를 납치하는 제우스〉, 기원전 5세기, 올림피아 고고학박물관.

상, 좌 〈에우로파와 황소〉, 서기 1세기, 폼페이 이아손의 집 출토, 나폴리 국립고고학박물관.
상, 우 〈다나에와 제우스의 황금빗물〉, 기원전 450년경, 보이오티아 크라테르, 루브르박물관.
하 〈이오를 감시하는 아르고스〉, 서기 1세기, 폼페이 멜레아그로스의 집 출토, 나폴리 국립고고학박물관.

좌 〈레다와 백조〉, 서기 300년경, 키프로스 쿠클리아 출토, 런던 영국박물관.
우 〈헬레네의 탄생〉, 기원전 375~350년, 바리 고고학박물관.

나중에 들통나서 칼리오페와 아기를 밤하늘의 큰곰자리와 작은곰자리로 만들었다고 한다. 패턴을 살펴보면 유부녀는 멀리하고 처녀들한테만 수작을 부리는 게 제우스의 특기이다. 손바닥도 마주쳐야 소리가 난다는데, 제우스 혼자 북 치고 장구 치지는 않았을 것이다. 뮤지컬이나 발레로 자주 상연되는 〈카르멘〉의 저자 프로스페르 메리메는 "입을 꽉 다물고 있는데 파리가 들어갈 턱이 있나."라고 말하지 않았던가! 먼저 추파를 던진 건 제우스였겠지만 처녀들도 앞다투어 입을 벌리지 않았나 싶다.

한편, 제우스가 백조로 변신해서 레다와 동침한 일은 나중에 예상치 못한 후환을 낳게 된다. 레다가 낳은 알 두 개에서 자식 넷이 나왔는데, 아들 둘은 강간을 저질렀다가 십이궁도 가운데 쌍둥이자리가 된다. 그리고 딸 둘은 고대 그리스 비극에서도 악명 높은 클리타임네스트라와 헬레네였다. 헬레네는 천년 왕국 트로이의 멸망을 초래했고, 클리타임네스트라는 아이기스토스와 눈이 맞아서 남편 아가멤논을 목욕탕에서 살해했다. 히치콕 감독이 샤워 장면 살인 모티프를 여기서 배운 게 아닐까 싶다.

레다가 긴 모가지를 가진 백조와 사랑을 나누는 장면은 무척 로맨틱하게 보이지만 엄격히 말하자면 수간이다. 수간이라면 크레타의 파시파에를 빼놓

〈파시파에에게 암소 모형을 보여주는 다이달로스〉, 60~79년, 폼페이 베티이의 집 벽화, 나폴리 국립고고학박물관.

을 수 없다. 미노스 왕의 아내 파시파에는 포세이돈이 선물한 아름다운 황소를 보는 순간 욕정에 불타오른다. 그리고 욕정은 비극을 잉태한다. 때마침 아테네에서 조카를 죽이고 도주한 다이달로스가 크레타의 궁정에 와 있던 것도 몹쓸 우연의 장난이었다. 폼페이 베티이의 집에서 나온 벽화에는 다이달로스가 암소 모형을 완성해서 여왕 파시파에에게 대령하는 장면이 재현되어 있다. 뚜껑을 여닫을 수 있는 구조로 내부가 비어 있는 흰 암소의 모형 안에 사람이 들어가서 웅크리고 있으면 포세이돈의 황소가 암소 엉덩이 뒤쪽의 통로를 통해서 자연스럽게 삽입할 수 있으며, 부드러운 삽입을 돕기 위해 통로에는 미리 올리브 기름을 발라두어야 한다는 등 사용설명서를 장황하게 읊어대는 디아달로스의 반 대머리 뒷모습이 망명 예술가의 처량한 처지를 보여준다. 파시파에는 눈을 동그랗게 뜨고 경청하는데, 거사를 앞두고 사뭇 설레는 표정이다. 벽화의 관전 포인트는 벽화 왼쪽 앞에 앉아서 망치를 휘두르는 꼬마이다. 꼬마는 지금 긴 막대자에 눈금을 치는 중이다. 눈금자는 만들어서 어디다 쓸 요량일까? 아마 흥분상태의 황소 거시기의 길이를 측정하고 또 암소 모형 안에 웅크리고 앉게 될 여왕 파시파에의 위치와 거시기의 깊이를 재서 혹시 있을지도 모르는 안전사고를 예방하고 제품만족도 향상에 만전을 기할 목적으로 눈금자의 용도를 해석하면 정확할 것이다.

파시파에는 미노타우로스를 출산한다. 사람 몸에 소의 머리가 붙은 괴물 인간 미노타우로스는 다이달로스가 설계한 미로에 유폐되어 아테네에서 공

〈파시파에와 미노타우로스〉, 기원전 340~320년, 에트루리아 불치 출토, 루브르박물관.

물로 바친 인간 제물을 씹으며 연명하다가 아티카의 영웅 테세우스에게 죽임을 당하는데, 남부 이탈리아 불치에서 발굴된 도기 파편에는 갓난아기 미노타우로스를 안고 '이게 웬일이지?' 하고 망연자실한 표정을 짓는 파시파에가 그려져 있다.

　욕정이 비극을 부른 사례는 또 있다. 아레스 신의 아들이자 트라키아의 왕 테레우스는 아티카의 왕 판디온의 딸 프로크네와 결혼해서 아들 이티스를 누었다. 그런데 아내 하나로는 성이 안 찼는지 젊은 처제 필로멜라에게 흑심을 품고 반항하는 그녀를 억지로 추행한다. 테레우스는 처제가 혹시 자신의 범행을 발설할까 두려워 혀를 뽑아서 자르고 숲속에 감금한다. 집으로 돌아온 테레우스는 처제가 여행 중에 죽어서 직접 매장해주었노라고 아내에게 둘러댄다. 테레우스와 프로크네 사이에는 애지중지하는 아들이 하나 있었다. 그런데 신탁이 아들 이티스가 죽을 운명이며 그것도 가까운 친지의 손에 살해당한다고 하자, 테레우스는 동생 드리아스를 의심해서 죽인다. 한편, 프로크네는 동생 필로멜라가 살아 있다는 사실을 전해듣는다. 필로멜라는 자신이 당한 일을 옷에 자수를 새겨 언니에게 보낸다. 사정을 알아챈 프로크네

좌, 상 루벤스, 〈테레우스 왕에게 이티스의 머리를 보이는 프로크네〉, 1636~1637년, 마드리드 프라
    도박물관.
좌, 하 〈파에드라와 유모〉, 20~60년, 폼페이 출토, 런던 영국박물관.
우 알카메네스, 〈프로크네와 이티스〉, 기원전 430년경, 아테네국립고고학박물관.

는 남편의 만행에 복수를 결심하고 가장 잔혹한 방법을 생각해낸다. 아들 이
티스를 요리로 만들어 테레우스에게 먹인 것이다. 식사가 끝난 뒤, 프로크네
는 아들의 머리를 남편 테레우스에게 던지며 요리의 정체를 밝힌다. 눈이 뒤
집힌 테레우스가 칼을 빼들고 아내에게 달려들자 제우스가 개입해서 이들을
모두 새로 변신시키는데, 테레우스는 매, 프로크네는 나이팅게일, 필로멜라
는 제비가 되었다고 한다. 아테네 아크로폴리스 박물관에 있는 알카메네스
의 대리석 조각은 아들 이티스를 요리 재료로 삼으려는 프로크네의 모습을
보여준다.

　이룰 수 없는 사랑의 비극도 있다. 먼저 파에드라와 히폴리토스가 떠오른

다. 라신의 희곡작품을 비롯해 영화 소재로도 여러 차례 등장했던 파에드라
는 크레타의 왕 미노스와 파시파에의 딸로, 테세우스의 두 번째 아내이다.
남편 테세우스는 일찍이 아마존 여왕 히폴리테와의 사이에서 아들 히폴리토
스를 낳은 적이 있는데, 파에드라가 그만 사랑에 빠진 것이다. 새엄마가 배
다른 아들을 사랑하게 된 것이다. 히폴리토스는 끝내 거부하고 파에드라의
짝사랑은 분노로 바뀌어 그녀는 아들이 자신을 겁탈했다는 편지를 남기고
자살한다. 히폴리토스는 아버지로부터 도망치다가 테세우스의 부탁을 받은
포세이돈에 의해 죽는다. 신화의 다른 판본에서는 줄거리의 전후관계가 바
뀌기도 한다. 파에드라 주제는 다수의 모자이크와 벽화가 남아 있는데, 대개
사랑에 눈먼 파에드라가 앉아서 양아들을 후릴 계략을 궁리하고 그 옆에 시
녀가 서서 조언을 하는 장면이 일반적이다

　딸이 아버지를 사랑한 경우도 있다. 아도니스의 어머니 미라가 그 주인공
이다. 미라는 아시리아 왕 키니라스의 외동공주였다. 그런데 어머니 켄크레
이스의 입방정이 말썽이었다. 딸 미라가 아프로디테보다 더 아름답다고 떠
들어대자 아프로디테가 저주를 내려서 미라의 눈에 아버지 이외에는 어떤
남자도 들어오지 않게 만든 것이다. 여기까지는 히기에누스 미토그라푸스의
기록이다. 오비디우스는 조금 다르게 설명한다. 미라는 키프로스 왕 키니라
스의 딸로 등장하는데, 여기서도 아버지에 대한 이루지 못할 사랑으로 몸살
을 앓는다. 그러다가 자살을 결심한 순간 유모가 나서서 계책을 낸다. 아내
와의 동침이 금지된 축제기간동안 아버지의 침실에 몰래 들어가라는 것이었
다. 미라는 덜컥 임신이 되었고, 키니라스는 자신을 속이고 근친상간의 죄를
저지르게 한 딸을 죽이려고 달려든다. 아프로디테의 저주로 몰약나무로 변
신한 미라는 이윽고 달이 차서 나무 옆구리가 터져 아기를 낳는데, 이 아기
가 바로 아도니스이다. 미라의 아들 아도니스는 아프로디테의 수많은 연인
들 가운데 가장 가슴을 아프게 한다. 이것을 신의 저주에 대한 인간의 복수
로 보아야 할까? 로마 에스퀼리노 언덕에 지금도 남아 있는 네로 황제의 황

금궁성 벽화는 야윈 몰약나무에서 아기 아도니스를 받아드는 아프로디테의 모습이 그려져 있다. 왼쪽에 앉아있는 여자는 고대 로마의 출산의 여신 루키나로 보인다. 미라는 단테의 신곡에도 잠시 등장하는데, 근친상간이 아니라 속임수를 썼다는 죄목으로 단죄 받는다. 이탈리아의 시성 단테 역시 말도 안되는 불륜을 밥 먹듯 했던 터라 사랑에 관해서는 동병상련의 처지를 참작해서 미라의 형량을 줄여준 것 같다.

이쯤에서 왜 그리스 신화에는 지고지순의 사랑이 없을까 의문이 든다. 꼭 그렇지는 않다. 잘 찾아보면 있다. 가령 피라무스와 티스베의 사랑 이야기는 셰익스피어의 비극 로미오와 줄리엣과 줄거리가 똑같은데, 아마 그대로 가져다 모방했을 것이다. 셰익스피어의 또 다른 희곡 『한여름 밤의 꿈』에도 피라무스와 티스베 이야기가 극중극의 형식으로 들어간 것을 보면 나름대로 고대 신화를 열심히 공부했던 것 같다. 베로나의 연인 로미오와 줄리엣의 스토리는 1908년 이후 지금까지 영화로만 마흔 차례 넘게 제작되었다고 한다. 소싯적에 1968년 프랑코 제피렐리 감독의 〈로미오와 줄리엣〉 영화를 보고

〈미라의 몰약나무로부터 태어난 아도니스〉, 네로 황제의 황금 궁성 출토, 애쉬몰리언박물관.

무결점 미인 올리비아 핫세의 청순 매력에 푹 빠졌다가 얼마 뒤 열일곱 살짜리 꼬맹이 숙녀가 담배를 피우며 인터뷰 하는 장면을 보고는 청순 미녀에 대한 환상이 깨졌던 기억이 난다. 그리스 신화에서 티스베는 처녀, 피라무스는 총각이었다. 청춘남녀의 불타는 사랑을 누가 말

리겠는가? 그러나 두 집안이 앙숙이었던 터라 남들 시선을 피해 빈들에서 몰래 만나 데이트를 하곤 했는데, 어느 날 티스베가 약속장소에 먼저 와서 기다리던 중에 사자가 나타난다. 당황해서 급히 숨느라 옷을 챙기지 못했는데 그걸 사자가 이빨로 물어뜯고는 사라져버렸다. 뒤늦게 약속장소에 도착한 피라무스는 연인의 찢어진 옷과 사자 발자국을 발견하고는 비탄에 젖어 자결하고 만다. 티스베가 사자 밥이 되었다고 오해한 것이었다. 은신처에서 두려움에 떨다가 깜빡 잠이 들었던 티스베가 문득 이상한 예감이 들어 깨어나 보니 피라무스는 이미 차갑게 식은 다음이었다. 폼페이 로레이우스 티부르티누스의 집에서 나온 벽화에는 피라무스를 죽음에 이르게 한 칼을 빼들고 티스베가 제 몸을 겨누는 장면이 재현되어 있다. 티스베는 이렇게 말했다고 한다.

"가련한 그대여. 자신의 생명을 스스로 거두었군요.
나에게도 그만한 사랑과 용기가 있답니다.
지금은 내가 피를 흘릴 시간.
그대의 죽음을 불렀던 나는 이제 그대의 동반자가 되렵니다.
죽음이 그대를 나로부터 떼어놓았지만,
나는 죽음을 통하여 그대에게 달려갑니다."

〈피라무스와 티스베〉, 서기 1세기, 폼페이 로레이우스 티부르티누스의 집, 보나미술관.

연인의 피가 오디나무를 붉게 물들였고, 원래 흰색 열매를 맺던 오디나무들이 그 다음부터 일제히 붉은 열매를 맺기 시작했다고 한다.

지고순정파로 치자면 오르페우스도 뒤지지 않는다. 오르페우스는 헬리콘 산에 산다는 뮤즈 칼리오페의 아들이다. 에우리디케가 독뱀에게 뒤꿈치를 물려서 죽자, 명부까지 찾아가서 음악 연주로 하데스를 감동시킨다. 오르페우스의 연주를 듣고 바위와 악령 조차 눈물을 흘렸다고 하니 틀림없이 비가를 연주했던 모양이다. 그러나 지상으로 귀환하는

〈오르페우스와 에우리디케의 작별〉, 기원전 5세기, 원작의 모각, 나폴리 국립고고학박물관.

길에 하데스와의 약속을 어기고 뒤돌아보는 바람에 에우리디케는 다시 명부로 돌아가고 만다. 나폴리 국립고고학박물관의 부조는 연인과의 두 번째이자 마지막 이별을 다루고 있다. 왼쪽은 저승사자 역할을 하는 영혼의 안내자 헤르메스, 중앙과 오른쪽 인물은 에우리디케와 오르페우스이다. 두 사람은 감정을 자제하고 다만 애처로운 눈빛과 손짓을 교환하며 아쉬운 작별을 나눈다. 서로 마주선 두 사람의 옷주름에서 비극의 여운이 느껴진다. 귀환을 재촉하며 에우리디케의 팔을 잡아끄는 헤르메스의 손길이 야속하다. 고전기 조각가는 격정을 과장된 몸짓으로 표현하는 대신 연인들의 간결한 도상을 통해 사무치는 감정을 내면화시키고 있다.

르네상스 피렌체 화가 보티첼리가 그린 〈비너스의 탄생〉과 〈프리마베라〉에는 플로라로 변신한 요정 클로리스가 나온다. 클로리스의 주제는 서기 1세

기 폼페이 벽화에서도 등장한다. 오비디우스의 『파스티』에 따르면 요정 클로리스는 어느 봄날 자신을 좇는 서풍 제피로스의 드센 기운을 당하지 못하고 겁탈 당한다. 그러나 몸과 마음의 고통스런 상처를 극복하고 제피로스를 용서하기로 했는데, 그녀의 위대한 사랑에 감동한 신들이 요정 클로리스를 꽃의 여신 플로라로 변신시켰다는 것이다.

〈아드메토스와 알케스티스〉, 서기 1세기, 폼페이 비극시인의 집 출토, 나폴리 국립고고학박물관.

헌신적 사랑은 그리스 신화에서 무척 드물다. 그 가운데 알케스티스의 일편단심이 유독 돋보인다. 알케스티스는 테살리아 페라이의 왕 아드메토스의 아내였다. 알케스티스의 아버지 펠리아스가 딸을 데려가는 조건으로 사자와 멧돼지가 끄는 수레를 이올코스까지 몰고 오라고 얼토당토않은 요구를 하는데, 아드메토스는 보란 듯이 임무를 완수한다. 듬직한 남편감이 아닐 수 없다. 아폴론이 그의 임무수행을 도왔다고 한다. 에우리피데스의 『알케스티스』를 보면 착한 아내와 행복하게 잘 살던 아드메토스 왕에게 갑자기 불운이 닥친다. 아르테미스 여신의 미움을 받고 죽을 운명에 처해진 것이다. 그때 다시 아폴론이 개입한다. 아폴론은 운명의 여신들에게 간청해서 누군가 아드메토스를 대신해서 죽어줄 사람이 나타나면 그와 생명을 맞바꿀 수 있게 만들었다. 폼페이 비극시인의 집 벽화는 오른쪽 뒤에서 아폴론과 아르테미

스가 지켜보는 가운데 앞쪽 전령이 아드메토스 왕에게 닥친 운명을 전해준다. 아드메토스는 검은 옷을 걸치고 앉아 있고, 그 옆에 아내 알케스티스가 보인다. 뒤쪽에 서 있는 두 노인은 아드메토스의 부모이다. 전령의 소식을 들은 아드메토스는 안도한다. 늙은 부모님은 여생도 별로 안 남았으니 기꺼이 대신 나서줄 것이라

〈디오니소스와 아리아드네〉, 기원전 400~375년, 테베 출토, 루브르박물관.

고 믿었던 것이다. 그러나 늙은 호박이 달고 묵은 간장이 맛있다고, 노년의 행복을 즐기던 아드메토스의 부모는 아들을 위해 희생할 마음이 티끌만큼도 없었다. 바로 그때 아내 알케스티스가 나서서 자신의 목숨을 버리고 남편을 구한다. 나중에 헤라클레스가 죽음의 신 타나토스와 싸워 이기면서 알케스티스의 영혼을 회수하고 이야기는 해피엔딩으로 끝난다.

테세우스가 낙소스 섬에 버리고 간 아리아드네를 포도주의 신 디오니소스가 발견하고 아내로 삼은 이야기도 감동적이다. 크레타의 미로에서 살아 돌아올 수 있도록 실타래를 건네준 아리아드네는 말하자면 테세우스에게 생명의 은인인 셈이다. 크레타의 공주가 사지에 빠진 아테네의 왕자를 도왔으니 아리아드네는 그리스판 낙랑공주였던 셈이다. 부모 동기 다 버리고 남자 하나 믿고 따라나선 아리아드네를 귀찮은 혹 덩어리 떼듯이 낙소스 섬에다 떨구고 달아났으니 테세우스의 몹쓸 인간성을 짐작할 수 있는 대목이다. 아리

아드네는 절망감과 배신감으로 치를 떨었을 것이다. 님이 떠나간 야속한 수평선을 바라보며 울다 지쳐 잠든 그녀를 발견한 것은 다름 아닌 디오니소스. 포도주의 신답게 디오니소스는 여자는 자고로 과거를 물어서는 안 된다며 아리아드네를 아내로 맞아들인다. 술잔 그림이나 혼주기 크라테르의 장식그림에 자주 등장하는 디오니소스와 아리아드네는 침대에 비스듬히 기대 누워서 술잔을 권커니 자커니 하는 모습이다. 둘은 우애 있게 금슬 좋은 부부로 해로했던 모양이다. 그런데 아리아드네가 디오니소스의 눈에 들었던 이유가 무엇일까? 술기운이 들어가면 여자 미모가 레벨업 되어 보이는 착시효과 때문이 아니었을까?

기원전 600년경 그리스 레스보스 섬의 여류시인 사포는 사랑을 노래하면서 사랑의 신 에로스를 무섭고 끔찍한 존재로 그린다. 도저히 저항할 수 없

좌 리시포스, 〈활을 든 에로스〉, 서기 2세기, 로마 카피톨리노박물관.
우 〈나르키소스〉, 서기 1세기, 폼페이 옥타비우스 콰르티오의 집.

고 또 이길 수 없는 상대라는 것이다. 사랑에 빠지면 우리는 열병을 앓는다. 사포의 표현대로라면 "에로스는 사지를 부수고 고문한다." 에로스의 위력 앞에서 "영혼이 길을 잃고 말을 듣지 않는다." 까까머리 중고등학교 시절에 짝사랑의 저주에 빠져본 사람이라면 사포의 고백을 십분 이해하고도 남을 것이다.

나르키소스를 짝사랑했던 에코의 심정이 그렇지 않았을까? 보이오티아 테스피아이 출신의 아름다운 사냥꾼 나르키소스는 제 얼굴을 보는 순간 죽는다는 신탁에 따라 거울 없이 살았다. 그러나 어느 더운 여름날 사냥에 지쳐 샘가를 찾은 그는 마침내 물거울에 비친 아름다운 얼굴을 발견하고 사랑의 저주에 빠진다. 물속의 연인을 짝사랑하게 된 것이다. 입맞춤을 하려고 다가가면 거친 숨소리가 만든 물주름이 연인의 모습을 흩어놓았다. 결국 나르키소스는 변덕스런 연인을 멀찌감치 바라보며 애끓는 가슴을 치다가 죽고 만다. 그의 시신에서 수선화가 피어났다고 한다. 메아리의 여신 에코는 그런

좌 〈폴리페모스와 갈라테아〉, 서기 1세기, 폼페이 채색 주두의 집 벽화.
우 〈살마키스와 헤름아프로티노스〉, 1480년경, 오비디우스의 『변신이야기』 판본 삽화, 파리국립도 서관.

나르키소스를 멀리서 훔쳐보며 짝사랑하다가 돌산이 되었다고 한다. 돌산에서 특히 메아리가 잘 울리는 까닭을 알 것 같다.

폴리페모스가 갈라테아를 짝사랑한 사연도 씁쓸한 결말로 끝난다. 포세이돈의 아들이자 외눈박이 거인족 괴물 폴리페모스는 오디세우스 일행을 괴롭히다가 한 눈마저 잃어버리는 주인공으로 알려져 있다. 평소 바다 요정 갈라테아를 연모해서 파도를 지치는 그녀를 볼 때마다 멀리 해안가에 서서 멱따는 소리로 노래를 부르거나 춤을 추며 시선을 끌기 위해 애쓰지만 마음을 얻지 못한다. 폼페이 채색 주두의 집에서 발견된 벽화에서는 외눈박이 괴물이 갈라테아와 끌어안고 있다. 그러나 문헌기록은 조금 다르다. 신화작가 오비디우스는 갈라테아가 파우누스의 아들 알키스와 몰래 양다리를 걸쳤다가 경을 치는 것으로 설명하고, 다른 작가들은 폴리페모스를 연인에게 조롱받는 우스꽝스러운 캐릭터로 그리고 있는 것이다. 둘이 맺어지지 못한 것도 이해가 간다. 대왕쥐 뉴트리아가 앙증맞은 햄스터에게 추근거리는 격이었으니, 거인족으로부터 청혼을 받은 갈라테아로서도 당혹스러웠을 것이다.

짝사랑을 적극적으로 해결한 사례도 있다. 카리아 할리카르나소스 인근의 샘의 요정 살마키스는 열다섯 살 먹은 새파란 헤름아프로디토스를 좋아해서 사랑을 고백하지만 거절당한다. 실의에 빠졌던 살마키스는 헤름아프로디토스가 여행 중에 우연히 자신의 샘에 몸을 담그자 기회를 놓치지 않고 다짜고짜 부둥켜안는다. 얼마나 막무가내였던지 두 사람이 한 몸을 이루고 떨어질 줄 몰랐다는데, 결국 한 몸뚱이에 남녀 양성을 갖춘 존재로 변했다고 한다. 루브르박물관, 에르미타주박물관, 로마 국립로마노박물관에 가면 누워서 잠든 헤름아프로디토스에서 처녀의 봉긋한 젖가슴이 달린 상체와 토종 제주 당근 크기의 남성기가 달린 아랫도리를 확인할 수 있다.

여기서 헤름아프로디토스는 아프로디테와 헤르메스와 불이 붙어서 낳은 자식이라고 한다. 아프로디테는 또 디오니소스와 연애를 하다가 프리아포스를 낳는다. 고대의 풍요와 다산의 상징으로 크게 인기몰이를 했던 프리아포스는 일반적으로 거대한 남성기를 자랑한다. 남성기를 편의상 '주전자 주둥이'로 부르기로 하자. 고대의 화가와 조각가들은 프라아포스를 자신의 것을 저울에 달아서 무게를 재기도 하고, 올리브기름으로 마사지를 하는 등 정성을 쏟는 모습으로 상상했다. 프리아포스는 벽화뿐 아니라 테라코타, 대리석 등으로도 다수 제작되었고, 청동제 등잔 장식물로도 무척 흔했다. 보통은 팔뚝 사이즈의 주전자 주둥이가 하나지만, 예외적으로 두 개를 달고 있는 경우도 있다. 아마 앞뒤를 가리지 않고 동시에 공략하기 위한 것으로 보이는데, 특별한 체위가 요구되었을 것으로 생각된다. 요정 로티스(lotis)는 잠을 자는 도중에 프리아포스가 달려들자 그의 거대한 주전자 주둥이를 보고는 놀라서 급히 밀쳐내고 도망치다가 이래 죽나 저래 죽나 매한가지란 심정으로 물에 뛰어들어 연꽃(lotus)으로 변신했다고 전해진다.

악타이온도 나르키소스처럼 사냥을 나갔다가 죽는다. 아폴론의 손주로 알려진 악타이온은 사냥의 여신 아르테미스 여신이 목욕하는 장면을 우연히

〈잠든 헤름아프로디토스〉, 루브르박물관(고대 그리스의 원작을 서기 2세기에 모각, 매트리스는 16세기에 베르니니가 복원).

좌 〈성기를 황금의 무게에 달고 있는 프리아포스〉, 서기 1세기, 폼페이 베티이의 집 벽화.
우 〈두 개의 성기를 가진 프리아포스〉, 서기 1세기, 폼페이 창녀의 집 벽화.

목격한 죄로 저주를 받게 된다. 머리에 뿔이 돋아서 사슴으로 변신한 악타이온은 자신이 몰고 다니던 사냥개들의 밥이 되었다고 한다. 사냥꾼이 사냥감이 되어 죽은 것이다.

활의 명수 아폴론이 제우스 못지않은 바람둥이였다는 사실은 다소 뜻밖이다. 역시 외모로만 판단할 것이 아니라는 생각이 든다. 아폴론은 아름다운 아홉 뮤즈를 거느리고도 모자랐던 걸까? 히아신스 꽃으로 변신한 히아킨토스나 사이프러스 나무로 변신한 키파리소스는 모두 미소년으로 아폴론의 사랑을 받았다. 잘 나가는 아폴론도 입맛만 다시고 끝난 적이 있었다. 강의 신 페네이오스의 딸 다프네에 눈독을 들이고 기회를 포착했지만, 도망치는 그녀를 붙잡는 순간 월계수 나무로 변신하고 만 것이다. 나무와 사랑을 나눌 수는 없는 일. 손가락에서 나뭇가지와 잎이 돋고, 발톱에서 뿌리가 자라며, 몸은 수목의 껍질로 덮이면서 요정 다프네의 모습은 사라지고 말았다. 그런데 변신의 순간 아폴론은 아직 처녀의 젖가슴이 남아 있는 것을 보고 다급한 마음에 덥석 움켜쥔다. 그러나 아폴론의 손끝에 닿은 것은 거친 나무껍질이었고, 그 밑으로부터 놀란 처녀의 두근대는 심장고동의 떨림이 그의 손끝에서 울렸다고 한다.

델로스 섬에서 발굴된 〈아프로디테와 판〉은 아프로디테 여신이 목욕을 준비하려는 순간 몰래 풀숲에 숨어서 훔쳐보던 판이 달려들어 공격을 감행한다는 설정이다. 옛날 여자들은 쪼그리고 앉은 자세로 몸을 씻었다. 그런데 아닌 밤중에 느닷없이 홍두깨가 들이닥치자 놀란 아프로디테 여신은 벌떡 일어나서 허벅지 붙이고 두 팔로 몸을 가리며 방어 자세를 취한다. 그런데 판이란 놈은 포기를 모르고 여신의 팔뚝을 잡아채며 용을 쓴다. 반인반수의 흉측하게 생겨먹은 제 주제는 생각하지도 않고 신들 가운데 가장 아름답다는 미의 여신에게 무작정 들이대다니 보통 뱃심이 아닌 것 같다. 그러다 결국 여신한테 슬리퍼로 귓쌈을 맞는다는 내용이다. 위쪽에서는 아기 에로스가 자기 슬리퍼를 휘두르며 거들고 있다. 그런데 아프로디테와 판이 밀고 당기며 달라 못 준다 아웅다웅하는 내용은 호메로스 이후 어떤 신화기록에도 없다. 이건 순전히 델로스의 조각가가 뚱딴지같은 마초적 상상으로 지어낸 창작물이다. 고전기 도기화가 엑세키아스 이후 많은 예술가들이 문헌기록에 얽매지 않는 자유로운 창안과 상상을 보여주고 있다. 예술가들이 꼭 기록대로만 작업했더라면 미술이 퍽 건조하고 심심했을 것이다.

여자 알몸 훔쳐보기의 주제라면 헤로도토스가 기록한 리디아의 왕 칸다울레스 이야기를 빼놓을 수 없다. 모든 것을 다 소유한 칸다울레스 왕은 세상에 남부러울 것이 없었지만, 단 하나 아쉬운 일이 있다면 눈부신 명품 몸매를 갖춘 왕후의 알몸을 혼자만 감상해야 한다는 것이었다. 그러던 어느 날 심복 기게스를 불러 아내가 침실에서 옷을 벗을 때 몰래 몸을 숨기고 보라고 요구한다. "듣는 것보다 보는 것이 더욱 미덥기 때문에 말로만 듣는 것보다 직접 보아야 한다."는 왕의 명령을 거역할 수 없었던 기게스는 왕후의 알몸

좌, 상 〈악타이온의 죽음〉, 기원전 470년경, 보스톤 조형예술박물관.
좌, 하 〈아폴론과 다프네〉, 서기 3~4세기, 빌라 토레 델 팔마 출토, 리스본 국립고고학박물관.
우 프락시텔레스, 〈아프로디테와 판〉, 서기 100년경, 델로스 출토, 아테네 국립고고학박물관.

을 훔쳐보고야 만다. 플라톤은 『국가』에서 기게스가 몸을 안 보이게 만드는 투명반지를 끼고 침실에 숨어들었다고 기록하고 있다. 여기까진 좋았는데, 기게스는 나가는 뒷모습을 왕후에게 들키고 만다. 전후사정을 파악한 로도페는 자신에게 치욕과 모욕을 선물한 남편의 못된 계획에 보복을 결심한다. 그녀는 기게스에게 오직 왕만이 자신의 알몸을 볼 수 있으니, 죽임을 당하든지 또는 칸다울레스 왕을 죽이고 스스로 왕이 되든지 양자택일하라고 다그친다. 결국 기게스가 왕위에 올라 왕후를 차지하는 것으로 이야기가 정리된다. 칸다울레스 왕은 타자의 시선을 통한 대리 노출과 변태적 관음증을 즐기다가 결국 아내 잃고 제 목숨 잃고 왕국까지 털리는 일타삼피의 비극을 맞게된 셈이다.

　세월 앞에 장사 없다는 말이 있다. 사랑도 시간의 무자비한 발톱 앞에서는 무력하다. 죽네 사네 사랑에 빠졌다가도 곧바로 싫증내고 변덕을 부리게 되는 걸 보면 새삼 갱년기 우울증이 무섭다는 생각이 든다. 그리스의 신들도

장 레옹 제롬, 〈칸다울레스와 기게스〉, 1859년, 푸에르토리코.

갱년기를 혹독하게 겪었던 모양이다.

새벽의 여신 에오스가 그랬다. 에오스는 라오메돈의 아들인 미소년 티토노스를 사랑했다. 얼마나 좋았던지 따로 제우스에게 부탁해서 인간 티토노스를 불사의 몸으로 만든다. 그런데 영생과 함께 영원한 청춘을 같이 부탁한다는 것을 깜빡 잊은 것이 실수였다. 세월이 갈수록

두리스, 〈에오스와 멤논〉, 기원전 490~480년, 카푸아 출토, 루브르박물관.

늙고 쪼그라드니, 에오스는 티토노스에게 정이 떨어지고 말았다. 사랑에도 유효기간이 있다는 옛말이 생각난다. 결국 티토노스는 매미로 변신해서 나무에 달라붙어 죽도록 울어대게 된다. 한편, 에오스가 낳은 아들이 멤논이다. 라오메돈의 손주니까 트로이 왕 프리아모스의 조카이다. 멤논은 에디오피아를 통치하다가 삼촌을 돕기 위해 트로이 전쟁 마지막 해에 헥토르가 전사한 직후 내규모 선단을 이끌고 참여한다. 어머니 에오스의 비호로 전쟁터에서 승승장구하던 멤논은 수많은 전과를 세우고 또 안틸로코스까지 죽인다. 안틸로코스는 아가멤논 왕의 지혜로운 책사 네스토르의 맏아들이었다. 네스토르는 아들이 멤논의 손에 죽자 아킬레우스에게 눈물로 복수를 간청하여 마침내 두 영웅의 맞대결이 이루어진다. 델피의 시프노스 보물신전을 장식한 아케익 시대의 부조에는 아킬레우스와 멤논의 전투 장면이 새겨져 있는데, 이 도상은 도기화가들에 의해 광범위하게 수용되었다. 표면적으로는 아킬레우스와 멤논의 싸움이었지만 그 배후에는 제 아들을 응원하는 테티스와 에오스의 대결구도가 숨어 있다. 한편, 이집트 룩소르의 왕들의 계곡 근

좌 펜테실레아 화가, 〈아킬레우스와 펜테실레아〉, 기원전 470~460년, 불치 출토, 뮌헨 고대도기
수집실.
우 티미디아데스 화가, 〈폴릭세나의 죽음〉, 기원전 570~550년, 런던 영국박물관.

처에도 멤논 거상이 있는데, 이건 아메노피스 3세(이집트에서는 아메노테프
3세)의 좌상이 잘못 알려진 것이다.

도기화가 두리스가 제작한 술잔그림에는 아킬레우스에게 죽임을 당한 멤
논을 안아든 에오스가 보인다. '고대의 피에타'로 불리는 적색상 도기화의
수작이다. 아들의 주검을 내려다보며 에오스가 탄식하자 그녀의 다른 아들
들, 곧 바람의 신들이 나타나 적군으로부터 멤논의 시신을 수습한다. 어머니
에오스가 대지에 흩뿌린 슬픔의 눈물은 아침 이슬이 되었다고 한다.

펠레우스와 테티스의 아들 아킬레우스도 연애에는 도가 튼 인물이었다.
그 가운데 아마존의 여왕 펜테실레아와의 사랑이야기는 호메로스를 읽을 때
마나 가슴이 아려온다. 트로이를 도우러 출정한 펜테실레아는 군신 아레스
의 딸답게 빼어난 무공으로 그리스 군을 초토화한다. 그러나 아킬레우스의
일격에 펜테실레아의 운명도 끝난다. 뮌헨의 고대 도기 수집실에 있는 펜테
실레아 화가의 도기작품을 보면 숨이 꺼져가는 마지막 순간, 이루지 못할 애
절한 사랑의 눈빛을 나누며 진심을 교환하는 두 남녀 영웅의 극적인 만남과
이별의 순간이 실감나게 표현되어 있다. 독일 극작가 하인리히 폰 클라이스

트의 『펜테실레아』도 읽어둘 만한 고전이다. 위-아폴로도루스와 파우사니아스의 기록을 보면 아킬레우스가 적장 펜테실레아의 시신을 끌어안고 비통해하자 옆에서 그 광경을 보고 그리스 장군 테르시테스가 남자답지 못하다고 비웃었는데, 이에 분노한 아킬레우스는 그 자리에서 동료 장군을 숨통을 끊었다고 한다.

치마 두른 여자라면 아군 적군을 안 가리는 아킬레우스는 폴릭세나가 샘가에 물 뜨러 온 모습을 보고 한 눈에 반해서 청혼을 하기도 한다. 폴릭세나는 아킬레우스의 손에 죽임을 당한 헥토르의 여동생이다. 오라비를 죽인 원수가 자기를 사랑한다며 구혼하니 폴릭세나도 어이가 없었을 것이다. 그러나 연애박사들이 대개 그렇듯이 아킬레우스의 입담은 청산유수였다. 트로이의 공주와 그리스 최고의 전사가 맺어지면 더 이상 쌍방의 희생자 없이 지겨운 전쟁을 바로 끝낼 수 있다는 왠지 설득력 있는 논리에 넘어가서 폴릭세나는 아킬레우스의 데이트 신청을 받아들인다. 그러나 결국 아킬레우스는 제 꾀에 제가 넘어가서 데이트 장소에 매복한 파리스가 쏜 화살을 발뒤꿈치에 맞고 사망한다. 불세출의 영웅이 사랑에 눈이 멀어 죽은 셈이다. 런던 영국박물관의 티미디아데스 화가의 도기그림에는 희생 제물로 바쳐지는 폴릭세나의 모습이 보인다. 아킬레우스의 아들 네오프톨레모스가 칼로 그녀의 목을 찔러서 피를 빼고 있다. 네오프톨레모스는 아킬레우스가 생전에 사랑한 마지막 연인 폴릭세나를 죽여서 레우케 섬의 무덤에 함께 부장함으로써 아버지의 죽음을 위로한다. 그 후 뱃사람들이 레우케 섬을 지날 때면 낮에는 칼과 창과 무구가 부딪히는 소리가 요란하고, 밤이면 아킬레우스가 동료와 연인들과 어울려 술잔 부딪치는 소리가 떠들썩하게 들려왔다고 한다.

제우스와 알크메네의 아들 헤라클레스는 낮에는 괴물과 악당 사냥꾼으로 명성이 높았지만, 밤에는 신과 인간과 영웅들을 통틀어서 헬라 최고의 정력왕이었다. 테스피우스의 왕의 궁정에서 한꺼번에 50명의 공주님을 임신시켜서 50명의 아들을 만들었던 일은 고대의 내로라는 난봉꾼들의 로망이었

모로, 〈헤라클레스와 테스피우스 왕의 50명의 딸들〉, 1853년,
귀스타브 모로 박물관.

다. 그것 빼고도 공식적인 아내가 서른 명이 넘었고, 동성의 애인도 두었다. 주민센터에서 가족관계증명서를 떼면 책 한 권 분량쯤 되었을 것이다. 한편, 풍요의 뿔 '코르누 코피아'도 그의 작품이라고 한다. 데이아네이라를 차지하기 위해 변신괴물 아켈로오스와 다툴 때 헤라클레스가 괴물의 거대한 뿔을 분질러서 강가에 던졌는데, 그것이 오랜 시간이 지나 말갛게 씻기고 속이 텅 비어 굴러다니는 것을 요정들이 과일과 열매를 채워 풍요의 뿔로 만들었다는 것이다.

시도 때도 없는 연애질이라면 판과 사티로스 마이나스가 벌이는 질퍽한 난교를 따를 수 없다. 헤라클레스가 정력 왕이라면 판과 사티로스는 발기 왕이다. 이들은 디오니소스를 추종하며 산과 들에서 광취의 축제를 벌인다. 에우리피데스의 희곡 『바쿠스의 여인들』에는 이들의 열정적이면서 나른한 일상을 짐작할 수 있다. 프랑스 시인 스테판 말라르메는 '목신의 오후'에서 노래한다.

> "… 내 너를 찬미하노라, 오 처녀들의 분노여.
> 내 불의 입술을 피하여 미끄러지는 나신 그 성스런 짐의
> 오 사나운 환락이여, 한 줄기 번개가 전율하는가!

좌 마크론, 〈사티로스와 마이나스〉, 기원전 480년경, 뮌헨 고대도기 수집실.
우 〈판과 헤름아프로디토스〉, 서기 1세기, 폼페이 디오스쿠리의 집 출토, 나폴리 국립고고학박물관.

육체의 은밀한 공포를 내 입술은 마시니,

무정한 여자의 발끝부터, 수줍은 여자의 가슴까지..." (황현산 옮김)

　목신들은 상대가 마땅찮으면 염소나 사슴을 탐하기도 하고 헤름아프로디
테에게 달려들기도 한다. 이런 주제들은 고대의 화가 조각가들에게 생동감
넘치는 주제를 제공했고 실제로 술집, 식당, 목욕탕을 장식했다. 욕망을 맘껏
발산하고 구가하는 이들을 보면 딱하기도 하고 부러우면서 질투도 난다. 욕
정에 몸부림치며 동물적 사랑을 나누는 이들을 보면, 인간에 내재한 원초적
욕망의 회로를 바로 빼어서 이들로 형상화한 세 아닐까 하는 생각이 든다.

노성두

학력

한국외국어대학교 독일어과

독일 쾰른대학교 미술사 석사

독일 쾰른대학교 미술사, 고전고고학 이탈리아 어문학 박사

미술사학자

논문, 저서

『예술의 거울에 역사를 비춘 루벤스』

『고흐 마음을 담은 그림 편지』

「서양미술에 나타난 악마의 도상연구」, 『미술사학보』 제34집

「사원소와 조형예술 : 미켈란젤로의 〈아담과 창조주〉에 나타난 도상연구」, 『카프카연구』 제18집

관심분야

서양미술사, 미술관, 명화

인상주의, 빛을 열망한 화가들

정금희

인상주의, 빛을 열망한 화가들

정금희

1. 인상주의 탄생과 사회 분위기

1789년 프랑스 대혁명 이후 19세기에 접어든 프랑스는 여러 차례 정치적 시행착오를 거치는 가운데 경제, 사회적으로 변화하기 시작하였다. 1870년에는 제2제정이 붕괴되었고 그로부터 5년 후 제3공화정이 세워지면서 민중의 원조를 바탕으로 뚜렷한 진보와 개혁을 구축하며 점차 민주적인 중산층을 중심으로 문화가 생성되었다.[1] 이 무렵 파리에는 오스만의 도시계획이 시행되었다. 나폴레옹 3세에 의해 파리 지사로 임명된 오스만은 위생설비나 시설, 도로 등 낡은 건물과 시설을 새롭게 단장하며 도로를 확장했으며, 이를 중심으로 카페, 음식점, 극장들이 즐비하며 늘어서기 시작했다. 도시는 활기찬 모습으로 변모되었고 인구는 두 배로 증가하였다. 이런 사회 분위기속에서 새로운 미술 경향을 추구하며 인상주의가 나타났다. 인상주의는 부

---

1) 휘트니 채드윅, 김이순 역, 『여성 미술 사회』, 시공사, 2006, p.288.

좌 마네, 〈풀밭 위의 식사〉, 1863, 오르세미술관.
우 모네, 〈인상 해돋이〉, 1873, 마르모탕미술관.

르주아 삶을 중심으로 이들의 일상생활을 주제로 삼아 사회가 용인했던 범주 안에서 질서와 규범을 회화에 반영하였다.

인상주의 회화 운동은 르네상스 이래 줄기차게 뻗어 오른 근대정신의 정점에 선 예술 운동으로 마네(Manet)와 모네(Monet)를 주축으로 이뤄졌다. 이 운동은 1863년 마네가 살롱전에 〈풀밭 위의 식사〉를 출품했으나 낙선한 데서 비롯됐다. 이 사건을 계기로 심사에 문제가 있다는 여론에 의해 '낙선 전람회전'이 개최되었다. 그리고 2년 후 1865년에 출품한다. 그러나 이번에는 여성 모델에게 부여된 성적인 매력이 문제가 되었다. 그녀가 매춘부처럼 느껴진다는 격렬한 비난이 제기된 것이다. 이때부터 마네를 비롯해 그와 뜻을 같이 하는 르누아르(Renoir), 드가(Degas), 모네, 세잔(Cezanne) 등 젊은 화가들이 몽마르트(Montmartre)에 있는 카페 '게르보아'에 모이기 시작했다. 이들은 매주 금요일이면 이곳에서 토론을 하면서 새로운 미학의 체계를 이루어 인상주의 형성에 기여하였다.

인상주의는 1874년 사진작가 나다르(Nadar)[2]의 스튜디오에서 처음으로 전시가 개최됐는데,[3] 이 당시 루이 르루아(L. Leroy)는 모네의 〈인상 해돋이〉를 보고 〈르 샤리바리(Le Charivari)〉지에 '인상파'란 단어를 처음 사용했다. 그는 당시 이 글에서 인상주의에 대해 비판적 견해를 피력했다. 이때부터 인상파란 명칭이 사용되었다. 〈인상 해돋이〉는 르 아브르(Le Havre) 항구에 떠오르는 아침 해의 모습을 유연한 붓놀림과 투명한 색을 사용하여 순간 포착해 그린 작품이다. 새벽의 푸른빛이 아직도 완연한 가운데 화면 중앙에 두 채의 선박이 단순화된 형태로 그려졌다. 앞쪽의 배는 짙은 색으로 칠해 원근감을 살렸으나 뒤쪽에 자리한 배와 돛대, 연통의 디테일은 안개에 의해 흐릿하게 보인다. 그러나 막 떠오른 붉은 태양을 부각시키면서 황홀한 느낌의 황색이 옅은 새벽의 청색을 지워가는 찬란한 아침 바다가 잘 묘사되었다. 회색빛 색조 위로 반사되는 햇빛은 한순간의 인상을 포착하여 간결하고 대담한 오렌지 빛의 붓놀림으로 자연의 색채에 새로운 의미를 부여하고 있다. 아르망 실베스트르(A. Sylvestre)와 같은 평론가는 인상주의자들이 사물에 대한 색다른 시선을 보여주었다고 주장한다. 그는 인상의 효과를 재현했다는 점만으로도 긍정적 평가를 내린다.[4]

1883년 쥘 라포르그(J. Laforgue)는 "인상주의의 눈은 인간의 진화 중에서도 가장 진화했다."라고 표현했다. 이 말은 인상주의자들의 현실을 해석하는 방법이 혁명적이라는 것을 인정한 것이다.[5] 그는 이어 "인상주의자들은 탁월한 시각적 감수성을 가졌고 천부적인 시각을 새롭게 하여 있는 그대로 보았고, 본 그대로 순박하게 제작했다."고 정리했다.[6] 인상주의 화가들의 제작 기법은 인식과 표현 체계를 변화시켰으며 당시의 아카데미와는 다른 면모를 보여주었음을 확인시켰다.[7] 1874년에 시작된 인상주의 전시회는 제2

---

2) 나다르는 기자, 소설가, 만화를 그린 화가이며 기구 조정사와 사진작가로 활동했다. 그는 기구를 타고 프티-비세트르 상공을 비행하며 최초의 공중사진을 찍었다. 김광우, 『마네의 손과 모네의 눈』, 미술문화, 2002, p.230 참조.
3) Maurice Serullaz, L'impressionnisme, Paris, Presses Universitaires de France, 1961, p.13.
4) 실비 파탱, 송은경 역, 『모네』, 시공사, 1996, pp.38~39.
5) 바네사 가비올리, 이경아 역, 『모네』, 예경, 2007, p.58.
6) 길라 발라스, 한택수 역, 『현대미술과 색채』, 궁리, 2002, p.115.

회(1876), 3회(1877), 4회(1879), 5회(1880), 6회(1881), 7회(1882), 8회 (1886)까지 지속적으로 개최되었다.

빛의 화가들로 불리는 인상주의자들의 입장을 정리해보면 다음과 같다.

첫째, 물체의 색이 광선에 따라 시시각각으로 변화하기 때문에 자연의 대상엔 고유색이 존재하지 않는다.

둘째, 자연의 생동하는 모습을 재현하기 위하여 가급적이면 탁해진 색을 피하고 순색을 사용하였고, 색의 선명도를 위해 '색의 병치법'을 도입했다. 자연 광선에 의한 순수한 색채로 표현하고자 자유롭고 경쾌한 짧은 붓의 터치로 분할했고 이를 '필촉 분할법'이라 했다.

셋째, 인상주의 이전 화가들은 실내제작으로 인해 광선의 변화를 포착하지 못하고 관습에 의한 채색을 해왔다. 그러나 인상주의 화가들은 자연 광선이 비치는 대상을 생동감 있게 재현하기 위해 실외제작을 했다.

넷째, 신화나 전설 같은 주제들을 배격하고, 일상적인 생활에서 주제를 선택했다. 기차역 대합실에 앉아 기차를 기다리는 부인, 포플러가 늘어서 있는 시골길, 우물가에서 빨래하고 있는 아낙네들의 모습 등 일상에서 마주치게 되는 친숙하고 현실적인 소재들을 선택했다.

마네는 인상주의 대표적인 화가이며 선구자였다. 그리고 빛에 따라 대상의 색이 변화됨을 실험 제작했던 모네, 풍요롭고 화려한 필치로 여성을 그린 르누아르, 다양한 구도와 찰나를 포착해 발레리나를 그린 드가, 서민층을 주제로 거친 터치로 필력을 보인 로트렉(Lautrec), 그리고 풍경화를 주로 제작했던 피사로(Pissarro), 시슬레(Sisley) 등이 손꼽힌다. 이외 모리조(Morisot)와 카셋(Cassatt) 등 인상주의 그룹에서 함께 활약한 여성작가들이 있다.

---

7) 정금희, 「모네 회화에서 나타난 색채론」, 『한국프랑스학논집』 제65집, 한국프랑스학회, 2009, p.370 참고.

2. 화면에 빛을 반영하다

인상주의자들은 전통의 아카데미 회화를 부정했다. 이들은 지드(Gide)의 "나는 감각을 통해 느낀다. 고로 나는 존재한다."[8]라는 말을 수용하여 대상을 그대로 재현하기보다는 새로운 관점에 따라 대상의 순간적인 인상을 표현하고자 했다.

인상주의 화가들은 태양빛의 변화란 매순간 무쌍하게 진행되기 때문에 한순간이라도 동일하지 않다고 판단해 자연의 색채를 집요하게 추적해 갔다. 예를 들면 무성한 나뭇잎이 강한 햇볕에는 옅은 색으로 보여지고, 빛이 없는 어둠에서는 검은 물체로 보인다. 그러므로 같은 나뭇잎이라 해도 색채가 같다고 할 수 없다는 주장인데, 이는 슈브뢸(Chevreul)의 색채 이론을 근거로 하고 있다.

인상주의 이전 사실주의 화가들은 전통적으로 실내제작을 해왔다. 이에 따라 그들은 광선의 변화를 포착할 수가 없었으려니와 따라서 이를 작품에 담을 수도 없었다. 인상파들은 자연광선의 중요성을 깨닫고 무엇보다도 대상을 생동감 있게 재현하기 위해 작업실에서 벗어나 야외제작을 하였는데 당시로서는 새로운 시도였다. 이들은 이젤과 새로운 발명품인 이동하기 편리한 금속 튜브로 된 유화물감을 가지고 쉽게 바깥으로 나올 수가 있었다. 이러한 작가들을 '외광파'라 일컬었는데 모네를 선구자로 피사로, 시슬레, 르누아르 등을 들 수 있다.

이 작가들 중 모네는 빛에 따른 색의 변화를 실험 제작한 선구자였다. 〈풀밭 위의 점심〉은 퐁텐블로 숲을 배경으로 한 야외의 자연정경을 눈에 보이는 그대로 재현한 작품이다. 〈정원의 여인들〉 역시 야외에서 직접 제작했다. 이

---

8) Maurice Serullaz, *L'impressionnisme*, Paris, Presses Universitaires de France, 1961, p.10.

처럼 모네는 자연으로 직접 나가 하나의 주제가 시간, 계절, 대기에 따라 변화되는 현상을 연작을 통해 실험적으로 제작했다. 특히 강이나 해안, 호수 주변을 그리면서 물 위에 비친 빛의 효과를 포착하고자 형태, 색조, 리듬 및 물결과 물에 비친 반영 등을 순간적인 이미지로 재현했다. 강 표면에 비친 빛의 반사를 실제적으로 표현한 것이다. 이 외에도 짚더미, 포플러나무, 눈 쌓인 풍경, 시가지, 꽃 등 자연 소재를 선택하여 색조를 분할시키고 밝은 색채를 사용했다. 또 간략한 터치로 찰나적인 인상을 담고자 했다. 모네는 이처럼 자연을 담으면서도 단지 눈에 보이는 자연 세계만이 아닌, 인간 내부의 세계와 마음으로 느끼고 생각한 것을 진지하게 표현하고자 했다. 그는 색의 세계, 빛의 변화에 따른 자연의 순간을 포착해 자유롭고 독자적 표현 기법을 구사했다. 그리고 시간에 따라 변하는 빛의 표현을 색채로 입증하는 실험제작을 하였는데, 같은 장소에서 같은 주제를 담은 작품들만 해도 〈노적가리〉, 〈지베르니 봄 풍경〉, 〈루앙 성당〉, 〈영국 국회의사당〉 등이 있다.

모네의 초기 작품인 〈라 그르누이에르의 수영객들〉은 이 마을의 분주한 광경과 햇빛이 반영된 수면을 생동감 있게 잘 나타내고 있다. 1872년에 제

좌 모네, 〈라 그르누이에르의 수영객들〉, 1869, 런던 국립미술관.
우 모네, 〈수련연못〉, 1897~1899, 프린스대학 미술관.

작한 〈아르장퇴유의 요트 경기〉는 강가의 풍경을 배경으로 물위에 비친 빛의 반영을 표현하는데 동시대비의 법칙을 도입했다. 바다와 하늘의 푸른색과 주황색, 숲의 녹색과 빨간색의 대비는 보색을 활용한 채색이다. 집으로 보이는 건물은 빨간색과 주황색으로 대비했다. 이 그림은 변화하는 빛의 효과를 순간적으로 포착하여 경쾌하고 빠른 터치로 제작했다. 이렇게 새로운 양식을 시도했던 모네의 〈수련〉 연작을 보면 흰색과 순수 색채의 조합이 사용된 색채의 찬란한 조화로 성숙한 예술의 경지에 다다랐음을 알게 한다. 〈지베르니에 있는 연못〉은 다양한 수련과 수면에 비친 그림자, 물결과 수심의 깊이에 따라 달라지는 빛과 색채의 변화를 포착하여 제작했다. 또한 풍경 역시 시시각각 변하는 광선에 의해 달라진 색채를 구사해 인상주의 화법을 완성시켰다.

르누아르는 풍경, 정물, 부녀, 어린이, 나체를 소재로 걸작들을 남겼는데 인물의 부드러운 윤곽 처리와 화면에 감도는 아늑하고 평화스러운 분위기가 독창적이다. 그는 인상주의 화가 중 순수하고 생동감 있는 색채를 가장 잘 사용한 인물이다. 그의 색채는 시각적인 감가과 직관에 의해 채색되었다. 전경

좌 르누아르, 〈햇빛 속의 나부〉, 1875∼1876, 오르세미술관.
우 르누아르, 〈물랭 드 라 갈레트의 무도회〉, 1876, 오르세미술관.

의 대상을 강렬한 색채로, 원경은 희미한 색으로 채색하며 가급적 순색을 사용하기 위해 캔버스 위에서 혼합하였으며 마르기 전에 색을 덧칠하는 기법을 구사했다. 그는 전진하는 느낌을 주기 위해 난색을 사용하였다. 반면 파란색과 같은 한색은 후퇴하는 느낌을 주었기 때문에, 선명한 녹색이나 순수한 청색을 배경색으로 처리해 분홍색이나 금색을 돋보이게 했다.

르누아르의 만년 작품에는 색채가 미묘하게 융합하고 있어서 선묘적인 요소는 없어졌으며 대상에 대한 파악이 정확하여 생명이 약동하는 듯하다. 그의 인물화는 풍만한 여인의 육체와 윤기있는 긴 금발, 요염한 얼굴, 밝고 선명하게 묘사된 어린이 등을 담았다. 이외 파리를 비롯한 도시풍경을 자주 묘사했다.

르누아르는 모네와 자주 만나 그림을 제작했는데 센 강변 주변을 배경으로 〈라 그르누이레르〉를 함께 그렸다. 이 그림은 르누아르의 작품 중에서 처음으로 인상주의 성향을 보이는 그림이다. 〈햇빛 속의 나부〉는 거친 터치로 당시에 형태가 확실하지 않다는 평을 받았다. 숲속을 배경으로 한 반라의 여인을 정확한 형상보다는 순간 변하는 빛의 효과를 최대한 살려 그렸다. 그녀의 몸은 햇빛에 비친 나무와 잎들의 잔상을 묘사하였기에 빛을 받아 흔들리고 있는 모습이다. 이 그림은 비평가 알베르 볼프(Albert Wolff)에게 여인의 상반신이 푸른색과 보라색으로 채색되어 썩어가는 피부라는 혹평을 받았다.[9]

〈그네〉 역시 햇살이 통과하는 숲 속에서 그네를 타려는 여인을 묘사한 것이다. 여인의 옷은 빛의 움직임이 반영되어 빛과 그림자로 채색되었다. 〈물랭 드 라 갈레트의 무도회〉는 유쾌하고 즐거운 분위기로 생동감을 부여하기 위해 햇빛을 얼룩진 점으로 묘사한 특징을 보인다. 잘 차려입는 중산층 군중 위

---

9) 재원아트부 편집부, 『르누아르』, 재원, 2005, p.7.

로 나뭇잎을 거쳐 떨어지는 복잡한 빛의 형태를 구체적으로 잘 표현하였다.

시슬레는 물과 그 반영을 통해 인상주의 기법을 알았으며 원근법을 벗어난 구도로 제작했다. 섬세하지만 평범하게 그려진 하늘과 물, 대지의 모양이 평화롭고 한가한 느낌을 준다. 형체와 색채는 전통성을 유지하고 있으며 멀리 투명하게 바라보이는 시원스런 공간 표현과 빛의 세계는 인상파의 기법으로 제작했다. 눈 덮인 마을의 정경을 묘사한 〈루브시엔느의 첫눈〉, 화면 전체를 하늘과 물로 채우고 밝은 색채와 짧은 터치로 경쾌감을 준 〈세브르의 다리〉, 쓸쓸한 겨울 정경을 그린 〈루앙의 운하〉, 화창한 하늘과 광선에 의해 평온한 느낌을 자아낸 〈모래 다리〉 등 많은 풍경화가 있다. 시슬레는 섬세한 감각으로 감수성과 시정이 넘치는 그림을 제작하였고 눈과 비를 안개처럼 표현했다.

인상주의 그룹전에 한 번도 빠지지 않고 참가했던 피사로는 도시나 전원 풍경을 주 소재로 선택하여 밝고 풍부한 느낌을 살리고 햇빛을 더욱 눈부시게 강조해 그렸다. 색채는 동시 대조의 방식을 활용했으며 필촉을 분할하는 정밀한 기법을 실천했다. 〈루브시엔느의 눈〉은 눈덮인 거리와 광선에 의해 비쳐진 나무들의 반영된 그림자를 표현하고 있으며 〈루브시엔느의 합승마차〉는 노을에 물든 하늘과 비에 젖은 시골길 위에 비쳐진 잔상을 잘 묘사하고 있다. 도시 거리를 주제로 한 작품으로는 〈몽마르트의 밤〉, 〈튈르리 공원과 회전목마〉, 〈퐁뇌프에서 본 루브르궁과 세느강〉 등을 들 수 있다. 그의 작품은 갈수록 색채 표현이 더욱 섬세해지면서 표현은 미묘하고 묘사의 강도가 강해졌다. 만년에는 물감의 혼합보다도 강렬한 광휘를 만들어 낼 수 있는 시각 혼합의 방식을 반영하여 제작했다. 인상파들은 이처럼 빛에 따라 변화된 대상을 색채로 잘 반영한 화가들이었다.

3. 여가생활을 그리다

파리는 도시 계획에 의해 활기찬 모습으로 변모해 갔으며, 새롭게 등장한 철도의 발달로 시민들은 해변 휴양지를 여행하는 등 여가생활을 즐겼다. 당시 파리에는 6개의 기차역이 개설돼 도시와 농촌지역을 연결해 주는 역할을 했다. 특히 인상주의 화가들은 생 라자르 역을 자주 이용하여 아르장퇴유, 퐁투아즈, 오베르 등의 시골과 강변의 교외에서 작품을 제작하곤 했다.

프랑스 사회는 여흥을 즐기기 위한 다양한 무대가 허용되는 분위기였다. 이에 힘입어 수많은 극장과 오페라 하우스, 음악홀, 카페 콘서트, 무도장, 서커스, 레스토랑 등이 활성화 되었다. 많은 관중들은 다양한 방식으로 여가를 즐길 수 있었으며 유흥장에는 파리 시민뿐 아니라 관광객들도 참여해 성황을 이루었다. 당시 부르주아 계층의 여성들의 일상은 가정생활을 중심으로 이뤄졌다. 무엇보다 가정에 충실한 그녀들은 남은 시간을 무도회, 극장, 야유회 등지에서 보내거나 산책으로 여가를 즐겼다. 여성들은 그때까지도 사회에 진출하지 못했으며, 단지 정해진 시간과 장소 안에서 자신에게 주어진 역할을 수행할 따름이었다. 중산층 이상의 대부분 여성들은 우아한 의상을 입고 남성들의 시선을 받으며 과시적 교육과 사교 모임에서 두각을 드러내는데 만족할 따름이었다.

마네는 당대 분위기를 잘 드러낸 파리의 도시 풍경을 화폭에 담아냈는데 〈튈르리 공원의 음악회〉, 〈폴리 베어제르 술집에서〉, 〈파리 오페라 극장의 가면무도회〉 등을 제작했다. 〈튈르리 공원의 음악회〉는 화면 중앙에 하늘에서 비친 빛에 의해 밝고 어둠이 드러난 나무들과 울창한 숲속에서 야외복을 입은 부유한 파리인들이 공원을 산보하며 즐기고 있는 모습을 다양각색으로 묘사하고 있다. 〈폴리 베어제르 술집에서〉는 술집을 배경으로 밝은 명암과 다양한 색채로 활기찬 현대적인 분위기를 자아내고 있다.

마네의 영향을 받아 제작한 모네의 〈풀밭 위의 점심〉은 복잡한 구도로 야외복 차림의 남녀 두 쌍이 숲 속에서 여가를 보내고 있는 장면을 담았다. 나뭇잎 사이로 비치는 햇살의 빛과 그림자가 선명한 숲속 풍경을 명암의 대비를 주며 섬세한 붓터치로 표현했으나 미완성으로 남았다.

르누아르의 〈뱃사공의 점심식사〉는 아르장퇴유 근처에 있는 샤투의 한 식당을 배경으로 세 명의 뱃사공을 그린 작품이다. 낚시꾼과 뱃사공의 출입이 잦았던 그곳은 강변이 한눈에 보이는 장소로 밝고 부드러운 터치와 조화로운 색채로 편안한 느낌을 주고 있다. 사람들은 서로 대화를 나누고 있는데 부유층의 여유로움과 화기애애한 밝은 모습이 두드러진다.

인상주의 화가들이 주목한 당시의 사회적 분위기는 개인적인 삶을 추구하며 극장, 카페에서 여가를 즐기는 일상적인 모습을 담고 있었다. 이즈음 그들은 일본 목판화와 사진의 영향으로 형태의 단순화, 강렬한 색채 대비와 같은 특성을 작품에 반영하였다. 1838년 루이 다게르(L. Daguerres)에 의한 사진 기술의 발달[10]은 동물이나 인간의 움직임을 세부적으로 묘사할 수 있게 만들었다. 회화는 사진의 도움을 받아 즉흥적인 장면이나 자연스럽게 움식이는 순간의 모습을 포착히여 제작할 수 있게 되었다.

인상주의 화가들의 잦은 왕래가 있었던 프랑스 센강의 오른쪽 언덕에 위치한 몽마르트는 파리의 북부지구로 파리 시내에서 가장 높은 곳이며, 당시 반항적이고 환락적인 유흥문화의 중심이기도 하였다. 또한 오랫동안 노동자 계급이 살던 지역이어서 프랑스 혁명으로 계급사회가 무너질 때 가장 큰 영향을 받았다. 이곳은 서민들이 주로 살았으며 물가가 싸고 유흥문화가 발달하였다. 작가들이 자신의 그림에 붙인 '물랭 드 라 갈레트'와 '붉은 풍차' 라는 제목은 이 지역에서 따온 것이다. 유명한 무도회장인 '물랭루즈(Moulin Rouge)' 란 '붉은 풍차' 라는 뜻으로 서민적인 몽마르트 문화가 잘 반영돼 있다.

---

10) 주드 웰턴, 박주혜 역, 『인상주의』, 디자인하우스, 1997, p.28.

드가는 인상주의 작가였지만 고전주의적 입장을 잃지 않은 가운데 전통성을 저버리지 않고 보완하여 발레, 경마, 오페라 등의 소재를 많이 활용했다. 드가는 일본 판화의 영향을 받아 경사진 구도를 작품에 반영하였으며, 특히 무용수를 많이 그렸다. 당시 오페라 극장은 사교 장소였으며 귀족들은 박스석을 예약해서 사교의 장으로 활용했다. 드가 작품에 등장한 무용수들은 오페라 가르니에 소속으로 주로 공연을 하였다.

드가는 예민한 관찰력을 바탕으로 생동적 활동에 흥미를 가져 상식적인 구도를 버리고 생각한 장면의 절취 방법을 택했다. 즉 상하로 올려다보거나 내려다보는 구도를 즐겨 잡았으며 동시에 실내를 밝히는 빛도 자연광선을

좌 드가, 〈무대 위의 무희〉, 1878, 오르세미술관.
우 르누아르, 〈부지발에서의 춤〉, 1883, 보스톤 순수미술관.

끌어들여 독창적인 빛의 효과를 이끌어냈다. 그는 정적이 아닌 동적인 표현으로 생동감을 주기 위해 선을 적극적으로 사용하였으며 내적 감정을 담아내는데도 적절히 활용했다. 〈무대 위의 무희〉를 비롯해서 〈관현악단의 음악인들〉, 〈발레 연습〉 등 많은 작품들이 있다.

르누아르는 전통적인 기법이나 소재를 따르기보단 즐거운 미술을 추구하였고, 아름답고 여성적인 것, 여가 등을 주 소재로 선택하였다. 르누아르의 작품 중 왈츠를 추는 남녀를 그린 무도회 연작이 있는데, 두 남녀가 함께 추는 모습은 같으나 장소에 따라 그 차림새가 조금 다르다는 점이 특징이다.

서민들이 즐겨찾는 야외 무도회장을 그린 르누아르의 〈물랭 드 라 갈레트의 무도회〉는 특정한 인물을 주인공으로 내세우지 않는다. 춤추는 인물들은 화면의 여기저기에서 각각 다양한 장면을 연출하며 자신들에게 몰입할 뿐 특정인이 부각되지 않고 있다. 여름 햇살과 가스등 사이로 무리를 이룬 청춘 남녀가 춤과 놀이를 즐기는 모습이 생생하다. 여인의 치마는 가벼운 붓터치와 색채의 대비가 뚜렷하게 표현되어 있다. 이야기를 하고 있는 남녀의 테이블 위에 놓인 정물은 수많은 인물들의 동작 속에서 잠시 차분함을 환기시켜주며 몇 번의 터치를 더한 유리잔은 더욱 투명한 느낌을 준다.

〈특별석〉은 오페라 공연장에서의 남녀 모습을 크게 부각시켜 묘사했는데 머리에 꽃을 꽂고 단아한 자세로 정면을 응시하는 여인과 달리 약간 비스듬히 앉아 망원경으로 어딘가를 바라보고 있는 남자의 포즈가 대조를 이루고 있다. 이 외에도 르누아르는 가정에서 여가생활로 피아노나 기타를 연주하는 여인들의 모습을 담아냈다.

르누아르는 사랑에 빠져있는 젊은이들의 기쁨, 모든 사람이 서로 어울려 편안하고 느긋하게 즐기는 파티의 유쾌한 광경, 햇빛과 음악, 흥겹게 떠드는 소리, 부드러운 구애와 사랑스런 천진함 등을 자유로운 붓터치와 색채로 잘 나타냈다.[11]

툴루즈 로트렉은 물랭루즈의 무도장, 매춘부, 윤락가, 서커스, 광대, 운동

좌 로트렉, 〈물랭루즈에서의 춤〉, 1890, 필리델피아 미술관.
우 로트렉, 〈무어인의 춤〉, 1895, 오르세미술관.

경기, 나체, 동물 등을 선택해 그렸으며 파리의 어두운 생활의 단면이나 소
외받은 이들을 관찰하고 이를 날카로운 데생으로 포착해 인간의 감추어진
진실을 표출했다. 〈물랭루즈에서의 춤〉에서 한 여인이 붉은 색 스타킹을 신
고 캉캉 춤을 추고 있는 모습이 시선을 끌고 있다. 이 무용수는 화면 전경에
부각된 분홍색 드레스의 여성과 대비되고 있는데, 그녀는 하얀 털목도리와
노란 꽃이 장식된 화려한 모자를 착용하고 있다.

　〈무어인의 춤〉은 무희를 중심으로 관람객이 둥글게 자리잡고 있다. 〈물랭
루즈에서의 춤〉은 무용수가 빨간 스타킹에 높이 들어 올린 다리 등 훨씬 선
정적임에도 주변인은 다른 사람과 추는 왈츠에 푹 빠져 관심을 보이지 않는
다. 반면 〈무어인의 춤〉은 중앙에 서 있는 여자를 둘러싼 관람객들의 시선이
집중되며 화면의 주인공이 누구인지 쉽게 알 수 있다. 이런 구도는 기존의
삭품에서 많이 찾아볼 수 있으나 그 대상이 화류계의 여성인 점이 다르다 할
수 있다.

　로트렉은 귀족 신분이었지만 어릴 때 사고로 인한 하반신 장애를 가지고

---

11) 페테 파이스트, 권영진 역, 『피에르 오귀스트 르느와르』, 마로니에북스, 2005, p.44.

있었다. 그는 이러한 자신의 처지로 인해 알코올 중독과 난잡한 생활로 귀족 사회에서 이방인으로 취급받았다. 그의 작품은 엄격한 사실에 뿌리박은 대담한 공간 구성과 굵은 윤곽선으로 독자적이고 풍자적인 예리함을 반영했다. 그는 강렬한 색과 거칠면서 속도감 있는 선을 사용해 시대적 분위기와 자신의 불우한 삶을 표현했다. 대상을 사진처럼 그리지 않고 독창적인 이미지 해석을 통해 재현했고 포스터, 판화, 유화 등을 통해 현실을 직시하며 보고 느낀 것을 그려 인간의 내면세계를 표출했다.

인상주의 여류 작가인 카셋과 모리조는 음악회, 무도회, 산책 등 상류층 여성들이 즐길 수 있는 유일한 행위들을 작품의 소재로 선택했다. 카셋의 〈특별석의 여인들〉은 오페라를 관람하기 위해 특별석에 앉아 있는 상반신의 두 여인을 묘사했다. 두 사람의 뒷면에는 거울에 비친 어깨 부분과 샹들리에, 금박 장식을 입힌 상층부의 발코니가 그려져 있다. 여인들은 다소 굳은 표정인데, 꽃을 들고 있는 한 여인은 시선이 고정되고 꽉 다문 입술에 의해 자아의

좌 카셋, 〈특별석의 여인들〉, 1881~1882, 워싱턴 국립미술관.
우 모리조, 〈무도회에서〉, 1875, 마르모탕미술관.

좌 카셋, 〈배 위의 사람들〉, 1893~1894, 워싱턴 국립미술관.
우 모리조, 〈블로뉴 숲의 호수에서〉, 1884, 개인소장.

식이 강해 보인다. 부채로 얼굴을 가린 여성은 수줍은 듯하며 약간 상기된 표정으로 감정이 드러나 있다. 당시 부르주아 여성은 오페라 공연 등의 관람을 위해 외출할 때는 아름다움을 과시하였는데 이는 외모로 자신의 지위를 보여주기 때문이었다. 또한 이곳에서 미혼 여성은 교양을 쌓고 구애를 받을 기회를 갖기도 했다.[12]

유사한 주제로 그린 모리조의 〈무도회에서〉와 〈드레스를 입은 무도회장의 젊은 여인〉은 사회적 관습을 수용한 부르주아 여성의 편안함을 표현해 내고 있다. 이 여성은 주변을 잘 관찰하기 위해 시선을 우측으로 향하고 있고 부채를 살며시 옆으로 걷어내고 있다. 이러한 공연관람은 여가생활의 중요한 일부분이었다.

카셋의 〈배 위의 사람들〉은 한 가족이 보트를 타고 행복한 시간을 보내는 장면을 남았다. 둥근 곡선의 보트 앞부분에 아이를 안고 있는 모녀가 자리하고 노 젓는 남자의 뒷모습을 묘사했다. 인상주의 영향으로 강물의 푸른색과 노란색을 대비시켰으며 구성은 평면적이다. 이러한 평면적인 느낌은 일본

---

12) 정금희, 「인상주의 여성작가 작품에 나타난 여성성」, 『한국프랑스학논집』 제61집, 한국프랑스학회, 2008, pp.580~581 참조.

판화에서 영향을 받았다. 모녀의 모습이 화면의 중심을 이루고 있고 여성의 팔에 비스듬히 안긴 아이의 두 팔과 다리는 활발한 움직임을 보이고 있다. 모녀의 신체적 접촉 부위와 노를 젓고 있는 남성의 손, 사선으로 비낀 노의 모습은 뱃놀이의 동적인 느낌을 강조한다.

모리조의 〈블로뉴 숲의 호수에서〉는 백조들이 있는 배경에 모녀가 서로 마주보며 정겹게 뱃놀이하는 모습을 표현했다. 여유롭고 다정다감한 부유층 모녀의 모습을 빠른 붓놀림과 경쾌한 터치로 묘사했으며 대상의 세밀함 보다는 한 순간의 인상적인 모습을 재현하고 있어 인상주의 기법을 그대로 반영했다.[13]

4. 일상의 삶을 그리다

여성의 모습은 서양 미술에서 다양한 모습으로 묘사돼 왔다. 화가들은 특히 일상 속 여성의 모습을 많이 담았는데, 19세기 파리에 거주했던 여성들은 대부분 가사에 묶여 있었으며 이에 따라 작품에도 그러한 모습이 반영된 결과라 할 수 있다. 그러나 부유층 여성들과는 달리 가난한 여성들은 돈벌이가 가능한 직업을 찾았고 따라서 여성의 노동도 양극화한 모습을 보였다.

여류 인상주의 화가들은 가족, 집, 정원, 가사일, 노동력 등 가정생활을 소재로 다루었는데 이는 지극히 제한적일 수밖에 없었다. 가정에서 일어난 사적인 생활은 르느아르, 모네, 드가 등 남성들의 작품에서도 많이 찾아 볼 수 있다. 바느질을 하거나 수를 놓은 여인, 뜨개질 하는 여인의 모습은 오래전 부터 다뤄졌던 주제이다. 모리조와 카셋 역시 여성에게 부여된 역할에 대한

---

13) 정금희, 「인상주의 여성작가 작품에 나타난 여성성」, 『한국프랑스학논집』 제61집, 한국프랑스학회, 2008, p.582 참조.

좌 모리조, 〈바느질하는 여인〉, 1881, 개인소장.
우 카셋, 〈정원에서 바느질하는 젊은 여인〉, 1886, 루브르미술관.

사회적 관습을 도외시하지는 않았다. 그들은 여성에게 적합한 장소와 금지된 장소를 구분해 반영했다. 바느질이나 뜨개질은 여성들이 흔히 하는 가사노동의 하나로 중산층 이상의 가정주부라면 누구라도 당연히 해야 할 일에 속했다.

모리조의 〈바느질하는 여인〉은 흰 장미가 있는 정원에서 단아한 모습을 한 여인이 뜨개질을 하고 있다. 카셋의 〈정원에서 바느질하는 젊은 여인〉 역시 붉은 꽃이 만발한 화단에서 한 여인이 바느질을 하고 있다. 그녀가 입은 옅은 푸른색 드레스와 배경이 대조를 이루며 인물이 부각된다. 이 그림은 드레스의 푸른 색조와 배경의 햇빛이 대치되어 응달의 분위기가 드러나 밖에서 제작했음을 알 수 있다. 유사한 주제로 그린 두 그림에서 모리조는 밝은 분위기에서 조화롭게 인물을 배치했다면 카셋은 바느질하는 여성의 행위 자체를 부각시켜 표현했다는 점이 다르다.[14] 모리조는 또 육체노동에서 가장

---

14) 정금희, 「인상주의 여성작가 작품에 나타난 여성성」, 『한국프랑스학논집』 제61집, 한국프랑스학회, 2008, p.579 참조.

고된 일인 세탁하는 모습을 그렸는데 〈세탁하는 여인〉, 〈빨래를 너는 시골처녀〉 등이 있다.

카셋은 미국 태생으로 프랑스에 귀화하여 정착한 여류 작가이다. 그녀는 인상주의 화가들과 교류하였는데 특히 드가의 영향을 받아 밝은 색채와 자유로운 붓터치로 제작했다. 그녀는 시대를 반영하여 부유층 여성의 삶과 모성애, 여가 생활인 오페라 구경, 일상적인 차 마시기, 가족의 모습 등을 제작했다. 섬세하고 강렬하게 묘사된 〈진주 목걸이를 한 여인〉이나 〈차를 마시는 오후〉는 우아하고 세련된 여인의 모습을 그렸다. 붉은 줄무늬 벽지와 테이블 위 찻주전자 사이에 앉아 사색에 잠긴 여성과 차를 마시고 있는 젊은 여인의 침묵의 순간을 포착하였다. 카셋은 나중에 여성해방 운동가로 변모해 여성 근로자를 대변했는데, 작품을 통해 여성성을 해체하고 동시대 여성의 삶과 전통적인 여성 이미지를 효과적으로 대비시켜 담아 냈다.

일상적인 모습을 담아낸 〈수놓는 크리스틴 르롤 아가씨〉는 붉은 의상을 입고 화면 중앙에서 자수를 놓고 있다. 여인 뒷켠에서는 두 남자가 작품들을 감상하고 있다. 한 화면에 일하는 여인과 여가를 즐기는 남성들의 다른 모습을 대조시켜 배치한 것이다. 마을 빨래터에서 여인들이 힘겹게 빨래하는 모습을 다룬 〈빨래하는 여인들〉이 있으며, 의자에 앉아 독서하고 있는 남편과 달리 부엌에서 분주하게 식사 준비를 하고 있는 아내의 모습을 대조해서 그린 〈베른발의 점심식사〉 등이 있다.

드가 역시 실내의 일상생활을 주제로 세탁부, 다림질하는 여자, 창녀 등을 소재로 그렸다. 〈역광선을 받고 다림질하는 여인〉, 〈두 세탁부〉 등을 들 수 있다. 이 그림들은 여인들이 하품을 하며 지친 모습으로 고된 노동으로 인해 힘든 생활을 하고 있는 모습을 표현했다. 드가는 목욕하고 있는 장면을 많이 제작했다. 그 중 기하학적인 독특한 구도의 〈입욕〉은 둥근 곡선의 욕조에 웅크리고 몸을 씻고 있는 모습으로 일상의 한 부분을 나타내고 있다. 이 그림은 실내에서 제작했지만 빛 처리에서 마치 자연광선이 비춰주는 듯하다. 이

좌 드가, 〈두 세탁부〉, 1884, 오르세미술관.
우 모네, 〈독서하는 소녀〉, 1872, 볼티모어 왈터스화랑.

외에도 드가는 파스텔을 사용하여 〈모자 가게에서〉를 제작했는데 이는 당시 여인들이 즐겨 착용했던 모자점에서 볼 수 있는 광경을 주제로 그렸다. 카페 분위기를 잘 드러낸 〈압생트〉는 다른 시선을 바라보고 있는 남녀의 모습, 거울에 비쳐진 뒷모습을 검은 그림자로 표현했다. 이처럼 드가는 일상적으로 살아가는 평범한 모습을 작품의 주제로 삼아 다양하게 표현하였다.

모네의 〈독서하는 소녀〉는 녹음이 우거진 숲 속에서 야외복을 입은 한 여인이 단아한 모습으로 앉아 독서하는 모습을 표현하였다. 야외에서 제작한 것으로 찬란한 자연광선에 의해 여인의 드레스에 하얀 무늬로 빛의 밝은 부분을 명암 대비로 자연스럽게 표현하였다.

인상주의는 시대를 반영하며 8회의 그룹 전시를 통해 새로운 화풍을 지향하고자 했다. 대표 작가들의 성향을 정리해 본다면 먼저 마네는 시각적 감성의 표현으로 자유로운 주제와 색채를 사용했다. 모네는 빛에 의해 변화된 색을 직접 실험 제작하여 현대미술의 새로운 방향을 제시했음을 알 수 있다. 르누아르는 도시생활의 정경이나 여인을 대상으로 햇빛에 비춰진 자연의 신선함을 색채로 표현했다. 드가는 인상주의 그룹에서 활동은 했으나 전통적인 기교를 배제하지 않고 발레, 경마, 오페라 등의 주제로 동적인 표현을 생동감 있게 표현했다. 시슬레나 피사로는 전원이나 도시 정경을 주제로 인상주의에서 중요시 여긴 자연광선의 변화를 잘 반영하여 제작했다. 뛰어난 감성과 감각을 표출한 로트렉은 강렬한 색과 거친 터치로 힘들고 불우한 삶을 재현하여 인간의 내면세계를 표출하고자 했다. 여류 작가인 모리조나 카셋은 당시 사회 분위기와 여성성의 한계를 극복하지 못했으나 여성의 감성을 작품에 반영하였다.

이와 같이 인상주의 화가들은 사실주의의 기본적인 토대를 버리지는 않았지만, 사물의 실체보다는 빛에 따라 변화하는 사물의 외관, 인상, 분위기 등에 치중했다. 이는 결과적으로 사실주의 해체의 길을 열게 만들었다. 그들은 사물의 외관을 중요시하고, 감각적인 표현을 구사했으며 사물의 견고한 실제감보다는 작가의 감수성이나 감각 등의 주관적인 면을 중시했다. 그리하여 그것은 대상의 재현이라는 엄격한 사실주의의 규범 체계를 와해시키게 만들었다. 아카데미의 규칙을 배제하고 작가 자신의 눈을 믿으며, 고유한 색채를 가진 대상이 아닌, 눈과 마음에서 보인 밝은 색조의 혼합을 본다는 것은 새로운 발견이었다. 이들은 외광에 의한 자연광선에서 색의 처리만 문제시하는 것이 아니라 움직이는 형태의 처리도 중요시하였다.

즉 인상주의 화가들은 자연광선에 의해 대상이 변화한다는 것을 인식하고 순간을 포착해 색채로써 표현하였다. 또한 빛의 각도에 따라 대상의 색이 달라진다는 것을 알았다. 그래서 자연광을 중요시 여겨 실외제작을 하였으며 가급적 순색을 사용하고자 했다. 또한 시대성을 반영하여 사회의 분위기와 일상생활에서 보이는 모습을 화폭에 담았다. 인상주의자들의 열정은 새로운 화풍을 개척했으며 그것은 현대미술이 전개될 수 있는 초석이 되었다. 미술사에 미친 인상주의자들의 역할은 그만큼 막대한 것이었다.

정금희

학력

전남대학교 사범대학 미술교육과
파리 8대학교 조형예술학 석사
파리 1대학교 미술사학 박사
전남대학교 예술대학 미술학과 교수

논문, 저서

『프리다 칼로와 나혜석, 그리고 까미유 글로델』
『이야기 근대미술사』
「모네 회화에서 나타난 색채론」, 『한국프랑스학논집』 제65집
「인상주의 여성작가 작품에 나타난 여성성」, 『한국프랑스학논집』 제61집

관심분야

서양미술사, 한국근현대미술사, 페미니즘, 디아스포라, 문화예술 비평 및 경영

세기말 에로티시즘
- 클림트와 여성

김홍섭

세기말 에로티시즘
– 클림트와 여성

김홍섭

1. 새로운 예술의 봄

1900년경 세기말 빈은 구스타프 클림트(Gustav Klimt, 1862~1918)의 예술적 출발점이자 중심무대였다. 프로이트(S. Freud)와 비트겐슈타인(L. Wittgenstein), 말러(G. Mahler)와 쇤베르크(A. Schönberg), 슈니츨러(A. Schnitzler)와 실레(E. Schiele) 등 쟁쟁한 이름들에서 알 수 있듯이, 이 시기 오스트리아 빈은 다양한 분야에서 유럽의 다른 어느 도시와도 비교할 수 없는 새로운 학문과 예술의 도시로 부상한다. 그러나 이 도시는 유럽에서도 가장 모순적이고 이율배반적인 곳이었다. 빈은 제국의 수도이자 유럽 최고의 문화도시로서 겉으로는 화려하면서도 점잖은 도시처럼 보였지만, 세기말의 종말 분위기와 데카당스적 분위기가 만연했고, 온 사회가 성에 대한 생각에 빠져있다고 할 정도로 에로티시즘이 일종의 시대적 분위기를 형성하고 있었다. 전통과 현대가 공존하는 나른하면서도 긴장감 넘치는 분위기 속에서 빈은 폭발적인 창조력을 발휘해 새로운 이념과 표현형식을 분출시킨다. 이러한 새로운 예술의 봄 그 중심에 클림트가 자리하고 있다.

빈 미술사박물관 벽화, 1890~1891.

새로운 봄을 향한 출발점은 링거리(Ringstrasse) 건설이었다. 빈은 현대화 작업의 일환으로 구도심을 둘러싸고 있던 옛 성벽을 헐고 그 자리에 환상 도로를 건설한다. 그리고 이 거리를 따라 자유주의적 근대국가를 상징하는 국회의사당, 대학, 시청사, 극장, 박물관 등 공공건물들이 대거 신축된다. 클림트는 과거 양식을 모방해 지어진 이 건물들 내부에 장식화를 그리면서 명성을 얻기 시작했다. 그는 1883년 동생 에른스트(Ernst)와 친구 프란츠 마치(F. Matsch)와 함께 '예술가 컴퍼니'를 설립해 미술활동을 전개한다. 그가 그린 부르크극장과 미술사박물관 등의 역사주의적 장식화에는 정확한 재현, 장식적 요소의 우위, 여성인물에 대한 유별난 관심 등 클림트 특유의 개성이 이미 나타나고 있다.

1892년 '예술가 컴퍼니'가 최전성기를 구가하고 있을 때 동생 에른스트가 사망하면서 클림트는 예술적 위기를 겪는다. 이후 몇 년간 그는 거의 작업을 하지 않았고, 그 사이 아카데미 회화에 의문을 품게 되면서 예술에 대한 태도가 근본적으로 바뀌게 된다. 당시 빈 미술계는 보수적인 아카데미 조직인 '빈 예술가협회'가 주도하고 있었다. 이 협회는 유럽의 새로운 미술경향에 둔감했고, 위계질서가 엄격해 젊은 예술가들이 설 자리가 없었다. 이에 불만을 느낀 젊은 예술가들이 1897년 예술가협회를 탈퇴해 '빈 분리파(Wiener Secession)'를 결성한다. 그들은 오스트리아 미술의 편협성을 극복하고 관습에 얽매이지 않는 새로운 예술을 추구하고자 했는데, 그룹의 리더가 바로 클림트였다.

2. 클림트의 예술적 변화

클림트의 예술적 변화는 〈누다 베리타스(Nuda Veritas)〉에서 분명히 드러난다. 작품 중앙에는 '진실'의 여인이 거울을 들고 있다. 그녀는 관람자에게 자신들의 얼굴을 진실의 모습과 비교해보라는 듯 거울을 들고 있다. 빈 분리파의 중심 목표 중의 하나가 현대 인간에 대한 진실을 드러내는 것, 즉 '현대인의 진정한 얼굴을 보여주는 것'[1]이었다. 이때 클림트가 의도하는 '현대인의 진정한 얼굴'이란 다름 아닌 본능적인 삶의 모습, 즉 가식을 벗어버린 에로티시즘이었다. 벌거벗은 모습에 풍성한 붉은 머리를 늘어뜨린 매혹적인 모습의 여인은 바로 현대인의 진정한 모습을 의미한다. 정면을 향한 당당한 모습에 붉은 음모를 드러내는 자극적인 누드는 고상한 비너스를 기대했던 시민사회의 고전적인 미의식에 대한 정면 도발이자 당시 윤리의식과 도덕에 대한 조롱이나 다름없었다. 아래쪽에 여인의 발치를 휘감고 있는 뱀은 실물크기 누드의 충격효과를 더욱 상승시킨다.

여인상 위쪽에는 쉴러의 시구가 인용되었는데, 이 시구는 그림 자체보다도 더 큰 반발을 불

〈누다 베리타스〉, 1899, 오스트리아 국립도서관.

---

1) Schorske Carl E., *Fin-de-Siécle Vienna. Politics und Culture*, New York, 1980, p.215.

러 일으켰다. '그대의 행위와 예술이 모든 사람을 즐겁게 할 수 없다면, 소수의 사람을 만족시켜라. 다수를 만족시키는 것은 나쁜 것이다.'라는 구절을 통해 클림트는 역사주의에 도취된 속물적인 관람자들로부터의 독립을 선언한다. 그동안 상업주의 화가로서 대중을 만족시키기 위해 노력했던 그가 이제 자기 자신만의 기준을 인식하게 됨으로써 기존 미술에 대한 정면 도전을 표명한 것이다. 그런 의미에서 진실의 여인은 현대인의 진정한 모습이자 역사주의의 허울을 벗어버린 예술의 본질적인 모습이라 할 수 있다.

1894년 클림트는 동료 마치와 함께 빈 대학 대강당을 장식할 천장화를 제안 받는다. 이른바 '학부회화(Fakultätsbilder)'라 불리는 이 그림에서 클림트와 마치는 대형 중앙 패널에 '어둠을 물리친 빛의 승리'를 묘사하고, 이를 둘러싼 네 개의 사각형 패널에는 대학의 전통적인 네 학부인 신학, 철학, 법학, 의학을 상징하는 그림들을 배치한다는 구상을 세웠다. 그림들은 '진리를 추구하고 혼돈에서 질서를 창조하며 어둠을 빛으로 밝히는'[2] 대학의 지적 생활과 사회적 기능을 중심으로 각 학문분야의 대표성을 시각화하는 것이 목표였다. 본격적인 작업이 진행될 당시 클림트는 분리파 설성과 함께 새로운 '진실'을 찾는데 매진하고 있었다. 따라서 그는 애초의 기대와 달리 학부회화의 주제를 기존의 전통과 의미 연관으로부터 완전히 해체하고,

〈철학〉, 1899~1907, 빈 대학(소실).

에로티시즘에 기초한 현대인의 혼란을 표현하기로 하였다. 그는 철학, 법학, 의학 세 학부의 그림을 맡아 에로스와 타나토스 사이를 부유하면서 쇠락해 가는 당시 사회를 모호하면서도 도발적으로 묘사하였다.

클림트의 학부회화는 1899년 첫 작품인 〈철학〉의 예비 스케치가 발표되면서부터 끊임없는 논쟁을 불러일으켰다. '어둠을 물리친 빛의 승리'를 요구했던 대학의 입장에서 볼 때 학부회화는 혼돈과 어둠의 승리를 표현했고 현대인의 불확실성과 혼란을 시각화함으로써 대학의 지적 이상과 기능을 모욕하는 것이었다. 또한 학부회화는 당시 빈 사회의 성장을 주도한 시민계층의 입장에서 볼 때 '빛'으로 상징되는 이성과 합리성을 바탕으로 인간의 자유를 억압하는 모든 사회적 관습을 극복하고자 한 자유주의의 이상을 정면으로 부인하는 것이나 다름없었다. 클림트는 격렬한 비난에 시달렸고, 수년에 걸친 논쟁은 클림트의 자의식에 결정적 영향을 미쳤다. 이후 클림트는 공공작업을 맡지 않았고, 여성 초상화와 풍경화 그리고 여성의 성을 주제로 한 신화적 우의화에 전념함으로써 사적인 영역으로 후퇴하였다.

3. 클림트의 여성관

공적 영역에서 물러난 클림트는 빈 상류사회 여성들의 초상화 작업을 통해 다시 사회활동을 이어간다. 그는 '여인들의 화가'라고 불릴 정도로 예술활동의 중심에는 항상 여성이 있었다. 실제로 그의 여성관계는 상류계층의 부인들에서부터 하층계급 출신의 모델들에 이르기까지 대단히 다양하고 복잡했다. 그의 예술적 창조성은 바로 이러한 여성들과의 상호 관계에서 비롯

---

2) Gabelmann Andreas, *Gustav Klimt und das ewig Weibliche*, Ostfildern, 2011, p.52.

되었다고 할 수 있다.

클림트의 여성관을 형성하는데 있어 가장 중요한 영향을 미친 것은 무엇보다도 그의 가족이었다. 클림트는 정신병 증세가 있는 어머니와 우울증 증세를 보인 누이들과 함께 기거하면서 독신으로 살았는데, 그가 평생 독신을 유지한 것은 바로 어머니와 누이들에 대한 고착과 동일시 때문이라는 지적을 받기도 한다. 또한 클림트는 플뢰게(Flöge) 집안과 결혼한 동생 에른스트가 일찍 죽는 바람에 조카의 후견인으로서 플뢰게 집안의 일원이 되었고, 그 집안의 대소사를 돌봐야 했다. 이로써 클림트는 두 집안의 유일한 남자로서 두 집안의 가장과도 같은 막중한 역할을 떠맡게 된다. 더구나 마리아 침머만(M. Zimmermann) 등 모델들과의 복잡한 내연 관계는 그를 더욱 힘들게 했다.

이런 힘든 상황에서 동생의 처제인 에밀리 플뢰게는 클림트가 겪고 있던 심적 고통을 감싸주는 구원의 여인이었다. 그녀는 클림트를 예술적으로 고무하고 창작 활동에 활기를 불어넣어 준 평생의 동반자로서 정서적 교감을 주고받았다. 클림트에게 있어 그녀는 12살의 나이 차에도 불구하고 모든 면에서 어머니와 같은 존재였다. 그가 다른 모델들과 복잡한 육체적 관계를 맺은 것과는 달리 에밀리와는 사실상의 부부나 다름없었음에도 그런 관계를 맺지 않았다는 것은 그녀와 자신의 어머니를 동일시했기 때문이라 할 수 있다.

한편 우울한 개인적 사정과는 달리 빈 사회의 여성들은 클림트를 지지하는 후원자이자 그의 예술성을 고무해 주는 협력자였다. 클림트가 학부회화로 곤경에 처했을 때 그를 열렬히 옹호해준 사람도 당시 빈 사교계의 실력자였던 여류 언론인 베르타 추커칸들(B. Zuckerkandl)이었고, 그의 초상화에 열광하면서 작품을 의뢰했던 대부분의 고객들 또한 빈 사교계의 여성들이었다. 이들은 클림트의 예술적 창조성을 고양시켰을 뿐만 아니라 안정적인 경제생활을 유지하는 사회적 관계망을 형성하는 데에도 크게 기여했다.

이러한 복잡한 여성 관계로 인해 클림트에게 있어 여성은 모순적이고 이중적 성향을 지닌 존재로 받아들여졌다. 그에게 있어 여성은 어머니이자 남성을 구속하는 나약한 존재였고, 마돈나이자 팜므 파탈(femmes fatales)이었다. 그러나 그 어떤 경우라 하더라도 클림트의 작품에는 남성으로서의 여성에 대한 환상이 지배한다. 특히 그가 남긴 4천여 점의 드로잉은 이러한 특성을 잘 보여준다. 이 드로잉들은 회화를 위한 습작도 있지만, 자신의 예술적 영감을 자극하기 위한 과정이자 여성에 대한 개인적 관찰기록이고, 나아가 에로틱한 감정을 충족시키는 또 다른 방식이었다. 이 때문에 드로잉은 특정 부위가 강조되고, 노출된 음모가 과장되는가 하면 때로는 노골적으로 성적 행위가 묘사되기도 한다. 이들 여성들은 기존의 모든 관습으로부터 자유로워 보이지만, 한 개인으로서의 정체성을 갖기보다 보는 사람의 환상을 자극하기 위한 성적 대상으로 존재한다. 2백여 점의 회화 작품 역시 여성을 무엇보다도 관능적 존재로 그리고 있고, 여성의 쾌락과 고통, 삶과 죽음의 잠재력을 철저히 탐구한다. 여기서도 클림트는 여성성의 주체적 측면을 드러내기보다 에로티시즘을 통해 여성성의 대상적 특성을 묘사한다. 이러한 남성 중심적 시각은 당시의 시대흐름과 맥락을 같이 한다.

19세기 후반 유럽에서는 여성들의 자아발견과 더불어 남성들의 위기감이 고조되기 시작한다. 그동안 여성들의 역할은 결혼과 가정에서의 의무에 철저히 제한되어 있었다. 그러다 여성들이 기존에 남성의 영역이던 노동시장과 예술 분야에 뛰어들면서 남성들의 경쟁자가 되었고, 정치적 영역에서는 참정권과 교육받을 권리를 요구하면서 발언권을 강화해 갔다. 다른 한편 성에 대한 연구가 활발해지면서 여성들은 성적 욕구가 없다고 생각했던 기존 관념과 달리 여성은 기본적으로 관능적 존재라는 주장이 제기되면서 성에 대한 남성들의 무의식적 두려움이 구체화되었다. 전례 없는 여성들의 요구 앞에서 남성들은 여성들을 위험한 존재로 여기는 동시에 자신들의 성적 정체성이 위협받고 있다고 느꼈다. 이 시기 빈 카페에 모인 지식인들의 가장 큰 관심사 중 하나가 여성과 여성적인 것이었다는 사실은 당시 남성들이 느끼는 정체성에 대한 불안과 공포를 드러낸 것이라 할 수 있다. 남성 예술가들은 자신들의 무력감과 미래에 대한 불안을 이상화된 예술세계와 새로운 여성신화의 창조를 통해 제어하고자 하였다. 그들에 의해 여성은 마돈나로 이상화되거나 창녀로 비방되었고, 실제적인 뮤즈로 기능화되었다. 세기말 빈의 대부분 남성들처럼 클림트 역시 여성에 대해 이중적이고 모순적인 태도를 보인다.

4. 팜므 파탈

클림트는 팜므 파탈의 새로운 유형을 창조하는데 크게 기여한다. 남성을 파멸과 죽음으로 이끌 만큼 잔혹하지만 거부할 수 없는 매력을 발산하는 여인은 세기말의 문학과 예술에서 상투적인 주제로 다루어졌다. 슈툭(F. v. Stuck)이나 클링어(M. Klinger), 비어즐리(A. V. Beardsley)나 크노프(F. Khnopff) 등도 이런 주제를 즐겨 다루었고, 클림트는 이들로부터 많은 영향을 받았다. 클림트 작품에서 팜므 파탈의 이미지는 이미 미술사박물관 작업에서부터 나타나지만, 특히 〈유디트〉에서 절정에 달한다. 〈유디트 I〉에서 유디트는 가슴을 풀어 헤친 채 매혹적인 미소를 흘리면서 홀로페르네스의 잘린 머리를 어루만지듯 쓰다듬고 있다. 이러한 모습으로 인해 일찍부터 클림트의 〈유디트〉는 구약성서의 정숙한 미망인이 아니라 자신의 성적 제안을 비웃자 피의 복수를 자행한 살로메와 연관되었다. 클림트는 살로메가 아니라 유디트라는 것을 강조하기 위해 액자 위쪽에 '유디트와 홀로페르네스' 라고 명문화했지만, 실제 전시에서는 〈살로메〉라는 제목으로 전시되기도 하였다. 사실 따지고 보면 유디트는 성서적 입장에서 볼 때 이스라엘을 구한 영웅이지만, 홀로페르네스 입장에서 보면 분명한 팜므 파탈이다. 클림트는 유디트를 살로메처럼 묘사함으로써 남성의 자기중심적 피해의식을 표현함과 동시에 기독교적 시민사회에 조롱을 가하고 있다.

〈유디트 I〉, 1901, 오스트리아 미술관.   〈유디트 II〉, 1909, 카 페사로 현대미술갤러리.

〈유디트 II〉는 더욱 살로메를 연상시킨다. 젖가슴을 드러낸 엉거주춤한 자세와 유디트의 몸을 감싸고도는 굵은 선은 성적 전율을 암시한다. 특히 그녀의 손은 홀로페르네스의 머리카락을 쥔 채 치마를 앞으로 모으면서 손가락을 쥐어틀고 있는데, 이러한 자세는 그녀의 공격성과 그녀가 갈구하는 성적 욕망을 극명하게 드러내 준다. 몽롱한 눈을 한 유디트의 얼굴에서는 사악한 기운이 흐르는 반면, 아래쪽 홀로페르네스의 얼굴은 험악한 적장의 모습이라기보다는 순교한 성인의 얼굴처럼 평온해 대조를 이룬다. 클림트는 동시대 화가들이 살로메를 팜므 파탈의 이미지로 사용한 데 반해 성서의 영웅 유디트를 마치 살로메와 같은 요부로 왜곡시킴으로써 팜므 파탈의 이미지를 극대화한다. 잘린 머리는 '전통적으로 거세 주제의 전도된 위장형태'[3]라는 점에서 클림트의 〈유디트〉는 당시 남성들을 괴롭혔던 성에 대한 공포를 담고 있다.

클림트는 〈유디트〉를 통해 도덕주의적 관습으로부터 관능성의 해방을 시도하고, 여성의 성적 욕구에 대한 사회적 금기를 타파하고자 한다. 나아가 여성을 열등하고 부정적인 존재로 간주했던 기존 사고를 극복하고 남성을 압도하는 여성의 힘을 보여주고자 한다. 그러나 그러한 시도 속에 여성들의 성적 에너지가 중요한 이슈로 등장하면서 남성들에게 내재하는 성에 대한 심리적 불안감이 노출되고 있다.

5. 여성성에 내한 탐구

성적 대상으로서의 여성은 클림트의 주요 주제이다. 그러나 클림트는 여

---

3) Schorske Carl E., *Fin-de-Siécle Vienna. Politics und Culture*, New York, 1980, p.309.

체의 관능적인 모습 그
이상을 묘사한다. 클림트
는 관람자를 유혹하듯 자
신의 몸을 보여주는 수많
은 드로잉을 남겼는데,
그 중에서도 자위하는 여
성의 드로잉에는 여성성
에 대한 남다른 이해와

〈오른쪽을 향해 엎드린 나체〉, 1912~1913.

사회적 금기에 대한 쾌락이 공존한다. 당시는 여성도 성적 충동을 느낄 수
있다는 것이 인정되지 않았고, 더구나 성적 욕구를 밖으로 드러낸다는 것은
상상할 수도 없던 때였다. 이런 사회에서 클림트는 프로이트보다 더 여성들
의 심리를 깊이 이해했고 그들의 내적 욕구를 파악했다. 〈오른쪽을 향해 엎
드린 나체〉 같은 드로잉을 보면 여성은 모델로서 포즈를 취한다기보다 오히
려 자아를 잊은 채 자신의 에로틱한 감정에 충실하고 있다. 그녀는 다른 사
람의 시선에는 개의치 않은 듯 자기 자신과 자신의 환상에 몰입해 있다. 여
기서 관람자는 그 내밀한 행위를 단지 수동적으로만 관찰할 수 있을 뿐이다.
사실 이런 드로잉은 애당초 다른 사람에게 보여주기 위해 그린 그림이라기
보다 클림트가 '자기 안의 예술가를 즐겁게 하기 위해'[4] 그린 것이다. 그런
점에서 이런 그림들은 자신의 관음증적 욕구를 충족시키고자 하는 클림트의
무의식이 드러난 것이지만, 동시에 여성들이 성적 자족성을 자각하게 됨으
로써 장차 모든 영역에서 남성으로부터 독립을 추구해가는 시대적 흐름을
예견하는 것이기도 하다.

클림트는 또한 많은 작품에서 동성애를 관능적인 주제로 다루고 있다. 드

---

4) 캔델 에릭, 이한음 역, 『통찰의 시대』, 알에이치코리아, 2014, p.132.

〈물뱀 I〉, 1904~1907, 오스트리아 미술관.

로잉뿐만 아니라 〈물뱀〉 연작 같은 회화를 통해서도 레즈비언들의 성적 환상을 묘사함으로써 여성들만의 은밀한 사랑에 대한 특별한 관심을 시각화한다. 당시 동성애는 중대한 범죄행위로서 엄격히 금지되었다. 그러나 여성 동성애는 남성 동성애에 비해 상대적으로 통제를 덜 받았는데, 이는 당시 사회가 여성 동성애에 관대했다기보다는 남성 동성애가 가정이나 사회의 근본을 흔드는 문제를 야기하는데 반해 여성 동성애는 별다른 사회적 반향을 일으킬 수 없다고 생각했기 때문이다. 이는 위계화된 성별구조로 인해 여성의 성적 주체성 자체가 부정되어 왔음을 말해준다. 이런 영향으로 당시 회화에서 남성 동성애를 묘사한 경우는 찾아보기 어렵지만, 여성 동성애는 상당히 노골적으로 묘사되곤 하였다. 클림트는 여성의 자위행위와 더불어 여성의 동성애를 에로틱하게 묘사함으로써 여성들이 자신의 성적 감정을 어떻게 생각하고 어떻게 경험하는지를 보여줌으로써 현대적인 여성의 한 유형을 창조한다.

〈물뱀 I〉은 얼핏 보면 작품의 제목이 시사하는 바와 같이 뱀을 의인화한 작품으로 보이기도 하지만, 좀 더 자세히 보면 벌거벗은 레즈비언 한 쌍이 서로 뒤엉켜 성적 환상에 젖어있는 모습이 중심적 이미지를 이루고 있다. 황금빛 머리카락을 늘어뜨린 두 여인의 포옹 장면은 연약한 듯 하면서도 열정적인 이미지를 형성하고, 부드럽게 애무하는 여인들의 기다란 몸은 하늘거리는 수초와 어울려 더욱 감미롭게 느껴진다. 여인의 몸 아래쪽에는 성적 기호들이 삽입되어 에로틱한 분위기를 고조시킨다. 그러나 이런 에로틱한 행위에도 불구하고 여인들의 몸이 평면적으로 묘사되어 다른 배경과 마찬가지로 주체적 의미를 상실한 채 하나의 장식으로 결합되고, 섬세한 보석 등이 빽빽하게 배열됨으로써 어느덧 동성애적 이미지는 배경으로 물러나고 만다. 또한 제목이 암시하듯 평면 장식에 뱀 이미지를 넓게 삽입함으로써 이들이 실제 인물이 아니라는 메시지를 포함시킨다. 이로써 이 그림은 동성애라는

〈다나에〉, 1907~1908, 개인소장.

금기를 담고 있음에도 불구하고 본질적 주제가 왜곡되면서 화려한 장식적 이미지만 남게 된다.

클림트는 성관계를 시각화하기도 한다. 〈다나에〉는 황금비로 변한 제우스가 다나에와 관계를 맺는 신화 속 이야기를 통해 성관계 시 여성이 느끼는 에로틱한 감정을 그리고 있다. 다나에의 허벅지 사이로 쏟아지는 황금비는 자궁을 향해 돌진하는 정자들처럼 보이고, 얼굴 표정과 손가락의 모습 등에서 그녀가 느끼는 성적 희열이 암시된다. 왜곡된 원근법으로 인해 화면을 가득 메우고 있는 다나에의 풍만한 육체는 육감적인 매력을 강하게 발산한다. 그러나 다나에는 관람자가 차마 가까이 다가갈 수 없을 정도로 자신만의 황홀경에 몰입해 있다.

태아처럼 웅크린 다나에의 자세는 아래쪽의 어두운 베일과 상응하는데, 이 베일은 그녀의 자궁 속에서 이루어지는 수태 사실을 형상화한 것이다. 베일 속의 원형장식은 배아세포의 분열과정을 형식화해 보여준다. 당시 클림트는 베르타 추커칸들의 살롱에 드나들며 그녀의 남편인 빈 의대 해부학교수 에밀 추커칸들(E. Zuckerkandl)로부터 생물학과 해부학 강의를 들었고, 직접 현미경으로 세포들을 관찰하기도 하였다. 배아세포의 분열과정을 형식화한 것은 그 결과라고 할 수 있다. 이후 클림트는 표면 아래 숨은 진실을 전하기 위해 생물학적 상징을 자주 이용한다.

이 작품에서도 장식은 중요한 역할을 한다. 이 작품은 성적 장면을 직접 묘사하지는 않지만 이에 상응하는 발언을 유지하기 위해 장식을 이용한다. 그러나 동시에 장식은 에로틱한 충격을 작품의 형식적 아름다움에도 유도해 충격의 강도를 약화시킨다.

6. 초상화 속의 에로티시즘

클림트는 초상화에서도 에로티시즘을 품위 있는 분위기로 연출하는 방법을 구사한다. 그는 차마 누드로 표현하기 곤란한 빈 상류계층의 여성들을 위해 화려한 장식이 가미된 가상의 옷을 통해 그들의 품위를 유지시키는 한편, 마치 암호와도 같은 성적 이미지를 삽입해 인물에 대한 에로틱한 환상을 표현한다. 각종 장식으로 치장된 클림트의 초상화는 주문자인 남편들의 예술적 취향 및 사회적 지위를 과시함과 동시에 주인공인 여성 자신들이 느끼는 심리적 불안과 내적 욕구를 은밀하게 표현함으로써 열광적인 지지를 받았다.

〈아델레 블로흐-바우어 I〉은 클림트 초상화의 정점이자 '황금시기'의 대표작에 속한다. 여기서 황금시기란 클림트 예술의 전성기라는 의미와 함께 황금을 직접 사용한 시기를 의미한다. 이 작품이 주는 독특하면서도 매혹적인 분위기는 바로 황금이 뿜어내는 마법적인 아우라에서 비롯된다고 해도 과언이 아닐 정도로 황금빛 장식은 보는 이를 압도한다. 클림트는 많은 작품에서 실제 금이나 은 같은 화려한 재료를 과도할 정도로 사용했는데, 이러한 재료들에 대한 매혹은 그의 라벤나 여행으로 거슬러 올라간다. 클림트는 1903년 이탈리아 라벤나의 산 비탈레 성당을 방문하고, 특히 모자이크의 화려함과 황금색

〈아델레 블로흐-바우어 I〉, 1907, 노이에 갤러리.

장식이 갖는 잠재력에 경도된다. 그는 금이 갖는 상징적 가치를 새삼 깨닫게 되고, 이후 금을 회화 언어의 상승 수단으로 사용한다.

〈아델레 블로흐-바우어(Adele Bloch-Bauer)〉의 초상화를 보면 황금빛 아우라가 관람자를 압도하는 가운데 화면을 가득 메운 여러 문양의 장식들이 클림트 특유의 성적 기호들로 가득 채워져 있다. 머리 뒤쪽의 사각형 모티브는 남성적 속성을 상징하고, 원형 모티브는 여성적 속성을 상징하면서 서로 긴장관계를 형성한다. 가운데 아델레 몸 부위의 눈 모티브는 마치 눈으로 그녀의 몸을 샅샅이 훑듯이 빽빽이 삽입되어 있는데, 이는 그녀에 대한 클림트 자신의 개인적 열망을 반영한 것이다. 아델레는 은행가의 딸로 17세 연상의 기업가와 결혼했다. 당시 시민사회에 만연된 사업상의 정략결혼이 그렇듯이 이들의 결혼생활 또한 행복하지 못했다. 그녀는 자신의 저택을 빈 사교계의 중심공간으로 활용하면서 많은 지식인들과 교류하였고, 클림트의 후원자로서 여러 차례 모델을 서기도 하였다. 클림트 초상화 중에서 한 모델을 두 번 그린 경우는 아델레가 유일하다. 두 사람간의 이러한 특수 관계는 소용돌이 문양의 드레스에 삽입된 장식에서도 잘 나타난다.

이 작품은 구상과 추상이 통합된 독특한 구성을 하고 있다. 비잔틴 이콘이나 중세 성모상 등에서 얼굴과 손만 사실적으로 그려지고, 나머지 부분은 온통 보석으로 치장된 것들을 흔히 볼 수 있는데, 이 작품 역시 그런 데에서 아이디어를 얻은 것으로 보인다. 그러다 보니 인물의 몸이 장식 속에 묻혀버리고, 우리의 관심은 인물보다는 장식 자체로 이끌리게 된다. 클림트는 이 작품에서 아델레를 통해 여성적인 것을 이상적 유형으로 고양시키지만, 이 때문에 그녀의 개성은 사라지고 모든 것이 우아하고 아름답지만 영혼은 없는 "황금 성물함 속의 우상"[5]으로 변질되면서 종교적인 분위기마저 자아낸다.

---

5) Gabelmann Andreas, *Gustav Klimt und das ewig Weibliche*, Ostfildern, 2011, p.85.

7. 영원히 여성적인 것

클림트 작품은 화려하게 치장된 장식과 때로는 대담하고 노골적인 묘사를 통해 보는 이의 경탄을 자아냈고 그의 고객들을 열광시켰다. 그러나 동시에 격한 반발을 낳았고 지리한 논쟁을 불러일으키기도 하였다. 사실 그의 여인들은 황홀하고 신비스럽고, 동시에 자극적이고 도발적이다. 그들은 또한 냉정하고 위협적이고, 동시에 감각적이고 매혹적이다. 그들은 화려하고 우아한 인물로 고양되는가 하면 동시에 장식적이고 미학적인 대상으로 변화된다. 이러한 이중성은 전통과 현대가 공존했던 세기말 빈 사회의 이중성을 반영하는 것이자 클림트 자신의 여성적인 것에 대한 양가적 감정을 드러낸 것이라 할 수 있다. 클림트 작품의 매력은 이러한 이중성과 양가적 감정에서 비롯된다.

괴테(J. W. v. Goethe)는 60여 년에 걸친 평생의 대작 『파우스트』를 마무리하면서 '영원히 여성적인 것이 우리를 인도한다.'고 고백한다. 이 말은 괴테뿐아니라 클림트에게도 그대로 적용된다. 클림트는 "나는 그림의 대상으로 자신에게는 관심이 없고, 오히려 다른 사람, 특히 여성에 관심이 있다."[6]고 말한다. 그는 작품 속에서 여성에 대한 환상을 다양하게 불러내는데, 그것은 동시에 '영원히 여성적인 것'에 대한 그의 소망이 반영된 것이다. 클림트에게 있어 여성은 항상 에로티시즘의 대상이었다. 그는 여성들의 내적 감정과 에로틱한 욕구를 간파하고 이를 작품화함으로써 현대적 감성을 표현함과 동시에 자신의 에로티시즘을 구현했다. 클림트에게 있어 여성은 예술적 창조성의 원천이었고, 영원히 여성적인 것은 클림트의 예술적 삶을 이끄는 나침반이었다.

---

6) Gabelmann Andreas, *Gustav Klimt und das ewig Weibliche*, Ostfildern, 2011, p.75.

김홍섭

학력

전남대학교 독어독문학 석사
성균관대학교 독어독문학 박사
전남대학교 인문대학 독일언어문학과 교수

논문, 저서

『미술로 읽는 독일문화』
『독일 미술사』
「클림트의 〈베토벤 프리즈〉에 구현된 빈 분리파의 이념과 그 한계」, 『독일언어문학』
제47집
「고딕 양식의 수용과 변형 : 13~14세기 독일 교회건축을 중심으로」, 『독일언어문학』
제44집

관심분야

독일 문학, 유럽의 문화와 예술, 미술사

예술가의 사랑법 : 사랑도 창조하면 그뿐!

– 예술가의 사랑의 근원에 담겨진 비밀과 진실

유경희

예술가의 사랑법 : 사랑도 창조하면 그뿐!
– 예술가의 사랑의 근원에 담겨진 비밀과 진실

유경희

여자의 사랑에는 '모성애'가 깔려있고, 남자의 사랑에는 '보호본능'이 깔려 있다고 합니다. 결국 뿌리는 똑같은 사랑이지만, 약간 뉘앙스가 다르지요. 아무리 운명적인 사랑이라도 사랑은 끝이 있기 마련입니다. 운명적인 만남일수록 파국은 드라마틱하지요! 드라마틱한 파국이 무엇이겠어요. 연인의 부정 즉 배반이지요. 먼저 죽는 것도 배반이지만, 다른 연인이 생기는 것만큼 심한 배신은 없지요. 그렇지만 연인의 부정을 알게 될 때 대처하는 남녀의 태도가 좀 다릅니다. 여기서 말하는 태도는 직접적인 실천을 포함하기도 하지만, 상상이나 환상을 포함하는 것이기도 합니다.

연인의 배반에 맞닥뜨렸을 때, 남자는 자기 여자를 죽입니다. 자기를 배반한 여자 말입니다. 그러니까 남자는 대개 자신의 여성 파트너를 살해 혹은 살해하는 상상을 한다는 겁니다. 전도연과 최민식이 주연을 맡았던 영화 〈해피엔드〉(1999년, 정지우 감독)를 기억하시나요? 서민기(최민식)는 부인 최보라(전도연)의 불륜을 목격하고, 함께 불륜을 저지른 김일범(주진모)을 죽이지 않고 자기 부인을 죽입니다. 한편의 치밀한 시나리오처럼 완전범죄를 저지르지요.

그런데 연인의 불륜에 대한 여자의 태도는 어떨까요? 여자는 자기 자신을 죽입니다. 여기서 자기를 죽인다는 것은 자살을 의미한다기보다는 '자기를 부재화' 시킨다는 표현이 적절한데요. 여자는 극한 분노와 복수심에도 불구하고 자신의 연인이나 정부 가운데 누군가가 사라지는 것보다 자신의 실종을 소망할 가능성이 크다는 겁니다. 카미유 클로델도 로댕의 부정에 자신을 보여주지 않는 방법을 택합니다. 어디론가 훌쩍 여행을 떠나고 돌아오지 않는 방법으로 로댕을 벌주곤 했던 것이지요. 당시 로댕은 클로델에게 부디 돌아와 달라고 애원하는 편지를 절절하게 써 보냅니다. 세기의 거장 로댕이 쓴 것이라고는 상상할 수 없을 정도로 애달프고 처절하고 비굴하며 심지어 3살 먹은 아이처럼 칭얼대는 모습이라니요. 미국 현대미술의 독보적 여성 화가였던 조지아 오키프 역시 자기보다 24살 연상의 남편이자 사진계의 거목인 알프레드 스티글리츠가 주변 여자들과 바람을 피울 때마다, 아틀란타의 조지아 호수나 뉴멕시코의 타오스 같은 곳으로 숨어 버립니다. 그러면서 여자들은 "너는 나를 투명인간 취급했지! 내가 너의 인생에서 영영 사라져주지.", "너 나없는 세상에서 살아봐라.", "나의 부재가 너를 파멸시킬 것이다." 등등의 온갖 저주를 퍼부으며 자신을 보여주지 않는 것이지요. 이처럼 여자는 남자의 사랑이 사라지면 자신이 먼저 사라질 궁리를 하는 것입니다. 한국의 수많은 집나간 여자를 생각해보세요! 남편의 무관심이든 외도든 생활고든 여자의 복수가 스스로를 부재화시키는 것으로 표출된 적이 얼마나 많던가요!

　다른 한편으로 사랑에 실패했을 때, 여자들은 지금과는 전혀 다른 인물이 될 생각을 합니다. 이때 여자들은 수많은 변신을 시도하고자 합니다. 우선 외모를 변화시키는 방법을 제일 먼저 택합니다. 시각에 가장 취약한 남성들의 마음을 사로잡는 방법이 외모를 변화시키는 방법이라고 생각했기 때문일까요? 왜 요즘 소위 재미있지만 씁쓸한 농담이 있지 않나요? 시쳇말로 남자들은 못생긴 여자보다는 예쁜 여자를, 예쁜 여자보다는 젊은 여자를, 젊은 여자보다는 새 여자를 선택한다는 말이요! 외모를 변화시킨 가장 획기적인 화가는 프리다 칼로였어요. 그녀는 남편의 심각한 외도 후에 자신의 머리를 남자처럼 자르고 드레스가 아닌 남성복을 입습니다. 그것은 자신이 더 이상 여성으로서 피해자가 되지 않겠다는 결심이며, 이성애자에서 양성애자로 거듭(?)나겠다는 증표입니다.

일반적인 의미에서, 사랑의 목표는 '사랑받는 것'입니다. 우리는 사랑의 본질이 '주는 것'이라고 알고 있지만 사실은 그게 아니지요. 인간의 모든 문제의 근원은 사랑받지 못한 데서 옵니다. 그저 그것 하나로 모든 것이 설명 될 정도지요. 심지어 유년시절 받지 못한 사랑은 트라우마가 되어 늙어죽을 때까지 인간을 괴롭힙니다. 그러니까 사랑을 주기만 '하는' 것이 본질이라 면, 아마 이 세상에 사랑과 관련된 어떤 부정적인 일들은 일어나지 않았을 것입니다. 예컨대 자학, 자살, 배신, 험담, 시기, 질투와 같은 감정들이 왜 일 어나나요? 그것은 모두 자신이 상대에게 준 사랑에 대한 보답과 보상이 주 어지지 않을 때 일어납니다. 그러니 사랑은 '받는' 것이 본질이 아닐까요. 혹 인간이 먼저 자발적으로 사랑하는 경우라도, 그래서 사랑의 본질이 주는 것이라고 주장하는 경우에도, 인간은 사랑을 하고 싶어 하는 게 아니라 사실 은 사랑받고 있는 자신을 보고 싶은 욕망 때문이라고 합니다. 정신분석학자 자크 라캉의 말인데 정말 크게 공감이 갑니다. 어쨌거나 인간의 가장 큰 욕 망은 사랑받는 것입니다. 독일 관념론의 철학자 F. 헤겔의 인정 욕망 또한 '사랑받고 싶다'는 다른 표현이라는 생각이 듭니다.

그렇다면, 주기만 하는 사랑도 세상에 존재했을까요? 어머니의 사랑? 정 말 그럴까요? 주는 사랑이 사랑의 본질이 아니라는 것은 신의 사랑에서도 엿볼 수 있습니다. 기독교의 신 야훼가 얼마나 강력한 질투의 소유자였는지 잘 알고 계시지요? 다른 신은 섬기지도 말고, 자기 위에 그 무엇도 두어서는 안된다고 말합니다. 결국 신도 자기만을 사랑해달라는 거지요.

여기 사랑에 죽고 사랑에 살았던 예술가들이 있습니다. 아니 그보다는 사랑 때문에 훌륭한 창작의 세계를 펼칠 수 있었던 작가들이라고 해야 옳습니다. 피에르 보나르, 프리다 칼로, 조지아 오키프가 그들입니다. 그들은 연인이나 부부관계에서 최대치의 영감과 상상력을 끌어냈던 예술가의 전형입니다. 이들의 사랑을 보면 새삼 '사랑은 엄청난 능력'이라는 생각이 듭니다. 아무나 사랑을 할 수 있는 것은 아니라는 생각이 든다는 것이지요. 어쨌거나 상처받을 것이 두려워 혹은 상처를 주기 싫어서 사랑하지 못하는 수많은 연애포기자들에게 이들의 사랑을 알려주고 싶습니다. 늘 그렇듯이 사랑에는 언제나 '충동의 모험'이 필요한 겁니다. 좀 성급할 필요가 있다는 거죠! 마차를 타고 귀족여인을 만나러 가는 길에 아직 한 번도 보지 못한 그녀들을 이미 사랑하게 된 발자크처럼 말이죠!

1. 피에르 보나르, 시든 여자를 사랑한 남자

참 보기 드물게도 남성화가가 한 여성을 거두고 보살핀 케이스가 있습니다. 피에르 보나르(Pierre Bonnard, 1867~1947)! 여성의 사랑이 모성, 남성의 사랑이 보호본능이라고 말씀드렸지요? 보나르의 보호본능을 자극한 여자는 어떤 여자였을까요? 남성의 보호본능을 자극하려면 어떤 여자여야 할까요? 여성은 연약함 때문에 사랑받게 되는 것 같습니다. 마치 어린아이가 그런 것처럼 말예요! 남성의 보호본능은 여자의 연약함이 드러날 때 최대치에 이릅니다. 약점을 드러내는 것은 결핍을 보여주는 것이고, 바로 그 취약함으로 인해 매혹적인 존재로 부각되는 것이지요.

프랑스 태생으로 친밀하고 부드러운 실내정경을 그린 앵티미슴(Intimism: 실내정경이나 일상생활의 주변에서 주제를 구해 사적인 정감을 강조하는 화풍) 화가로 유명한 보나르는 내가 참 늦게 발견한 화가입니다. 예전에는 그저 그런 화가려니 정도였지만, 지금은 거의 광팬이 되었습니다.

피에르 보나르, 〈The Bath〉, 1925, 테이트 갤러리.

누군가를 알게 되면 사랑하게 되지요. 어느 날, 우연히 접한 보나르가 말년에 그린 자화상을 보고 그만 그에게 반해버렸습니다. 놀랄만큼 솔직하고 충격적일만큼 자신의 세월을 받아들인, 영욕을 모두 접어버린 늙은 남자의 자화상이었습니다. 지금도 생각만하면 코끝이 찡해오는 자화상입니다.

동시대 화가였던 피카소는 보나르를 얼치기 화가라고 불렀지만, 내겐 피카소보다 더 흥미로운 화가가 되었습니다. 그림을 권력이라고 생각했던 피카소는 보나르를 예술이 얼마나 심오한지 전혀 모르는, 진부하기 짝이 없는 화가라고 생각했던 것입니다. 인상파 이후에 인상파적 화법으로 그렸던 화가이니 그가 미술사에서 시대착오적인 인물로 낙인찍힌 건 당연한 일이겠지요. 인상주의 시대에 인상주의와는 조금 다른 행보를 걸었던 화가이지만, 당대에는 나비파(Nabi: '예언자'라는 뜻, 19세기 말 폴 고갱의 영향을 받은 젊은 반인상주의 화가 그룹)의 일원으로 소위 잘 나갔던 화가입니다. 보나르가 당대에는 그림도 잘 팔리고 유명세도 누렸지만, 미술사적으로는 늦게 명성을 얻은 화가입니다. 다시 말해 현재는 보나르의 명예가 많이 회복되었지만, 현대미술의 충격적인 이미지에 익숙한 사람들에게 여전히 보나르의 작품세계는 경계해야 할 나약하고 속물적인 아름다움의 상징같은 것으로 보일지도 모릅니다. 그럼에도 불구하고 보나르의 작품은 극치의 몽환적 사랑과 유혹의 세계로 관자를 끌어들이는 기묘한 힘이 있습니다.

더군다나 보나르는 꽃에 대한 나의 무관심을 호감으로 바꾸게 해주었지요. 그러니까 꽃을 싫어했던 내가 꽃을 좋아하게 된 계기를 마련해주었다는 것이죠. 얘긴즉슨 보나르의 가정부가 정원의 꽃을 꺾어두면 보나르는 그림을 곧바로 그리지 않고 기다렸다고 합니다. "꽃이 시들기를 기다린 거예요. 왜냐면 그래야 꽃에 대한 존재감이 생긴다고 했어요." 이처럼 보나르는 시든 꽃의 아름다움에 대해, 그것이 미적이지는 않더라도 얼마나 미학적인지를 천명했던 겁니다. 그것은 자기가 평생 함께 살았던 여자에 대한 기막힌 비유이기도 했지요.

보나르에게 시든 꽃이었던 여자! 먼저 그 여자를 사랑하게 된 보나르라는 남자가 누구인지 살펴봐야겠네요. 보나르는 파리 근교의 퐁트네오로즈에서 육군성의 관리인 아버지를 둔 중산층의 유복한 가정에서 태어났습니다. 대학에서 법학을 전공했지만, 그림에 대한 열정으로 당시 사설미술학원인 줄리앙 아카데미에서 수학했어요. 이곳에서 모리스 드니를 만나 나비파를 결성하고 평면적 장식화풍을 선보였으며, 무대장치 포스터 삽화 판화 등을 발표하였습니다. 1900년대 들어 뷔야르와 함께 앵티미슴 화가로 불리어졌습니다. 1909년 이후 색채화가로서의 면모를 보여 센강 유역이나 남프랑스의 풍광과 지중해적 빛의 조화와 서정에 충만한 생활 정경을 그렸습니다.

이런 보나르의 작품은 오랜 기간 연인관계를 유지해왔던 한 여자와의 은둔에 가까운 삶을 통해서 나온 것입니다. 바로 마르트라는 여자입니다. 보나르는 1893년 파리의 오스망 거리를 지나다가 우연히 거리에서 만난 마르트를 만났어요. 당시 보나르는 26세, 마르트는 24세였습니다. 말하자면 오다가다 만난 사이죠. 이 때 마르트는 장례용 조화를 만드는 가게에서 일하고 있었고, 그 이전에는 침모나 심부름꾼이었다고 합니다. 그러니까 신분이 아주 미천한 계급의 여자였지요.

그렇지만 보나르는 모델로서의 마르트가 무척 맘에 들었습니다. 늘 가까이 두고 그녀를 그렸는데, 무려 384점에 이르렀습니다. 보나르는 "여성의 매력을 통해 예술가들은 많은 것을 발견할 수 있다."고 말할 정도로 마르트에게 푹 빠져 있었지요. 보나르의 작품 속 그녀는 거의 언제나 나체의 몸으로 목욕 중입니다. 특이한 것은 보나르가 마르트의 벗은 몸을 수없이 그렸으면서도, 나이든 모습을 그린 적이 단 한번도 없었다는 사실입니다. 그러니까 보나르는 반세기에 걸쳐 그녀를 언제나 젊은 육체로만 그렸습니다. 언제나 날씬한 무지개 빛의 여자로 말입니다. 뿐만 아니라 거의 전작에 걸쳐 마르트가 등장합니다. 실내풍경을 그릴 때도, 야외풍경을 그릴 때도 그녀가 등장합니다. 그녀는 투명인간 혹은 유령처럼 그림 속에 출몰합니다. 마치 그녀는 보나르의 무의식에 뗄려야 뗄 수 없는 존재처럼 딱 들러붙어 있다는 느낌이 들기도 하고, 공기처럼 투명하고 바람처럼 손에 잡히지 않는 묘연한 존재처럼 느껴지기도 합니다.

도대체 보나르는 마르트를 왜 이런 모습으로 그렸을까요? 그것은 마르트가 건강한 여자가 아니었기 때문입니다. 심리적·육체적 병을 앓고 있는 여자였기 때문이지요. 마르트는 폐질환뿐만 아니라 피해망상, 강박증, 신경쇠약 따위의 정신적 질환을 앓았습니다. 그녀의 증세는 그 원인이 확실치 않았는데, 자폐증 또는 뇌기능의 이상이라고도 합니다. 보나르는 그녀를 선택한 죄로 괴로움을 함께 나누어야 했습니다.

특히 마르트의 강박증은 병적으로 목욕에 집착하는 결벽으로 나타났어요. 보나르는 모든 것을 그녀 중심으로 각별히 배려했습니다. 보나르는 그림을 벌어 돈이 생기면 그녀를 위해 돈쓰는 것을 아끼지 않았습니다. 당시 마르트의 증세에 도움이 되는 최선의 치료 요법은 맑은 공기와 안정, 청결함이었어요. 보나르가 그 시대로서는 상류층이나 갖게 되는 수돗물이 콸콸 나오는 욕실이 딸린 별장을 남불에 구입한 것도 오로지 그녀를 위해서였습니다.

더군다나 겁 많고 소심하며 의심이 많았던 마르트는 대인기피증이 점점 심해져 극단적으로 사람들을 꺼려했어요. 잠시의 가까운 나들이에도 자기 모습을 가리기 위해 양산을 사용함은 물론, 보나르가 외출해서 친구들을 만나는 것조차 의심했습니다. 친구들이 보나르의 비밀을 훔쳐간다고 생각했던 거지요. 보나르는 강아지 산책을 핑계로 카페에서 비밀리에 친구를 만나곤 했답니다. 그러니 친구들과 가족들에겐 그녀의 존재가 얼마나 골칫거리였겠어요?!

그림 속 마르트는 나이가 들어가는데도 소녀와 같은 얼굴과 자태를 가지고 있습니다. 보나르가 젊은 시절 찍은 사진을 보면 그녀가 작고 연약한 몸을 가지고 있다는 사실을 알 수 있습니다. 턱이 짧고 둥근 얼굴형을 가진 막강 동안이라고나 할까요. 오죽했으면 어떤 평론가가 "그녀는 한 마리 새 같았다. 놀란 듯한 표정, 물에 몸을 담그기를 좋아하는 취향, 날개가 달린 것처럼 사뿐사뿐한 거동"이라고 표현했을까요! 그런데 마르트는 귀에 거슬리는 목소리를 갖고 있었다고 하네요. 작고 여린 몸매와는 상반되는 쇳소리가 나는 거친 목소리를 가졌던 거예요. 아마 폐질환이 있어서 목소리가 낭랑하지 않았나 봅니다. 여하튼 이런 모습은 한 마리 작고 불쌍한 새처럼 남성들의 보호본능을 자극하기에 충분한 것이었지요.

사실 보나르와 마르트는 만나자마자 동거하지만, 그는 그녀를 공식적인 부인으로 삼지는 않았습니다. 두 사람이 결혼식을 올린 것은 그들이 만난 지 32년 만인 1925년의 일입니다. 사실 보나르는 마르트와 결혼하기 전 그의 모델이었고 연인이며 약혼까지 했던 아름다운 여인 르네 몽샤티에게 고통스러운 작별을 고했습니다. 그 결과 금발의 약혼녀는 자살을 했고, 얼마 후 보나르는 거의 충동적으로 마르트와 혼인신고를 했던 겁니다. 그리고 마르트와의 혼인신고 전에 이미 자신의 모든 재산을 일체 마르트에게 남긴다는 유서를 썼습니다. 그렇지만 마르트가 먼저 세상을 떠납니다.

보나르가 본격적으로 욕실 장면에 주력하기 시작한 것은 폐병을 비롯한 마르트의 병세가 악화되기 시작하면서부터 입니다. 사실 보나르가 욕조 물속에 길게 누운 마르트의 모습을 처음으로 그린 것은, 그들이 긴 동거 생활 끝에 혼인신고를 한 해이며 마르트가 56세 때였다고 합니다. 그 후 그녀가 72세로 죽을 때까지 언제나 24세의 젊은 육체로만 그렸던 거지요. 보나르는 1920년경 어느 순간부터 마르트가 결코 늙지 않으리라는 환상을 갖게 됩니다. 20대에 자신이 훔쳐보았던 젊고 날씬하고 싱싱한 여자를 보는 시선으로 그녀를 다시 훔쳐보기 시작했던 것입니다. 결국 그녀는 보나르 덕분에 자신의 아름다움에 도취된 영원히 늙지 않는 여자로 미술사에 남게 됩니다.

보나르는 왜 이런 여자에게서 벗어나지 못했던 것일까요? 한마디로 그녀가 미스터리한 여자였기 때문이었을까요? 마르트가 진짜 누구인지는 보나르와 마르트가 둘 다 죽은 후에서야 사후 재산 처리문제로 알려지게 되었다니, 그녀의 내숭은 참 경이로울 정도입니다. 마르트는 보나르를 처음 만났을 때에도 자신의 나이가 16살이라고 거짓말했고, 보나르가 32년 동안 마르트 드 멜리니라고 알고 있던 그녀의 법적 이름이 '마리아 부르쟁'임을 안 것도 혼인신고 당시였습니다. 귀족에게나 붙여지는 '드(de)'라는 호칭은 당대 파리의 화류계 여성들이나 신분상승을 꿈꾸는 여자들이 흔히 썼다고 하네요. 이처럼 마르트라는 여인은 모든 사람에게 자신의 과거를 철저히 감추고 살았습니다. 그녀는 자신에 대한 진실을 늘 감추는 습관이 있었고, 평생 자신이 꾸민 상상의 세계 속에 깊이 침잠해 살았습니다. 보나르 그림 속 마르트는 외부세계와는 단절된 채, 자신의 놀이에만 깊이 빠져있는 어린아이처럼 묘사되었던 것도 바로 그 때문이지요. 오로지 그녀에겐 그녀 자신만의 세계가 중요했고, 절대적인 세계였던 것입니다. 이런 미스터리한 분위기는 19세기 프랑스의 중산층을 증오하고 비사교적이며 조용한 사생활을 즐긴 보나르 같은 사람에겐 오히려 매력적인 요소로 작용한 것이 아닐까 싶어요.

이런 미스터리한 신경증자를 사랑한 보나르는 도대체 어떤 남자였을까요? 대체 무엇이 그로 하여금 이런 작품을 창조할 수 있게 했던 걸까요? 존 버거의 언급이 얼마간 우리의 궁금증을 풀어줄까요?

"마르트를 향한 헌신의 힘으로 또는 예술가의 재능으로 그는 그에게 일어난 사실을 훨씬 깊고 보편적인 진실로 끌어올린다. 반쯤 존재하는 여자를 진정으로 사랑 받는 존재의 이미지로 변형시킨 것이다. 모순과 갈등 속에서 태어난 예술의 전형적인 예이다."

중요한 사실은 보나르가 마르트와 살면서 가장 생산적이었다는 사실입니다. 신경증에 걸린 여자가 오히려 막강한 영감을 주었던 겁니다. 마르셀 푸르스트의 『잃어버린 시간을 찾아서』 중 '사라진 여인' 의 다음과 같은 구절 또한 그들 사랑에 대한 하나의 해명이 될 수 있을까요?

"그녀는 다른 어떤 이유에서가 아니라 나와 다른 자, 즉 타자이기때문에 숙명적으로 비밀스러운 것이며, 이 타자성 때문에 결국 나로 환원될 수 없고, 늘 낯선 자로 남는 것이다."

그러니까 마르셀 푸르스트가 알베르틴의 이타성을 파괴하고, 그녀를 소유하는 데 성공한 적이 없으며, 오히려 그녀의 이타성(異他性), 즉 그녀의 낯설음이 계속 상저를 주는 한에서만 그녀를 사랑할 수 있었다는 말이 떠오릅니다. 이타성, 신비, 낯설음, 생경함, 베일, 환상! 이것이야말로 예술가의 상상력을 촉발하는 강력한 무기이지요. 그런 점에서 영화 〈흐르는 강물처럼〉에서 목사인 아버지의 말이 떠오르는군요.

"완벽한 이해 없이도, 완전한 사랑이 가능하다!"

2. 프리다 칼로, 히스테리자의 사랑

디에고 리베라에 대한 프리다 칼로의 사랑은 세기적으로 회자되는, 감히 사랑의 최고봉이라 할 수 있을 것입니다. 칼로처럼 사랑하고 싶지만, 그러기엔 두려움이 앞서는 게 사실입니다. 가끔 프리다 칼로의 사랑을 벤치마킹하고 싶을 때, 나는 〈프리다〉(2003년, 줄리 테이머 감독)라는 영화의 오리지널 사운드트랙을 듣습니다. 라틴풍의 그 음악은 흥겹고, 처절하며, 가슴을 후벼파는, 파토스적인 곡절이 굽이굽이 넘치는 것으로, 사랑하는 데 필요한 충동의 에너지를 순간적으로 주입해준다고나 할까요.

프리다 칼로와 디에고 리베라의 사랑! 사실 지금 난 그 두 사람의 사랑에 대해서 이야기하려는 것이 아닙니다. 둘이 하는 사랑보다 더 나를 유혹하는 것은 그저 프리다 칼로라는 한 여자입니다. 그 여자는 어떤 여자이길래 그런 사랑을 할 수 있었을까요? 그것에만 집중해보고 싶습니다.

프리다 칼로의 예술은 프리다 칼로의 삶과 일치합니다. 단언컨대 삶과 예술이 그렇게 완벽하게 일치하는 화가는 없습니다. 칼로의 삶은 한마디로 사랑 그 자체였지요. 그녀의 사랑의 근간에는 자기를 포기하는 사랑, 그런데 결국 그조차도 끔찍한 자기사랑, 즉 나르시시즘의 냄새가 난다니 놀랍기만 합니다. 어찌 저리도 처절하도록 한 남자를 사랑할 수 있을까요? 그녀의 사랑을 시기하던 나는 그녀의 사랑에는 이율배반적인 사랑이 숨어있다는 사실을 알게 되었습니다. 바로 히스테리컬한 사랑과 나르시시즘적인 사랑이 그것이지요!

프리다 칼로는 육체적인 불운으로 얼룩진 유년시절을 보내게 됩니다. 그녀는 헝가리계 독일 출신의 유태인인 아버지와 스페인 토착민 혼혈인인 어머니 사이의 네 딸 중 셋째 딸로 태어납니다. 몽상가였던 아버지는 나약하고 비현실적이었던 반면 어머니는 엄격하고 독선적이었습니다. 아버지의 기질을 물려받은 칼로는 아버지로부터는 특별한 사랑을 받았지만 어머니에게는

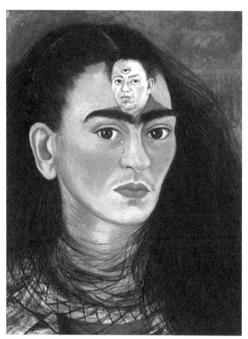

프리다 칼로, 〈디에고와 나〉, 1949.

따스한 정을 받지 못했
습니다.

그런 칼로에게 삶의
고통은 너무 이른 나이
에 찾아왔습니다. 여섯
살에 소아마비에 걸려
왼쪽 다리가 불구가 된
것도 모자라 18세에 끔
찍한 버스 사고까지 당
하고 만 것이지요. 그렇
잖아도 소아마비로 열등
의식이 있었던 그녀에게
닥친 끔찍한 사고는 인
생을 송두리째 바꾸어
놓았습니다. 평생 수십

여 차례의 수술을 계속해야했을 정도로 사고의 후유증은 큰 것이었지요. 그
렇지만 이 사고는 의대 진학을 준비하던 그녀가 화가가 될 수 있게 했습니
다. 신체의 모든 부분이 제대로 남아있지 않을 정도로 처참한 상태에도 칼로
의 생명력은 놀라운 것이었습니다. 투병생활의 지루함을 달래주려고 어머니
가 사다준 그림도구는 그녀에게 큰 즐거움을 가져다 주었어요. 바로 천장에
큰 거울을 붙여 자화상을 그렸던 일! 당시 남자친구였던 알레한드로의 부모
의 반대와 유학으로 쓰라린 결별을 하게 되는 때도 이맘 때쯤이지요.

그리고 프리다 칼로는 어린 시절부터 사모하던 남자 디에고 리베라와 사
랑에 빠지고 결혼을 하게 됩니다. 그의 세 번째 부인이 되었던 것이지요. 리
베라는 칼로보다 21살 연상의 남자로, 멕시코의 피카소로 알려진 매우 유명
한 화가이자 정치가였어요. 신문에 오르락내리락하던 유명인의 세 번째 부

인이 된 것입니다. 그만큼 그녀는 화가로서 자기 자신에 대해 별로 큰 비중을 두지 않았어요. 그들은 리베라의 전처들과 아이들이 참석한 가운데 결혼식을 올리게 됩니다. 칼로는 리베라의 전처 루페 마린과도 절친하게 지냈다 하지요. 루페 마린은 칼로가 천재화가인 리베라를 아이처럼 자연스럽게 다루는 데 충격을 받았다고 합니다.

칼로가 자기 엄마 또래의 리베라에게 묘한 매력을 느낀 것은 참 별난 순간이었지요. 바로 리베라가 어느 파티에서 술을 마시며 논쟁하다 격분하여 총을 발사해 오디오를 박살 낸 사건입니다. 그 사건은 칼로에게 간질병자였던 아버지를 떠올리게 합니다. 유년시절 간질발작이 일어난 아버지를 다치지 않게 챙겨주고, 얼굴을 닦아주고, 카메라 가방을 지키면서, 아버지가 깨어나기를 기다리면서 지켰던 자신의 체험을 상기시켰던 거지요. 이 사건을 통해 칼로는 리베라를 아버지와 동일시하면서 묘한 쾌감을 느낍니다. 역시 여자에게 모든 남자는 긍정적이든 부정적이든 아버지를 투사해서 보게 되지요.

칼로와 리베라는 열정적으로 사랑했고 결혼했지만 칼로에게 리베라는 영원히 소유할 수 없는 신성한 괴물같은 존재였습니다. 스페인계 인디언과 포르투칼계 유태인의 혈통을 가진 디에고는 멕시코, 마르크스주의, 인민, 많은 여자, 초목 그리고 지구의 평화같은 것을 예술로 승화시키는 것이 목표였던 정말 스케일 큰 상남자였습니다. 그는 자신의 신념을 위해서라면 무엇이라도 희생할 각오가 되어 있는 혁명가적 자질을 갖추고 있었죠. 특히 여성들에게 인기가 아주 좋았는데요. 타고난 이야기꾼이자 재기 넘치는 입담으로 주변에 여성들이 넘쳐났고, 그 역시 여성들을 마다하지 않았어요. 리베라는 성의 자유가 자기 예술의 자양분이고, 혁명을 위해서도 꼭 필요한 거라고 생각했어요. 그러니 칼로의 맘 고생이 얼마나 심했겠어요. 칼로처럼 강렬한 카리스마와 매력을 가진 여자라고 해도 리베라만큼은 결코 소유할 수 있는 남자가 아니었던 거지요.

그러니 이 부부의 삶이 녹록할 리 있겠어요? 한마디로 폭풍우 같았지요!

두 사람 모두 직선적이고 추진력이 있고 격렬한 감수성을 가졌고 유머, 지성, 사회의식, 인디오적 성향, 삶에 대한 자유분방한 태도 등 많은 공통점을 가지고 있었습니다. 그 중에서도 두 사람을 가장 강렬하게 묶어준 것은 서로의 예술세계에 대한 무한한 존경심이었어요. 리베라는 칼로의 예술적 성공을 매우 영예롭게 생각했으며, 언제나 기쁨이 넘치는 표정으로 사람들에게 칼로를 최고의 예술가라고 극찬하곤 했답니다. 하지만 칼로는 리베라로부터 씻을 수 없는 상처를 입게 됩니다. 칼로가 유산으로 상심해있을 때, 리베라가 여동생 크리스티나와 불륜을 저지른 거지요. 크리스티나는 칼로에게 분신과도 같은 존재였습니다. 그들은 서로를 가장 좋아하는 동시에 가장 증오했고, 모든 것을 나눈 자매였지요. 사고를 당했을 때 그녀를 돌본 사람도, 미국에서 고독한 시간을 보낼 때 끊임없이 편지를 보낸 사람도 바로 동생이었어요. 크리스티나는 칼로와는 다르게 모성애가 강하고 쾌활하며 관대해서 기분전환을 하기에 아주 편안한 상대였던 거예요. 그녀 역시 아무런 악의 없이 유혹해오는 리베라를 거부하기 어려웠을 것입니다. 얼마나 대단한 찬사를 퍼부으며 다가왔겠어요!

결국 그들은 이혼했고, 1년 만에 재결합합니다. 재결합의 조건은 재정적인 면에서 독립할 것, 물리적으로 다른 공간에서 살 것, 성적인 관계를 하지 않을 것 등 입니다. 두 사람의 타협안은 합리적이고 타당한 방식으로 이루어졌지요. 어쨌거나 이혼과 재결합, 그 이후의 칼로의 그림은 모두 상처받은 자신에 관한 것뿐입니다. 그 중에서 가장 기억에 남는 그림이 바로 〈머리를 자른 자화상〉(1940년)입니다. 남편에게 복수하려고 머리를 자른 것이죠. 흔히 실연 후 여성들이 하는 가장 사소한 복수라고 생각할 수도 있어요. 보통 남자들은 긴 머리를 좋아하는데 남자처럼 숏커트를 하면 정말 식겁하겠죠!! 그런데 칼로의 복수는 좀 남다릅니다. 우선 리베라는 멕시코의 테후아나 전통 옷차림에 틀어올린 머리 모양을 아주 좋아했어요. 아름다움을 사랑하는 리베라라는 남자에게 시각적으로 드러나는 겉모습은 영혼만큼 중요한 것입니다. 그래서 머리를 짧게 자르고, 양복을 입은 모습은 사소한 복수가 아닌 치명적인 복수에 속한다는 것입니다. 게다가 이것은 여성이기 때문에 받은 고통에 대한 보상(?)같은 것인데요. 그러니까 여성성을 거세함으로써 더 이상 여성이기 때문에 받는 고통을 거부하겠다는 의지의 표명이라고도 볼 수 있다는 겁니다.

그런데 이게 웬걸! 칼로는 이때부터 적극적으로 양성애자로 돌아섭니다. 학창시절 동성애 경험을 한 적이 있던 칼로의 성적 취향이 다시금 새롭게 갈무리되는 계기가 마련된 것이지요. 사실 그녀의 동성애적 성향은 리베라의 보헤미안적 자유사상의 세계에 발을 들여놓은 후에 다시 나타났던 것입니다. 그 세계에서 여성들 사이의 사랑은 보편적이었고, 부끄러운 일이 아니었습니다. 칼로에게는 많은 여자 친구와 레즈비언 파트너가 있었는데, 그녀는 여자든 남자든 일단 사랑하게 되면 육체적 관계를 통해 완전히 결합되기를 원했다고 합니다. 리베라도 마찬가지였어요. 그는 오히려 칼로의 동성애적 애정행각을 장려하기까지 했다니까요. 어쩌면 젊은 그녀를 만족시킬 수 없는 늙은 남자의 배려였던 것 같기도 하고 그녀로부터 자유로워지고 싶은 욕망 때문이었던 것 같기도 합니다.

중요한 사실은 칼로가 리베라의 연인들과 사귀었다는 겁니다. 이것이 히스테리자들의 전형적인 사랑법입니다. 히스테리자들은 타자중심적인 성향을 가지고 있어서 지극히 타자에 잘 동화되는 성격을 가집니다. 혹시 타인과 감정이입이 지독하게 잘된다면 한 번쯤은 자신이 히스테리자가 아닌지 의심해보셔도 좋습니다. 그리고 칼로 역시 자기 자신이 사랑하는 남성과 자신을 동일시한 나머지 그 남성이 욕망하는 여성을 욕망하게 되었던 거예요. 히스테리자들이 자신의 성적 정체성을 고민하고 양성적인 성향을 보이는 것도 모두 타자의 욕망과 밀접한 원인을 가지기 때문입니다.

재결합 후 자유와 독립성을 얻게 된 부부의 유대감은 이전보다 강하고 넓어졌습니다. 칼로 역시 소유할 수 없는 남자의 아내나 애인이 되는 것보다는, 최고의 동료가 되는 것이 그와 잘 지낼 수 있는 유일한 방법이라는 사실도 깨달았습니다. 특히 칼로의 모성애는 점차 강해졌습니다. 늘 리베라의 아이를 갖고 싶었으나 유산과 사산 등의 아픔을 겪었던 칼로는 리베라를 더 이상 남자가 아닌 아들로 간주하게 됩니다. 그래야 더 이상 상처받을 일이 없기 때문이지요! 그래야 계속 줄 수 있는 사랑, 즉 사랑의 주체가 될 수 있기 때문이겠지요!

만년의 작품 〈우주의 포옹, 지구, 나, 디에고〉(1949년)는 그러한 칼로의 마음을 여지없이 보여줍니다. 프리다 칼로 식 〈피에타〉인 셈인데요. 칼로가 세계를 통찰하는 신(지혜)의 눈을 가지고 있는 리베라를 마치 마리아가 서른 셋의 예수를 안고 있는 것처럼 그려냅니다. 이것은 결국 무엇이겠습니까? "디에고! 너는 예수와 같은 신적인 존재야! 그렇지만 예수가 여성인 마리아에게서 태어났듯이, 너도 결국 여자에게서 태어난 존재일 뿐이야! 나 프리다 칼로가 바로 너를 창조했다. 너는 그것을 거부할 수 없을 것이야!" 이처럼 칼로는 자신이 리베라를 태어나게 한 최초의 씨앗이며, 세포임을, 그래서 그를 자신이 낳은 아이임을 강조했습니다.

나는 이런 지독한 사랑이야말로, 결국 자기사랑의 극대치에서 오는 것이라는 생각을 하게 되었습니다. 그러니까 결국 타자에 대한 끔찍할 정도의 집착적인 사랑도 결국 지독한 나르시시즘, 즉 자기애에 근간한 사랑이라는 사실을 깨달은 것입니다. 더군다나 사랑이 본질이 아무리 받는 것이라고 하더라도, 더 많이 사랑하는 자가 약자라고 해도, 결국 사랑하는 자가 자기사랑의 주제이며 창조자에 다름 아니라는 생각이 드는 겁니다. 자기사랑의 창조자, 사랑의 주체, 이런 예술이 또 어디에 있을까요? 실천하는 사랑에 비한다면, 그림을 그리는 행위는 아주 미미하고 시시하게 느껴질 정도입니다. 사랑할 대상을 창조한 스스로를 대견스럽게 여기는 여자, 사랑을 창조한 여자, 프리다 칼로, 당신이 이겼습니다. 사랑에 관한 한 당신을 따라올 자가 당분간은 없어 보입니다!

3. 조지아 오키프 : 예술을 위해 선택한 사랑

조지아 오키프는 미국현대미술계에 보기 드물게 성공한 여성작가입니다. 그런데 그녀는 예술가로 성공하기 위해 초고속 엘리베이터를 탔습니다. 성공한 늙은 남자라는 엘리베이터 말입니다. 그 남자가 바로 미국 사진계의 거장이며 유명 화상이었던 알프레드 스티글리츠입니다.

아일랜드계 미국인인 오키프가 스티글리츠를 만난 것은 스티글리츠가 운영하던 뉴욕의 291화랑에서였습니다. 오키프는 28세, 스티글리츠는 52세로 두 사람의 나이차는 무려 24살이나 났어요. 당시 텍사스에 있는 중학교 미술 교사였던 오키프는 미국 아방가르드 미술의 대부였던 스티글리츠를 잘 알고 있었습니다. 그러니까 유럽미술가들의 작품을 미국에 처음으로 소개했던 화상이자, 아방가르드 미술을 소개하는 잡지 발행인이자, 탁월한 사진작가로도 알려진 스티글리츠의 명성을 익히 잘 알고 있었던 거지요.

오키프는 어느 날 자신의 작품이 스티글리츠가 운영하는 뉴욕의 291화랑에서 전시되고 있다는 소식을 듣고 먼 길을 달려갑니다. 자기 허락도 없이 작품을 전시한 것에 대해 따지러 간 것이지요. 당장 그림을 떼

조지아 오키프, 〈Two calla Lilies on pink〉, 1928, 필라델피아 미술관.

라고요! 미술사학도인 친구를 통해 291화랑에 작품을 보낼 때는 언제고, 갑자기 따지러 갔다는 것도 좀 아귀가 맞지 않는 얘기이지요. 오키프가 어떤 꿍꿍이가 있었는지는 모르겠지만, 비가 추적추적 내리는 일요일의 낯선 여자의 방문은 스티글리츠에겐 하나의 섬광같은 만남으로 기억됩니다.

당시 오키프는 낙담과 절망의 시간을 보냈던 시기였어요. 몸도 아팠고, 돈도 없었고, 무엇보다 시골 구석에서 썩고 있다는 생각이 자신의 처지를 비참하게 만들었던 겁니다. 그녀에게는 현실적인 문제들이 산재해 있었어요. 아틀리에, 아파트, 건강한 몸, 작업할 시간 등을 얻기 위해서는 무엇보다 돈이 필요했던 때입니다. 단지 부와 명성을 위해서가 아니라 자유와 안전을 위한 돈 말입니다. 오키프는 스티글리츠의 연인이 되면 어떤 보상을 받으리라는 것을 너무나 잘 알고 있었던 것 같아요. 오키프는 스티글리츠에 의해 발견되기 이전부터 그가 발간하는 잡지를 구독하고, 친구에게 보내는 편지에서 그를 여러 차례 언급한 것을 보면, 그의 후원을 은근히 기대했던 것 같습니다. 그렇지만 그것은 어디까지나 스폰서로서의 관심이었을 뿐 이성적인 관심은 아니었던 것으로 보입니다.

반면 스티글리츠는 늙어가는 거장이었습니다. 자기의 예술에 있어서나 비즈니스에 있어서나 아주 새로운 자극이 필요했던 때였지요. 화상으로서의 스티글리츠는 늘 자신에게 잘 보이고 싶어 하는 사람들 틈에 있었던 터라 자신에게 오만하게 대드는 무명화가 오키프를 조금은 참신하게 느껴졌던 모양입니다. 그런 스티글리츠는 이듬해인 1917년 오키프의 개인전을 열어주는 것을 마지막으로 291화랑을 접게 됩니다.

오키프는 이 개인전 이후 스티글리츠의 사진 모델이 됩니다. 그것도 누드모델이 되었지요. 일종의 보답이고, 거래의 차원이었을 겁니다. 사진작가와 누드모델로서의 이들의 관계는 당연히 연인관계로 발전합니다. 어느 것이 먼저랄 것도 없이 말이죠. 당시 유부남이었던 스티글리츠는 두 사람의 만남을 신비화시키기 위해서 오키프를 우상화시킵니다. 스티글리츠는 지인들에게 "오키프는 내가 생각했던 것보다 훨씬 더 특별하다네. 사실 그처럼 특별한 여자가 있다는 게 믿어지지 않아. 사고방식과 감정이 아주 분명한 여자야. 그리고 자연스럽고 거침없다네, 위험하고 섬뜩할 정도로 아름답지, 모든 맥박이 펄떡펄떡 뛰는 여자야."라고 고백합니다.

이 두 사람의 시초의 만남에서 오키프는 그저 누드모델이었지요. 사람들은 그녀를 유부남 스티글리츠의 성애의 대상 혹은 정부 정도로밖에 여기지 않았어요. 그녀를 누드모델이 아니라 화가로 생각하기까지는 시간이 좀 걸립니다. 어쨌거나 스티글리츠는 오키프를 통해 한동안 식었던 작업의 열정을 불사릅니다. 오키프는 그의 사그라지는 창조력에 불을 붙인 '뮤즈'였던 거지요. 오키프의 초상 사진을 찍은 스티글리츠는 이후 카메라가 무거워 들수 없을 때까지 40여 년 동안 약 500여 점에 이르는 오키프의 사진을 편집 증적으로 찍어댑니다. 오키프는 성교 직전의 수줍고 유혹적인 모습 혹은 성교 직후의 탈진한 모습으로 스티글리츠의 사진 속에 등장합니다. 두 사람 사이의 성적 일탈이 추측되는 작품들이지요. 그리고 이런 사진들로 마련한 사진 전시회에서 스티글리츠는 그녀가 온전히 자기 여자임을 온 세상에 천명합니다. 그때부터 죽을 때까지 오키프는 늙은 거장의 정부이자 누드모델이라는 오명을 안은 채 살아갑니다. 동시에 오키프는 섹슈얼리티의 대상으로 부각된 대중적 이미지에 대해 아주 예민한 반응을 보이며, 이와 상반되는 은둔자적인 면모와 금욕적인 이미지로 자신을 철저하게 변모시켜 나갑니다. 거의 수녀와 같은 검은 옷에 화장기 없는 얼굴 등 꾸미지 않은듯한 모습을 통해 자신이 엄청 절제된 사람임을 의식적으로 연출했던 것이지요.

두 사람은 만난 지 8년 만인 1924년, 37세의 오키프와 60세의 스티글리츠가 결혼합니다. 뉴저지의 치안판사의 사무실에서 거행된 결혼식에는 반지교환도, 사랑이니 순종이니 하는 선서도, 피로연도 없었고, 남편의 성도 받아들이지 않았습니다. 스티글리츠는 그녀를 291화랑의 '정신'이며, 혼돈과 실패와 무력감으로부터 회복시켜준 그 자신의 '부활'이자 '재생'이고 죽지 않는 '영혼'이라고 표현하는 등 찬사를 퍼부었지요. 그러면서도 그는 자신이 오키프를 구원해 준 메시아적인 인물로 비추어주길 원했습니다.

화가로서 오키프는 스티글리츠와의 연애에서 환기된 성적인 환타지를 그림으로 표현하기 시작했습니다. 두 사람이 만나기 전까지 그들은 일정한 성적 파트너 없이 지내왔던 터라 성적 욕망이 일으키는 전율에 흠뻑 빠졌던 거지요. 오키프는 꽃을 크게 확대해서 그리기 시작했는데, 부풀어 오르며 맥박이 고동치는 듯 역동적이고 화사하고 풍요로운 색채를 드러내기 시작했습니다. 이전까지는 여성화가가 가장 은밀하여 쾌락에 들뜬 성적인 감정을 표현하는 것이 어려웠는데, 그녀는 자신의 성적 쾌락을 전유하고 특권화하면서 신비로움에 가려져있던 것을 과감하게 드러냈던 것입니다. 이는 현대미술에서 가히 혁명적이며 전례 없는 일이었지요. 오키프의 꽃은 그저 단순한 꽃이 아니라, 꽃이 그녀에게 의미하는 바였습니다. 바로 생명, 쾌락, 관능의 메타포!

그런데 스티글리츠는 그토록 이상화시켜 놓았던 멋진 여자 오키프를 두고 바람을 피우기 시작했습니다. 남자들이 다른 여자에게 관심을 쏟는 것은 현재의 파트너에 대한 불만이라기보다는 그저 새로운 여자에 대한 호기심 때문이라고 말했지요. 그런 것처럼 스티글리츠는 오키프를 사랑하지 않아서가 아니라 습관적으로 새로운 연애상대를 찾아 헤매었어요. 그것도 오키프가 잘 아는 주변의 여자들이었지요. 스티글리츠는 오키프의 옛 애인이었던 폴 스트랜드(미국의 유명사진가)의 아내와도 묘한 사이였는가 하면, 딸 벌되는 도로시 노먼과는 아주 각별한 사이가 되었지요. 스티글리츠는 호감 가는 여사가 있으면, 사진 모델이 되어달라며 접근했지요. 특히 27세의 도로시 노먼은 67세의 늙은 스티글리츠의 정부가 됩니다. 부유한 남편을 둔 노먼은 틀에 얽매이는 걸 싫어했고, 예술에 대한 동경이 강했지요. 그녀는 스티글리츠에게 강력하게 매료되었고, 그런 노먼에게 그 역시 마음을 빼앗겼던 것입니다. 스티글리츠는 누드나 침대에 있는 노먼을 100점 이상이나 찍었고, 노먼은 스티글리츠의 새 화랑 '아메리칸 플레이스'의 운영자금을 댔던 것입니다.

이들의 관계는 오키프에게 깊은 상처를 남겼고, 그 후 그녀는 스티글리츠에 대한 모든 신의를 잃어버렸습니다.

뿐만 아니라 스티글리츠는 오키프에게 무언가 끊임없이 요구하는 등 막무가내로 동반자 역할을 강요했고 오키프는 여느 부인들처럼 자신의 욕망을 기꺼이 포기해보기도 했습니다. 그렇다고 스티글리츠의 외도가 멈춘 것은 아니었습니다. 어떤 여자든지 사진을 찍는 순간마다 사랑한다고 공언하는 스티글리츠의 배신에 오키프는 매번 새롭게 상처받았습니다. 예민한 오키프는 질투의 화신이었으니까요. 두 사람은 자주 다투었고, 오키프는 점점 더 정신적·육체적으로 병들어갔습니다. 그럴 때면 오키프는 스티글리츠로부터 벗어나 혼자만의 시간을 보내기를 간절히 원했습니다. 그 때마다 그녀는 조지아 호수(아틀란타)나 뉴멕시코의 타오스로 피신을 하곤 했습니다. 스티글리츠에 대한 배신감에 극에 달했을 때, 그녀의 신경쇠약과 우울증은 극에 달하게 됩니다. 그때 그녀는 그림을 그리고 싶은 의지를 포기한 채 뉴멕시코의 오지로 도피합니다.

오키프는 스티글리츠의 배신에 자신을 부재화시키는 방법을 택한 것이지요. 오키프는 남편을 죽일 수 없어서 남편의 아내로서의 자신을 죽인 것이지요. 어쨌거나 그녀는 절대고독의 세계로 침잠하는 것으로 자신을 죽이는 동시에 구원했습니다. 혼자 있을 때만이 온전히 자유로울 수 있다는 사실을 점점 깨닫게 되었던 거지요. 그러니까 남자 없이 행복한 삶, 홀로 있음의 충만함, 대자연의 위대함을 깨닫게 된 것입니다.

이처럼 뉴멕시코는 오키프가 한 인간으로서, 예술가로서 자신의 개인적 의미를 새롭게 추구한 곳입니다. 거기에서 그녀는 그렇게 잔인하고 혹독한 관계를 견디며 오롯이 그림에 몰입할 수 있었던 것입니다. 뉴멕시코는 오키프로 하여금 그림을 그리는 것을 그만두겠다는 생각을 바꾸어 새롭게 그림을 시작할 수 있는 힘을 주었고, 훨씬 더 자기다운 작품을 하게 만듭니다. 스티글리츠는 여러 여자를 섭렵했지만, 언제나 다시 오키프에게로 돌아오곤 했습니다. 그는 언제나 오키프와 자신을 동일시했던 것이죠. 외도 후에도 그는 지인들에게 자신이 지금까지 원했던 그 어떤 것보다 진실로 그녀를 원한다는 고백을 하곤 했습니다.

오키프는 칼로처럼 남편의 배신을 적나라하게 드러내고 투쟁하지는 않았지만 평상시 자기의 방식대로 스스로의 삶을 구축해 나갔습니다. 사실 오키프는 감상적인 면이 거의 없었으며 상대방이 감정을 표출하는 것도 거의 참지 못했습니다. 그녀는 쌀쌀맞고 자기본위적인 반면 이성적이고 관대한 사람이기도 했어요. 그가 얼마나 별난 사람인지 알려주는 에피소드가 하나 있는데요. 젊은 친척 아이가 자신의 롤스로이스 승용차를 빌려갔고, 박살내서 돌아왔습니다. 그런데 오키프는 고급승용차가 박살낸 것에 대해서는 묵인해주었지만 함께 빌려갔던 커피포트가 망가진 것에 대해서는 청구서를 냈다는 것이지요. 관대함과 깐깐한 성격이 동시에 드러난 사건으로 그녀가 허튼짓을 용납하지 않는 완벽주의자임을 보여줍니다.

두 사람은 뉴멕시코와 뉴욕에 따로 떨어져 살다가 스티글리츠의 만년에 재회합니다. 1941년 소원해진 관계를 회복하기 위해 다시 만났던 거지요. 그들은 23년간 함께 해왔던 작품들을 정리하는 데 한 계절을 함께 보냈습니다. 오키프는 스티글리츠가 저지른 불륜에 화도 나고 절망도 했지만 그와 함께 했던 삶에 향수를 느끼기도 했던 것입니다. 1946년 스티글리츠가 83세로 사망하자, 오키프의 절망은 생각보다 컸습니다. 그의 죽음을 받아들이는데 오랜 세월이 걸렸어요. 남편이 죽고 3년 후 그녀는 뉴멕시코로 영구이주 합니다. 그때 그녀는 중요한 일을 하게 됩니다. 자신의 뮤즈이자 스승이자 스폰서이자 남편이었던 스티글리츠의 사진을 다시금 발굴하고 선별했습니다. 그리하여 사진가로서 재조명하게 만들어 미국현대사진의 선구자로 추앙받게 만들었던 것입니다.

인생은 60부터라더니! 본격적으로 오키프의 진짜 인생이 펼쳐집니다. 우선 정력적으로 여행을 가게 됩니다. 애인이 없으면 여행이라도 해야 한다는 말이 있지 않습니까? 그녀는 사랑하는 사람을 잃고, 사랑의 자리를 대신하여 해마다 다른 나라로 여행을 떠납니다. 유럽을 비롯한 남미 안데스, 이집트, 중동, 북아프리카, 인도, 동남아시아, 극동아시아 등지를 여행하는 것은 물론, 더 깊은 사막으로의 캠핑, 콜로라도에서의 래프팅 등 열정적인 모험이 시작됩니다. 이런 모든 아웃도어 라이프가 예순이 넘어서 생긴 일입니다.

말년에는 또 다른 새로운 일에 착수하게 되는데요. 일거리를 찾아 들어온 후안 해밀턴이라는 남자의 등장은 오키프 인생의 전혀 다른 페이지를 쓰게 합니다. 문학과 조각을 전공한, 59세 연하의 해밀턴은 오키프의 마지막 10년을 더없이 행복하게 해줍니다. 특히 해밀턴은 거의 시력을 잃은 오키프에게 다큐멘터리를 만들고 자서전을 쓰도록 자극하고 도왔습니다. 무엇보다 오키프와 해밀턴은 똑같은 유머감각을 갖고 있었습니다. 두 사람은 마치 쌍둥이 남매처럼 통하는 데가 있었던 거지요. 오만방자하고 냉소적인 유머를 지녔던 해밀턴은 여느 남자들처럼 오키프를 숭배하지 않았어요. 오키프는 해밀턴을 선택한 대가로 많은 친구와 동료를 잃어야만 했지요. 그렇지만 친구들조차 해밀턴이 분명 오키프의 삶의 질을 고양시켜준 것만큼은 인정했다고 하네요.

죽기 전까지 오키프는 해밀턴을 자기의 연인이라고 말했고, 해밀턴은 "조지아와 나는 결혼할 겁니다."라고 농담처럼 말하곤 했답니다. 오키프는 해밀턴 때문에 참 많이 기뻐했고, 해밀턴은 사랑으로 그녀를 돌봤습니다. 오키프는 이 젊은 남자에게 많은 재산을 상속합니다. 해밀턴은 그녀의 유언대로 장례식도 추모식도 치르지 않습니다. 해밀턴은 그녀의 소원대로 그녀의 유해를 그녀가 그토록 사랑했던 고스트랜치에 뿌립니다. 늙은 오키프는 남자들만이 자신을 돕는다는 생각에는 변함이 없었던 것 같아요. 젊은 시절엔 늙은 남자가, 늙어서는 젊은 남자가 그녀를 지켜주니, 이 얼마나 멋진 인생입니까?! 예술가로서도 한 인간으로서도 말입니다.

4. 사랑을 위한 예술, 예술을 위한 사랑, 사랑을 창조하라!!

사랑에 대해서라면 모두들 할 말들이 아주 많지요! 그러나 아무리 할 말이 많아도 말보다 그저 행동하는 사랑이 최고의 사랑이라는 생각에는 공감을 하실 겁니다. 무조건 해봐야 하는 겁니다. 물론 누군가는 말했지요. 진정한 사랑은 짝사랑이라고요. 그것도 온전히 이해되는 말입니다. 사랑에는 얼마간 짝사랑과 외사랑의 요소가 있게 마련이고, 이런 애달픈 사랑 때문에 문학과 예술이 나오는 것이지요.

사실, 사랑하는 일은 어렵습니다. 얼마 전 읽은 『헤르만 헤세의 사랑』이라는 책은 어쩌면 사랑은 불가능이라는 생각이 들게 만듭니다. 헤르만 헤세는 이렇게 고백하지요. "나의 사상이나 예술관 때문에 내 인생에서, 혹은 여성들과의 관계에서 종종 어려움에 봉착한다. 나는 사랑을 부여잡을 수도, 인간을 사랑할 수도, 삶 자체를 사랑할 수도 없다."고 말합니다. 그는 서로에게 의지하고 있는 두 사람이 평화롭게 살아가는 일은 다른 모든 윤리적이거나 지적인 활동보다 더 드물고 어렵다고 토로하곤 했어요. 그럼에도 헤세가 결혼을 세 번씩이나 했던 것은 무슨 이유일까요? 어쨌거나 헤세의 말을 듣고 나면 사랑은 특별한 능력이 있는 사람에게나 가능할 거라는 생각을 하게 됩니다. 더불어 때로는 어떤 사람에게 사람에 대한 사랑보다 사상이나 예술에 대한 사랑이 더 크고 더 합당할지도 모른다는 생각이 듭니다. 사람에 대한 사랑보다 사상이나 예술에 대한 사랑은 결국 라캉이 말한 대타자를 사랑하는 일이 아닐까요? 사람에 대한 사랑이 너무 쉽게 변질하고, 감정적이고, 변덕스럽고, 신뢰할 수 없으니까, 다시 말해 사랑은 불가능하니까, 영원한 사랑에 목을 매는 것이겠지요. 그리고 그 영원한 사랑에 대한 대안으로 흔히 신에 대한 사랑, 이데아에 대한 사랑으로 전이되는 것입니다. 어쩌면 그래서 사람들은, 특히 여성들은 신과의 사랑에 곧 매료되나 봅니다. 사랑의 이데아로서의 신을 사랑하게 된다면 그것은 더 이상 버림받을 일도 상처받을 일도 없는 오로지 정신적이고 영적인 세계에서의 사랑이니까요.

그러니까 사랑의 본질은 어쩌면 "사랑을 사랑하는 것"입니다. 16세기 매너리즘 시대의 아뇰로 브론치노의 〈비너스와 큐피드의 알레고리〉를 보십시오. 이 복잡한 구도의 작품 속에는 사랑의 모든 속성에 관한 상징물이 드러납니다. 질투, 가식, 시간, 유희, 망각 등등이요. 그런데 무엇보다 우리를 놀라게 하는 것은

아뇰로 브론치노, 〈비너스와 큐피드의 알레고리〉, 1540년대, 런던 국립미술관.

비너스와 큐피트의 입맞춤입니다. 모자 사이에 딥키스라니요? 쇼킹해보이는 이 키스의 진정한 의미는 무엇일까요? 그것은 바로 미와 사랑이 뗄려야 뗄 수 없다는 의미입니다. 어떤 식으로든 우선 아름다움에 매료되어야 사랑하게 되는 것이지요. 그런데 그게 다가 아닙니다. 사실, 비너스는 미의 여신인 동시에 사랑의 여신입니다. 이 사랑의 여신 비너스가 사랑의 신인 큐피드(에로스)를 낳았지요. 그러니 이 그림은 "사랑이 사랑을 사랑한다."는 뜻입니다. 가만히 생각해 보세요. 우리의 사랑은 어떤 특정한 대상을 향한 사랑입니까? 아닙니다. 그렇다고 착각하는 것뿐입니다. 사람의 사랑은 자기 안에 어쩔 수 없는 사랑 때문에 사랑하는 것이기도 하지요. 어쨌거나 사랑의 속성은 사랑을 사랑하는 것입니다. 앞서 말한 것처럼, 사랑이라는 최고의 가치와 이상을 사랑하는 것입니다. 그것이 감히 사랑의 본질이라고 할 수 있습

니다.

　사실 우리가 사랑을 하는 것은 사랑이야말로 유일하게 진정한 모험이기 때문일 겁니다. 더불어 사랑이 드라마틱한 모험이 되기 위해서 우리는 어쩌면 사랑하는 대상을 창조해야 하는 걸지도 모릅니다. 그러니까 사랑이란 사랑하는 대상을 창조하는 행위라는 말이지요. 진리를 사랑한다면 사랑할만한 진리를 상정해야만 하고, 친구를 사랑하려면 사랑할만한 친구를 만들어내라는 것이지요. 사랑을 원하십니까? 그러면 사랑할만한 대상을 창조하십시오. 이것은 철학자 니체의 충고입니다. 여기 예술가들은 실로 스스로 사랑의 대상을 창조한 자들이고, 사랑의 주체가 되려고 노력했던 사람입니다. 위대한 사람은 사랑할 대상을 창조하는 사람이라고 하지 않습니까! 그들은 사람을 찾아다니지도, 사랑을 찾아다니지도 않았습니다. 사랑은 창조하는 것이기 때문입니다. 여기 남다른 사랑법으로 고통과 절망 속에서도 찬란한 인생을 꽃피웠던 예술가들을 보십시오. 피에르 보나르, 프리다 칼로, 조지아 오키프. 이들의 사랑은 각기 무지개처럼 다른 사랑이지요. 보나르는 환상을 위해 사랑하고, 칼로는 사랑을 위해 예술을 하고, 오키프는 예술을 위해 사랑을 합니다. 그리고 가만이 들여다보면 그들이 진정으로 사랑한 것은 자기 자신이었는지도 모릅니다. 그리고 자기에 대한 사랑 즉 나르시스적인 만큼의 사랑을 상대방에 투사하는 것이지요. 그리고 그런 자기에 대한 지독한 사랑의 방식으로 택한 것이 바로 '고독'이 아니었나 싶어요. 예술가들은 어떤 식으로든 고독을 자청하는 성향이 있어요. 그들은 사랑했고, 사랑받았지만, 진정 그들의 진정한 파트너는 고독이었다는 말입니다. 고독을 사랑했던 예술가들이야말로 사랑의 진정한 창조자였던 것이지요.

유경희

학력

한양대학교 국어국문과

홍익대학교 미학과 석사

연세대학교 비주얼커뮤니케이션 정신분석학박사

미술평론가

저서

『치유의 미술관』

『창작의 힘』

『아트 살롱』

『예술가의 탄생』

관심분야

미학, 예술론, 명화, 대중강좌, 예술가의 삶, 예술 치유

전남대학교박물관 문화전문도서02

동서양 그림에서
사랑의 비밀을 읽다

초판1쇄 찍은 날 | 2016년 2월 19일
초판1쇄 펴낸 날 | 2016년 2월 25일

지은이 | 이태호, 손철주, 박계리, 고연희, 강명관,
　　　　오병희, 최혜영, 노성두, 정금희, 김홍섭, 유경희
펴낸이 | 송광룡
펴낸곳 | 도서출판 심미안
주소 | 61489 광주광역시 동구 천변우로 487(학동) 2층
전화 | 062-651-6968
팩스 | 062-651-9690
메일 | simmian21@hanmail.net
등록 | 2003년 3월 13일 제05-01-0268호
값 | 15,000원

ISBN 978-89-6381-172-7　03380